O LIVRO DE OURO DA

MITOLOGIA

HISTÓRIAS DE DEUSES E HERÓIS

Nay,

não sei se voce gosta de mitologia, mas agora voce vai ter que gostar. Não tive muito tempo pra escolher um presente p/ voce, então comprei o livro mais vazado que encontrei pela frente. Espero que goste!

Do seu amigo feioso,

Hudson Faria
13.10.12

love u!

O LIVRO DE OURO DA

MITOLOGIA

HISTÓRIAS DE DEUSES E HERÓIS

Thomas Bulfinch

34ª EDIÇÃO

Ediouro

título original
The age of fable

Copyright da tradução © Ediouro Publicações S.A.

capa e projeto gráfico:
Izabel Barreto : Mabuya Design

imagem de capa:
Netuno no cavalo, Werner Jacobsz van. den Valckert
© Christie's Images/CORBIS

revisão:
Jacqueline Gutierrez
Raquel Correa

pesquisa iconográfica:
Mônica Souza
Cristiane Brito

produção editorial:
Cristiane Marinho

CIP-BRASIL. CATALOGAÇÃO-NA-FONTE
SINDICATO NACIONAL DOS EDITORES DE LIVROS, RJ.

B945L

Bulfinch, Thomas, 1796-1867
   O livro de ouro da mitologia : histórias de deuses e heróis /
Thomas Bulfinch ; tradução David Jardim. - Rio de Janeiro : Ediouro, 2006
   il. ;

   Tradução de: The age of fable
   ISBN 978850002590-7

   1. Mitologia. I. Título.

06-1454.   CDD 291.13
                                                 CDU 291.13

Todos os direitos reservados à Ediouro Publicações S.A.
R. Nova Jerusalém, 345 - Bonsucesso
Rio de Janeiro - RJ - CEP: 21042-235
Tel.: (21)3882-8200 - Fax: (21)3882-8212/8313
www.ediouro.com.br

sumário

CAPÍTULO I

INTRODUÇÃO

As religiões da Grécia e da Roma antigas desapareceram. As chamadas divindades do Olimpo não têm mais um só homem que as cultue, entre os vivos. Já não pertencem à teologia, mas à literatura e ao bom gosto. Ainda persistem, e persistirão, pois estão demasiadamente vinculadas às mais notáveis produções da poesia e das belas artes, antigas e modernas, para caírem no esquecimento.

Propomo-nos a contar episódios relativos àquelas divindades, que nos chegaram dos antigos, e aos quais aludem, com freqüência, poetas, ensaístas e oradores modernos. Desse modo, nossos leitores poderão, a um só tempo, distrair-se com as mais encantadoras ficções que a fantasia jamais criou, e adquirir conhecimentos indispensáveis a todo aquele que quiser se familiarizar com a boa literatura de sua própria época.

A fim de compreendermos aqueles episódios, cumpre-nos, em primeiro lugar, conhecer as idéias sobre a estrutura do universo, aceita pelos gregos – o povo de quem os romanos e as demais nações receberam sua ciência e sua religião.

Os gregos acreditavam que a Terra fosse chata e redonda, e que seu país ocupava o centro da Terra, sendo seu ponto central, por sua vez, o Monte Olimpo, residência dos deuses, ou Delfos, tão famoso por seu oráculo.

O disco circular terrestre era atravessado de leste a oeste e dividido em duas partes iguais pelo *Mar*, como os gregos chamavam o Mediterrâneo e sua continuação, o Ponto Euxino, os únicos mares que conheciam.

Em torno da Terra corria o rio Oceano, cujo curso era do sul para o norte na parte ocidental da Terra e em direção contrária do lado oriental. Seu curso firme e constante não era perturbado pelas mais violentas tempestades. Era dele que o mar e todos os rios da Terra recebiam suas águas.

A parte setentrional da Terra era supostamente habitada por uma raça feliz, chamada hiperbóreos, que desfrutava uma primavera eterna e uma felicidade perene, por trás das gigantescas montanhas, cujas cavernas lançavam as cortantes lufadas do vento norte, que faziam tremer de frio os habitantes da Hélade (Grécia). Aquele país era inacessível por terra ou por mar. Sua gente vivia livre da velhice, do trabalho e da guerra. Moore nos deixou um "Canto de um Hiperbóreo", que assim começa:

> De um país venho pelo sol banhado,
> De jardins reluzentes,
> Onde o vento do norte jaz domado
> E os uivos estridentes.

Na parte meridional da Terra, junto ao curso do Oceano, morava um povo tão feliz e virtuoso como os hiperbóreos, chamado etíope. Os deuses o favoreciam a tal ponto que se dispunham, às vezes, a deixar os cimos do Olimpo, para compartilhar seus sacrifícios e banquetes.

Na parte ocidental da Terra, banhada pelo Oceano, ficava um lugar abençoado, os Campos Elíseos, para onde os mortais favorecidos pelos deuses eram levados, sem provar a morte, a fim de gozar a imortalidade da bem-aventurança. Essa região feliz era também conhecida como os Campos Afortunados ou Ilha dos Abençoados.

Como se vê, os gregos dos tempos primitivos pouca coisa sabiam a respeito dos outros povos, a não ser os que habitavam as regiões situadas a leste e ao sul de seu próprio país, ou perto do litoral do Mediterrâneo. Sua imaginação, enquanto isto, povoava a parte ocidental daquele mar de gigantes, monstros e feiticeiras, ao mesmo tempo em que colocava em torno do disco da Terra, que provavelmente consideravam como de extensão reduzida, nações que gozavam favores especiais dos deuses, que as beneficiavam com a aventura e a longevidade.

Supunha-se que a Aurora, o Sol e a Lua levantavam-se no Oceano, em sua parte oriental, e atravessavam o ar, oferecendo luz aos deuses e aos homens. Também as estrelas, com exceção das que formavam as constelações das Ursas, e outras que lhes ficavam próximas, levantavam-se e deitavam-se no Oceano. Ali, o deus-sol embarcava num barco alado, que o transportava em torno da parte setentrional da Terra, até o lugar onde se levantava, no nascente. Milton faz alusão a esse fato em seu "Comus":

> Eis que do dia o carro refulgente,
> Com seu eixo de ouro, docemente,
> Sulca as águas do oceano, sem desmaio,

Enquanto do inclinado sol o raio
Para o alto se volta, como seta
Visando, com firmeza, a outra meta
De sua moradia no nascente.

A morada dos deuses era o cume do Monte Olimpo, na Tessália. Uma porta de nuvem, da qual tomavam conta as deusas chamadas Estações, abria-se a fim de permitir a passagem dos imortais para a Terra e para dar-lhes entrada, em seu regresso. Os deuses tinham moradas distintas; todos, porém, quando convocados, compareciam ao palácio de Júpiter, do mesmo modo que faziam as divindades cuja morada habitual ficava na Terra, nas águas, ou embaixo do mundo. Era também no grande salão do palácio do rei do Olimpo que os deuses se regalavam, todos os dias, com ambrosia e néctar, seu alimento e bebida, sendo o néctar servido pela linda deusa Hebe. Ali discutiam os assuntos relativos ao céu e à terra; enquanto saboreavam o néctar, Apolo, deus da música, deliciava-os com os sons de sua lira e as musas cantavam. Quando o sol se punha, os deuses retiravam-se para as suas respectivas moradas, a fim de dormir.

Os versos seguintes da "Odisséia" mostram como Homero concebia o Olimpo:

Disse Minerva, a deusa de olhos pulcros,
E ao Olimpo subiu, à régia e eterna
Sede dos deuses, onde a tempestade
Ruge jamais, e a chuva não atinge
E nem a neve. Onde o dia brilha
Num céu limpo de nuvens e ameaças.
Felicidades sempiternas gozam
Ali os seus divinos habitantes.[1]

As túnicas e outras peças dos vestuários das deusas eram tecidas por Minerva e pelas Graças, e todas as demais peças de natureza mais sólida eram formadas por diversos metais. Vulcano era o arquiteto, o ferreiro, o armeiro, o construtor de carros e o artista de todas as obras do Olimpo. Construía com bronze as moradas dos deuses; fazia os sapatos de ouro com que os imortais caminhavam sobre o ar ou sobre a água, ou se moviam de um lugar para o outro, com a velocidade do vento, ou mesmo do pensamento. Também fazia com o bronze os cavalos celestiais, que arrastavam os carros dos deuses pelo ar, ou ao longo da superfície do mar. Tinha o poder de dar movimento próprio às suas obras, de sorte que os

---

[1] No original inglês, os versos de Homero são apresentados em versão de Cowper. (N. do T.)

trípodes (carros e mesas) podiam mover-se sozinhos para entrar ou sair do palácio celestial. Chegava a dotar de inteligência as servas de ouro que fazia para cuidar dele próprio.

Júpiter ou Jove (Zeus),[2] embora chamado pai dos deuses e dos homens, tivera um começo. Seu pai foi Saturno (Cronos) e sua mãe Réia (Ops). Saturno e Réia pertenciam à raça dos Titãs, filhos da Terra e do Céu, que surgiram do Caos, sobre o qual falaremos com mais minúcia no próximo capítulo.

Havia outra cosmogonia, ou versão sobre a criação, de acordo com a qual a Terra, o Érebo e o Amor foram os primeiros seres. O Amor (Eros) nasceu do ovo da Noite, que flutuava no Caos. Com suas setas e sua tocha, atingia e animava todas as coisas, espalhando a vida e a alegria.

Saturno e Réia não eram os únicos titãs. Havia outros, cujos nomes eram Oceano, Hipérion, Iapeto e Ofíon, do sexo masculino; e Têmis, Mnemósine, Eurínome, do sexo feminino. Eram os deuses primitivos, cujo domínio foi, depois, transferido para outros. Saturno cedeu lugar a Júpiter, Oceano e Netuno; Hipérion, a Apolo. Hipérion era o pai do Sol, da Lua e da Aurora. É, portanto, o deus-sol original e apresentavam-no com o esplendor e a beleza mais tarde atribuídos a Apolo.

As madeixas de Hipérion,
do próprio Jove a fronte.
SHAKESPEARE

Ofíon e Eurínome governaram o Olimpo, até serem destronados por Saturno e Réia. Milton faz alusão a eles, no *Paraíso Perdido*, dizendo que os pagãos parecem ter tido algum conhecimento da tentação e da queda do homem:

Contavam em suas lendas que a serpente
A quem chamavam Ofíon, com Eurínome,
(Talvez a mesma usurpadora Eva)
Reinaram no princípio sobre o Olimpo
De onde Saturno os expulsou depois.

As representações de Saturno não são muito consistentes; de um lado, dizem que seu reino constituiu a idade de ouro da inocência e da pureza, e por outro lado, ele é qualificado como um monstro, que devorava os próprios filhos.[3] Júpiter, contudo, escapou a es-

---

[2] Os nomes entre parênteses são gregos, os outros, romanos ou latinos.
[3] Essa inconsistência vem do fato de se confundir o Saturno dos romanos com a divindade Cronos (Tempo) dos gregos, que, como traz um fim a todas as coisas que tiveram um começo, é acusada de devorar a própria prole.

se destino e, quando cresceu, desposou Métis (Prudência), e esta ministrou um medicamento a Saturno que o fez vomitar seus filhos. Júpiter, juntamente com seus irmãos e irmãs, rebelou-se, então, contra Saturno e seus irmãos, os Titãs, venceu-os e aprisionou alguns deles no Tártaro, impondo outras penalidades aos demais. Atlas foi condenado a sustentar o céu em seus ombros.

Depois do destronamento de Saturno, Júpiter dividiu os domínios paternos com seus irmãos Netuno (Po-

O nascimento de Vênus, SANDRO BOTTICELLI, C.1480-1487, ÓLEO SOBRE TELA.

sêidon) e Plutão (Dis). Júpiter ficou com o céu, Netuno, com o oceano, e Plutão com o reino dos mortos. A Terra e o Olimpo eram propriedades comuns. Júpiter tornou-se rei dos deuses e dos homens. Sua arma era o raio e ele usava um escudo chamado Égide, feito por Vulcano. Sua ave favorita era a águia, que carregava os raios.

Juno (Hera) era a esposa de Júpiter e rainha dos deuses. Íris, a deusa do arco-íris, era a servente e mensageira de Juno. O pavão, sua ave favorita.

Vulcano (Hefesto), o artista celestial, era filho de Júpiter e de Juno. Nascera coxo e sua mãe sentiu-se tão aborrecida ao vê-lo que o atirou para fora do céu. Outra versão diz que Júpiter atirou-o para fora com um pontapé, devido à sua participação numa briga do rei do Olimpo com Juno. O defeito físico de Vulcano seria conseqüência dessa queda. Sua queda durou um dia inteiro, e o deus coxo acabou caindo na Ilha de Lenos, que, desde então, lhe foi consagrada. Milton alude a esse episódio, no Livro I do *Paraíso Perdido*:

Caiu do amanhecer ao meio-dia,
Do meio-dia até a noite vir.
Um dia inteiro de verão, com o sol
Posto, do zênite caiu, tal como
Uma estrela cadente, na ilha egéia
De Lenos.

Marte (Ares), deus da guerra, era também filho de Júpiter e de Juno.

Febo (Apolo), deus da arte de atirar com o arco, da profecia e da música, era filho de Júpiter e de Latona, e irmão de Diana (Ártemis). Era o deus do sol, como sua irmã Diana era a deusa da lua.

© MUSEU DO LOUVRE, PARIS

Marte e Vênus, conhecido como Parnaso, ANDREA MANTEGNA, 1497, ÓLEO SOBRE TELA

Vênus (Afrodite), deusa do amor e da beleza, era filha de Júpiter e de Dione, mas outra versão a dá como saída da espuma do mar. Zéfiro a levou, sobre as ondas, até a Ilha de Chipre, onde foi recolhida e cuidada pelas Estações, que a levaram, depois, à assembléia dos deuses. Todos ficaram encantados com sua beleza e desejaram-na para esposa. Júpiter deu-a a Vulcano, em gratidão pelo serviço que ele prestara, forjando os raios. Desse modo, a mais bela das deusas tornou-se esposa do menos favorecido dos deuses. Vênus possuía um cinto bordado, o Cestus, que tinha o poder de inspirar o amor. Suas aves preferidas eram os pombos e os cisnes, e a rosa e o mirto eram as plantas a ela dedicadas.

Cupido (Eros), deus do amor, era filho de Vênus, e seu companheiro constante. Armado com seu arco, desfechava as setas do desejo no coração dos deuses e dos homens. Havia, também, uma divindade chamada Antero, apresentada, às vezes, como o vingador do amor desdenhado e, outras vezes, como o símbolo do afeto recíproco. A seu respeito, contava-se a seguinte lenda:

Tendo Vênus queixado-se a Têmis de que seu filho Eros continuava sempre criança, foi-lhe explicado que isso se dava porque Cupido vivia solitário. Haveria de crescer, se tivesse um irmão. Antero nasceu pouco depois e, logo em seguida, Eros começou a crescer e a tornar-se robusto.

Minerva (Palas), a deusa da sabedoria, era filha de Júpiter, mas não tinha mãe. Saíra da cabeça do rei dos deuses, completamente armada. A coruja era sua ave predileta e a planta a ela dedicada era a oliveira.

Byron, em "Childe Harold", refere-se da seguinte maneira ao nascimento de Minerva:

Não podem, por acaso, os tiranos
Senão pelos tiranos ser vencidos,
Não pode mais, acaso, a Liberdade
Achar na Terra um campeão, um filho,
Como Colúmbia, ao irromper, um dia,
Armada e imaculada como Palas?

Mercúrio (Hermes), filho de Júpiter e de Maia, era o deus do comércio, da luta e de outros exercícios ginásticos e até mesmo da ladroeira; em suma, de tudo quanto requeresse destreza e habilidade. Era o mensageiro de Júpiter e trazia asas no chapéu e nas sandálias. Na mão, levava uma haste com duas serpentes, chamada caduceu.

Atribuía-se a Mercúrio a invenção da lira. Certo dia, encontrando um casco de tartaruga, fez alguns orifícios nas extremidades opostas do mesmo, introduziu fios de linho através desses orifícios, e o instrumento estava completo. As cordas eram nove, em honra das musas. Mercúrio ofereceu a lira a Apolo, recebendo dele, em troca, o caduceu.

Ceres (Deméter), filha de Saturno e de Réia, tinha uma filha chamada Prosérpina (Perséfone), que se tornou mulher de Plutão e rainha do reino dos mortos. Ceres era a deusa da agricultura.

Baco (Dioniso), deus do vinho, era filho de Júpiter e de Sêmele. Não representava apenas o poder embriagador do vinho, mas também suas influências benéficas e sociais, de maneira que era tido como o promotor da civilização, legislador e amante da paz.

As Musas, filhas de Júpiter e Mnemósine (Memória), eram as deusas do canto e da memória. Em número de nove, tinham as musas a seu encargo, cada uma separadamente, um ramo especial da literatura, da ciência e das artes. Calíope era a musa da poesia épica, Clio, da história, Euterpe, da poesia lírica, Melpômene, da tragédia, Terpsícore, da dança e do canto, Érato, da poesia erótica, Polínia, da poesia sacra, Urânia, da astronomia, e Talia, da comédia.

As Três Graças, Eufrosina, Aglaé e Talia, eram as deusas do banquete, da dança, de todas as diversões sociais e das belas-artes.

Assim descreve Spencer as atividades das Três Graças:

Ofertam as três ao homem os dons amáveis
Que ornam o corpo e ornamentam a inteligência:
Aspecto sedutor, bela aparência,
Voz de louvor e gestos de amizade.
Em suma, tudo aquilo que, entre os homens,
Se costuma chamar Civilidade.

Também as Parcas eram três: Cloto, Láquesis e Átropos. Sua ocupação consistia em tecer o fio do destino humano e, com suas tesouras, cortavam-no, quando muito bem entendiam. Eram filhas de Têmis (a Lei), que Jove fez sentar em seu próprio trono, para aconselhá-lo.

As Erínias, ou Fúrias, eram três deusas que puniam, com tormentos secretos, os crimes daqueles que escapavam ou zombavam da justiça pública. Tinham as cabeças cobertas de serpentes e o aspecto terrível e amedrontador. Conhecidas também como as Eumênides, chamavam-se, respectivamente, Alecto, Tisífone e Megera.

Nêmese era também uma deusa da vingança, que representava a justa ira dos imortais, em particular para com os orgulhosos e insolentes.

Pã, que tinha a Arcádia como morada favorita, era o deus dos rebanhos e dos pastores.

Os Sátiros eram divindades dos bosques e dos campos, imaginados como tendo cabelos cerdosos, pequenos chifres e pés de cabra.

Momo era o deus da alegria, e Pluto, o deus da riqueza.

DIVINDADES ROMANAS

As divindades mencionadas até agora são gregas, embora também aceitas pelos romanos. Mencionemos, agora, as divindades peculiares a Roma.

Saturno era um antigo deus italiano. Tentou-se identificá-lo com o deus grego Cronos, imaginando-se que, depois de destronado por Júpiter, ele teria fugido para a Itália, onde reinou durante a chamada Idade de Ouro. Em memória desse reinado benéfico, realizavam-se todos os anos, durante o inverno, as festividades denominadas saturnais. Todos os negócios públicos eram, então, suspensos, as declarações de guerra e as execuções de criminosos adiadas, os amigos trocavam presentes e os escravos adquiriam liberdades momentâneas: era-lhes oferecida uma festa, na qual eles se sentavam à mesa, servidos por seus senhores. Isso destinava-se a mostrar que, perante a natureza, todos os homens são iguais e que, no reinado de Saturno, os bens da terra eram comuns a todos.

Fauno,[4] neto de Saturno, era cultuado como deus dos campos e dos pastores, e também como uma divindade profética. No plural, seu nome era empregado para denominar divindades brincalhonas, os faunos, semelhantes aos sátiros dos gregos.

Quirino era deus da guerra que se confundia com Rômulo, o fundador de Roma, o qual, depois de morto, fora levado para ter um lugar entre os deuses.

Belona era a deusa da guerra. Terminus, o deus dos limites territoriais. Sua imagem resumia-se numa simples pedra ou num poste, fincado no chão, para marcar os limites que separavam os campos de um proprietário do campo de seu vizinho.

Pales era a deusa que velava pelo gado e pelas pastagens, Pomona, a que cuidava das árvores frutíferas, e Flora, a deusa das flores.

Lucina presidia os nascimentos.

Vesta (Héstia) velava pelas lareiras. Em seu templo, ardia constantemente um fogo sagrado, sob a guarda de seis sacerdotisas virgens, as Vestais. Como se acreditava que a salvação da cidade dependia da conservação desse fogo, a negligência das vestais, caso

---

[4] Há também uma deusa chamada Fauna ou *Bona Dea*.

o fogo se extinguisse, era punida com extrema severidade, e o fogo era aceso de novo, por meio dos raios do sol.

Liber era o nome latino de Baco; Mulcíber, o de Vulcano.

Jano era o porteiro do céu. Era ele que abria o ano, e o seu primeiro mês até hoje o relembra. Como divindade guardiã das portas, era geralmente apresentado com duas cabeças, pois todas as portas se voltam para dois lados. Seus templos em Roma eram numerosos. Em tempo de guerra, suas portas principais permaneciam abertas. Em tempo de paz, eram fechadas. Só foram fechadas, porém, uma vez no reinado de Numa e outra no reinado de Augusto.

Os Penates eram os deuses que atendiam ao bem-estar e à prosperidade das famílias. Seu nome vem de Penus, a despensa, que a eles era consagrada. Cada chefe de família era o sacerdote dos Penates de sua casa.

Os Lares eram também deuses da família, mas diferiam dos Penates porque eram espíritos deificados de mortais. Os lares de uma família eram as almas dos antepassados, que velavam por seus descendentes. Os termos lêmures e larva correspondiam mais ou menos à nossa expressão "fantasma".

Os romanos acreditavam que cada homem tinha seu Gênio e cada mulher, sua Juno, isto é, um espírito que lhes dera a vida e que era considerado como seu protetor, durante toda a vida. No dia de seu aniversário, os homens faziam oferendas ao seu Gênio, as mulheres, à sua Juno.

Assim alude um poeta moderno a algumas dessas divindades romanas:

A saborosa fruta ama Pomona
E Liber prefere a vinha.
Pales prefere a estala, a fresca palha
Que o calor do gado aquece.
Vênus ama as palavras sussurrantes
Do jovem e da namorada
No doce abril, das árvores à sombra,
Por noite enluarada.
MACAULAY, *"Profecia de Cápis"*

CAPÍTULO II

PROMETEU E PANDORA

A criação do mundo é um problema que, muito naturalmente, desperta a curiosidade do homem, seu habitante. Os antigos pagãos, que não dispunham, sobre o assunto, das informações de que dispomos, procedentes das Escrituras, tinham sua própria versão sobre o acontecimento, que era a seguinte:

Antes de serem criados o mar, a terra e o céu, todas as coisas apresentavam um aspecto a que se dava o nome de Caos – uma informe e confusa massa, mero peso morto, no qual, contudo, jaziam latentes as sementes das coisas. A terra, o mar e o ar estavam todos misturados; assim, a terra não era sólida, o mar não era líquido e o ar não era transparente. Deus e a Natureza intervieram finalmente e puseram fim a essa discórdia, separando a terra do mar e o céu de ambos. Sendo a parte ígnea a mais leve, espalhou-se e formou o firmamento; o ar colocou-se em seguida, no que diz respeito ao peso e ao lugar. A terra, sendo a mais pesada, ficou para baixo, e a água ocupou o ponto inferior, fazendo-a flutuar.

Nesse ponto, um deus – não se sabe qual – tratou de empregar seus bons ofícios para arranjar e dispor as coisas na Terra. Determinou aos rios e lagos seus lugares, levantou montanhas, escavou vales, distribuiu os bosques, as fontes, os campos férteis e as áridas planícies, os peixes tomaram posse do mar, as aves, do ar, e os quadrúpedes, da terra.

Tornara-se necessário, porém, um animal mais nobre, e foi feito o Homem. Não se sabe se o Criador o fez de materiais divinos, ou se na Terra, há tão pouco tempo separada do céu, ainda havia algumas sementes celestiais ocultas. Prometeu tomou um pouco dessa terra e, misturando-a com água, fez o homem à semelhança dos deuses. Deu-lhe o porte ereto, de maneira que, enquanto os outros animais têm o rosto voltado para baixo, olhando a terra, o homem levanta a cabeça para o céu e olha as estrelas.

Prometeu era um dos titãs, uma raça gigantesca que habitou a Terra antes do homem. Ele e seu irmão Epimeteu foram incumbidos de fazer o homem e assegurar-lhe, e aos outros animais, todas as faculdades necessárias à sua preservação. Epimeteu encarregou-se da obra e Prometeu, de examiná-la, depois de pronta. Assim, Epimeteu tratou de atribuir a cada animal seus dons variados, de coragem, força, rapidez, sagacidade; asas a um, garras a outro, uma carapaça protegendo um terceiro etc. Quando, porém, chegou a vez do homem, que tinha de ser superior a todos os outros animais, Epimeteu gastara seus recursos com tanta prodigalidade que nada mais restava. Perplexo, recorreu a seu irmão Prometeu, que, com a ajuda de Minerva, subiu ao céu e acendeu sua tocha no carro do sol, trazendo o fogo para o homem. Com esse dom, o homem assegurou sua superioridade sobre todos os outros animais. O fogo lhe forneceu o meio de construir as armas com que subjugou os animais e as ferramentas com que cultivou a terra; aquecer sua morada, de maneira a tornar-se relativamente independente do clima, e, finalmente, criar a arte da cunhagem das moedas, que ampliou e facilitou o comércio.

A mulher não fora ainda criada. A versão (bem absurda) é que Júpiter a fez e enviou-a a Prometeu e a seu irmão, para puni-los pela ousadia de furtar o fogo do céu, e ao homem, por tê-lo aceito. A primeira mulher chamava-se Pandora. Foi feita no céu, e cada um dos deuses contribuiu com alguma coisa para aperfeiçoá-la. Vênus deu-lhe a beleza, Mercúrio, a persuasão, Apolo, a música etc. Assim dotada, a mulher foi mandada à Terra e oferecida a Epimeteu, que de boa vontade a aceitou, embora advertido pelo irmão para ter cuidado com Júpiter e seus presentes. Epimeteu tinha em sua casa uma caixa, na qual guardava certos artigos malignos, de que não se utilizara ao preparar o homem para sua nova morada. Pandora foi tomada por intensa curiosidade de saber o que continha aquela caixa, e, certo dia, destampou-a para olhar. Assim, escapou e se espalhou por toda a parte uma multidão de pragas que atingiram o desgraçado homem, tais como a gota, o reumatismo e a cólica, para o corpo, e a inveja, o despeito e a vingança, para o espírito. Pandora apressou-se em colocar a tampa na caixa, mas, infelizmente, escapara todo o conteúdo da mesma, com exceção de uma única coisa, que ficara no fundo, e que era a esperança. Assim, sejam quais forem os males que nos ameacem, a esperança não nos deixa inteiramente; e, enquanto a tivermos, nenhum mal nos torna inteiramente desgraçados.

Uma outra versão é a de que Pandora foi mandada por Júpiter com boa intenção, a fim de agradar ao homem. O rei dos deuses entregou-lhe, como presente de casamento, uma caixa, em que cada deus colocara um bem. Pandora abriu a caixa, inadvertidamente, e todos os bens escaparam, exceto a esperança. Essa versão é, sem dúvida, mais aceitável do que a primeira. Realmente, como poderia a esperança, jóia tão preciosa quanto é, ter sido misturada a toda a sorte de males, como na primeira versão?

Estando assim povoado o mundo, seus primeiros tempos constituíram uma era de inocência e ventura, chamada a Idade de Ouro. Reinavam a verdade e a justiça, embora não impostas pela lei, e não havia juízes para ameaçar ou punir. As florestas ainda não tinham sido despojadas de suas árvores para fornecer madeira aos navios, nem os homens haviam construído fortificações em torno de suas cidades. Espadas, lanças ou elmos eram objetos desconhecidos. A terra produzia tudo necessário para o homem, sem que este se desse ao trabalho de lavrar ou colher. Vicejava uma primavera perpétua, as flores cresciam sem sementes, as torrentes dos rios eram de leite e de vinho, o mel dourado escorria dos carvalhos.

Seguiu-se a Idade de Prata, inferior à de Ouro, porém melhor do que a de Cobre. Júpiter reduziu a primavera e dividiu o ano em estações. Pela primeira vez o homem teve de sofrer os rigores do calor e do frio, e tornaram-se necessárias as casas. As primeiras moradas foram as cavernas, os abrigos das árvores frondosas e cabanas feitas de hastes. Tornou-se necessário plantar para colher. O agricultor teve de semear e de arar a terra, com ajuda do boi.

Veio, em seguida, a Idade de Bronze, já mais agitada e sob a ameaça das armas, mas ainda não inteiramente má. A pior foi a Idade de Ferro. O crime irrompeu, como uma inundação; a modéstia, a verdade e a honra fugiram, deixando em seus lugares a fraude e a astúcia, a violência e a insaciável cobiça. Os marinheiros estenderam as velas aos ventos e as árvores foram derrubadas nas montanhas para servir de quilhas dos navios e ultrajar a face do oceano. A terra, que até então fora cultivada em comum, começou a ser dividida entre os possuidores. Os homens não se contentaram com o que produzia a superfície: escavou-se então a terra e tirou-se do seu seio os minérios e metais. Produziu-se o danoso ferro e o ainda mais danoso ouro. Surgiu a guerra, utilizando-se de um e de outro como armas; o hóspede não se sentia em segurança em casa de seu amigo; os genros e sogros, os irmãos e irmãs, os maridos e mulheres não podiam confiar uns nos outros. Os filhos desejavam a morte dos pais, a fim de lhes herdarem a riqueza; o amor familiar caiu prostrado. A terra ficou úmida de sangue, e os deuses a abandonaram, um a um, até que ficou somente Astréia,[1] que, finalmente, acabou também partindo.

Vendo aquele estado de coisas, Júpiter indignou-se e convocou os deuses para um conselho. Todos obedeceram à convocação e tomaram o caminho do palácio do céu. Esse caminho pode ser visto por qualquer um nas noites claras, atravessando o céu, e é

---

[1] Deusa da inocência e da pureza. Depois de sair da Terra, foi colocada entre as estrelas, onde se transformou na constelação Virgo. Era filha de Têmis (Justiça), representada com uma balança, em que pesam as alegações das partes adversárias. Uma idéia favorita dos antigos poetas era a de que aquelas deusas um dia regressarão à Terra, trazendo de volta a Idade de Ouro.

chamado de Via Láctea. Ao longo dele ficam os palácios dos deuses ilustres; a plebe celestial vive à parte, de um lado ou de outro.

Dirigindo-se à assembléia, Júpiter expôs as terríveis condições que reinavam na Terra e encerrou suas palavras anunciando a intenção de destruir todos os seus habitantes e fazer surgir uma nova raça, diferente da primeira, que seria mais digna de viver e saberia melhor cultuar os deuses. Assim dizendo, apoderou-se de um raio e já estava prestes a atirá-lo contra o mundo, destruindo-o pelo fogo, quando atentou para o perigo que o incêndio poderia acarretar para o próprio céu. Mudou, então, de idéia, e resolveu inundar a terra. O vento norte, que espalha as nuvens, foi encadeado; o vento sul foi solto e em breve cobriu todo o céu com escuridão profunda. As nuvens, empurradas em bloco, romperam-se com fragor; torrentes de chuva caíram; as plantações inundaram-se; o trabalho de um ano do lavrador pereceu em uma hora. Não satisfeito com suas próprias águas, Júpiter pediu a ajuda de seu irmão Netuno. Este soltou os rios e lançou-os sobre a terra. Ao mesmo tempo, sacudiu-a com um terremoto e lançou o refluxo do oceano sobre as praias. Rebanhos, animais, homens e casas foram engolidos e os templos, com seus recintos sacros, profanados. Todo edifício que permanecera de pé foi submergido e suas torres ficaram abaixo das águas. Tudo se transformou em mar, num mar sem praias. Aqui e ali, um indivíduo refugia-se num cume e alguns poucos, em barcos, apóiam o remo no mesmo solo que ainda há pouco o arado sulcara. Os peixes nadam sobre os galhos das árvores; a âncora se prende num jardim. Onde recentemente os cordeirinhos brincavam, as focas cabriolam desajeitadamente. O lobo nada entre as ovelhas, os fulvos leões e os tigres lutam nas águas. A força do javali de nada lhe serve, nem a ligeireza do cervo. As aves tombam, cansadas, na água, não tendo encontrado terra onde pousar. Os seres vivos que a água poupara caem como presas da fome.

De todas as montanhas, apenas o Parnaso ultrapassa as águas. Ali, Deucalião e sua esposa Pirra, da raça de Prometeu, encontram refúgio – ele é um homem justo; ela, uma devota fiel dos deuses. Vendo que não havia outro vivente além desse casal, e lembrando-se de sua vida inofensiva e de sua conduta piedosa, Júpiter ordenou aos ventos do norte que afastassem as nuvens e mostrassem o céu à terra e a terra ao céu. Também Netuno ordenou a Tritão que soasse sua concha determinando a retirada das águas. As águas obedeceram; o mar voltou às suas costas, e os rios, aos seus leitos. Deucalião assim se dirigiu, então, a Pirra: "Ó esposa, única mulher sobrevivente, unida a mim primeiramente pelos laços do parentesco e do casamento, e agora por um perigo comum, pudéssemos nós possuir o poder de nosso antepassado Prometeu e renovar a raça, como ele fez, pela primeira vez! Como não podemos, porém, dirijamo-nos àquele templo e indaguemos dos deuses o que nos resta fazer." Entraram num templo coberto de lama e aproximaram-se do altar, onde nenhum fogo crepitava. Prostraram-se na terra e ro-

garam à deusa que os esclarecesse sobre a maneira de se comportar naquela situação miserável. "Saí do templo com a cabeça coberta e as
vestes desatadas e atirai para trás os ossos
de vossa mãe" – respondeu o oráculo.
Estas palavras foram ouvidas com
assombro. Pirra foi a primeira a
romper o silêncio: "Não podemos
obedecer; não vamos nos atrever
a profanar os restos de nossos pais."
Seguiram pela fraca sombra do bosque,
refletindo sobre o oráculo. Afinal, Deucalião falou: "Se minha sagacidade não me ilu-
de, poderemos obedecer à ordem sem cometer-
mos qualquer impiedade. A terra é a mãe comum
de nós todos; as pedras são seus ossos; poderemos

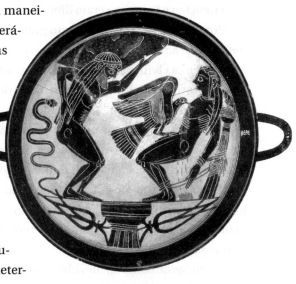

Júpiter acorrentando Prometeu a uma rocha

lançá-las para trás de nós; e creio ser isto que o oráculo quis dizer. Pelo menos, não fará
mal tentar." Os dois velaram o rosto, afrouxaram as vestes, apanharam as pedras e ati-
raram-nas para trás. As pedras (maravilha das maravilhas!) amoleceram e começaram
a tomar forma. Pouco a pouco, foram assumindo uma grosseira semelhança com a forma humana, como um bloco ainda mal-acabado nas mãos de um escultor. A umidade e
o lodo que havia sobre elas transformaram-se em carne; a parte pétrea transformou-se
nos ossos; as veias ou veios da pedra continuaram veias, conservando seu nome e apenas mudando sua utilidade. As pedras lançadas pelas mãos do homem tornaram-se
homens, as lançadas pela mulher tornaram-se mulheres. Era uma raça forte e bem disposta para o trabalho como até hoje somos, mostrando bem a nossa origem.

A comparação de Eva com Pandora é muito óbvia para ter escapado a Milton, que a
apresenta no Livro IV do *Paraíso Perdido*:

Mais bela que Pandora a quem os deuses
Cumularam de todos os seus bens
E, ah! bem semelhante na desgraça,
Quando ao insensato filho de Jafete
Por Hermes conduzido, a humanidade
Tomou, com sua esplêndida beleza,
E caiu a vingança sobre aquele
Que de Jove furtou o sacro fogo

Prometeu e Epimeteu eram filhos de Iapeto, que Milton mudou em Jafete.

Prometeu tem sido um assunto preferido dos poetas. Representa o amigo da humanidade, que se colocou em sua defesa, quando Jove se irritou contra ela, e que ensinou aos homens a civilização e as artes. Ao assim fazer, contudo, desobedeceu à vontade de Júpiter e tornou-se ele próprio alvo da ira do rei dos deuses e dos homens. Júpiter mandou acorrentá-lo num rochedo do Cáucaso, onde um abutre lhe arrancava o fígado, que se renovava à medida que era devorado. Essa tortura poderia terminar a qualquer momento, se Prometeu se resignasse a submeter-se ao seu opressor, pois era senhor de um segredo do qual dependia a estabilidade do trono de Jove e, se o tivesse revelado, imediatamente teria obtido graça. Não se rebaixou a fazê-lo, porém. Tornou-se, assim, símbolo da abnegada resistência a um sofrimento imerecido e da força de vontade de resistir à opressão.

Tanto Byron como Shelley abordaram esse tema. São de Shelley os seguintes versos:

Titã, a cujos olhos imortais
As dores dos mortais
Mostram-se em sua crua realidade,
Como algo que os próprios deuses vêem,
Que prêmio mereceu tua piedade?
Um profundo e silente sofrimento,
O abutre, a corrente, a rocha,
E o orgulho de sofrer sem um lamento.

Byron faz alusão ao mesmo episódio em sua "Ode a Napoleão Bonaparte":

Como o ladrão do fogo celestial
Resistirás sem medo
E compartilharás com o imortal
O abutre e o rochedo?

Pandora, JOHN WILLIAM WATERHOUSE

APOLO E DAFNE
PÍRAMO E TISBE
CÉFALO E PRÓCRIS

O lodo com que as águas do dilúvio recobriram a Terra acarretou uma excessiva fertilidade, que produziu enorme variedade de coisas, boas e más. Entre elas, surgiu Píton, uma serpente enorme, terror do povo, que se refugiou nas cavernas do Monte Parnaso. Apolo matou-a com suas setas – armas que não usara antes senão contra fracos animais, como lebres, cabras monteses e outras semelhantes. Para comemorar essa grande vitória, ele instituiu os jogos píticos, nos quais o vencedor nas provas de força, rapidez na carreira ou nas corridas de carro era coroado com uma grinalda de folhas de faia, pois o loureiro ainda não fora escolhido por Apolo como sua planta predileta.

A famosa estátua de Apolo do Belvedere representa o deus depois de sua vitória sobre a serpente Píton. Byron assim alude ao fato no "Childe Harold":

O potente senhor do arco certeiro,
Deus da vida, da luz e da poesia,
O Sol, em forma humana apresentado,
Radioso com o triunfo no combate.
Partiu agora mesmo a seta ultriz.
Nos olhos, nas narinas, se desenham
O desdém, a altivez própria de um deus.

APOLO e Dafne

Dafne foi o primeiro amor de Apolo. Não surgiu por acaso, mas pela malícia de Cupido. Apolo viu o menino brincando com seu arco e suas setas e, estando ele próprio muito envaidecido com sua recente vitória sobre Píton, disse-lhe:

– Que tens a fazer com armas mortíferas, menino insolente? Deixe-as para as mãos de quem delas sejam dignos. Vê a vitória que com elas alcancei, contra a vasta serpente que estendia o corpo venenoso por grande extensão da planície! Contenta-te com tua tocha, criança, e atiça tua chama, como costumas dizer, mas não te atrevas a intrometer-te com minhas armas.

O filho de Vênus ouviu essas palavras e retrucou:

– Tuas setas podem ferir todas as outras coisas, Apolo, mas as minhas podem ferir-te.

Assim dizendo, pôs-se de pé numa rocha do Parnaso e tirou da aljava duas setas diferentes, uma feita para atrair o amor; outra, para afastá-lo. A primeira era de ouro e tinha a ponta aguçada; a segunda, de ponta rombuda, era de chumbo. Com a seta de ponta de chumbo, feriu a ninfa Dafne, filha do rio-deus Peneu, e com a de ouro feriu Apolo no coração. Sem demora, o deus foi tomado de amor pela donzela e esta sentiu horror à idéia de amar. Seu prazer consistia nas caminhadas pelos bosques e na caça. Muitos amantes a buscavam, mas ela recusava a todos, passeando pelos bosques, sem pensar em Cupido nem em Himeneu. Seu pai muitas vezes lhe dizia: "Filha, deves dar-me um genro, dar-me netos." Temendo o casamento como a um crime, com as belas faces coradas, ela se abraçou ao pai, implorando: "Concede esta graça, pai querido! Faze com que eu não me case jamais!"

A contragosto, ele consentiu, observando, ao mesmo tempo, porém:

– O teu próprio rosto é contrário a este voto.

Apolo amou-a e lutou para obtê-la; ele, que era o oráculo de todo o mundo, não foi bastante sábio para prever seu próprio destino. Vendo os cabelos caírem desordenados pelos ombros da ninfa, imaginou: "Se são tão belos em desordem, como deverão ser quando arranjados?" Viu seus olhos brilharem como estrelas; viu seus lábios, e não se deu por satisfeito só em vê-los. Admirou suas mãos e os braços, nus até os ombros, e tudo que estava escondido da vista imaginou mais belo ainda. Seguiu-a; ela fugiu, mais rápida que o vento, e não se retardou um momento ante suas súplicas.

– Pára, filha de Peneu! – ele exclamou. Não sou um inimigo. Não fujas de mim, como a ovelha foge do lobo, ou a pomba do milhafre. É por amor que te persigo. Sofro de medo que, por minha culpa, caias e te machuques nestas pedras. Não corras tão depressa, peço-te, e correrei também mais devagar. Não sou um homem rude, um campônio boçal. Júpiter é meu pai, sou senhor de Delfos e Tenedos e conheço todas as coisas, presentes e futuras. Sou o deus do canto e da lira. Minhas setas voam certeiras para o alvo. Mas, ah!, uma seta mais fatal que as minhas atravessou-me o coração! Sou o deus da medicina e conheço a virtude de todas as plantas medicinais. Ah! Sofro de uma enfermidade que bálsamo algum pode curar!

A ninfa continuou sua fuga, nem ouvindo de todo a súplica do deus. E, mesmo ao fugir, ela o encantava. O vento agitava-lhe as vestes e os cabelos desatados lhe caíam pelas costas. O deus sentiu-se impaciente ao ver desprezados os seus rogos e, excitado por Cupido, diminuiu a distância que o separava da jovem. Era como um cão perseguindo uma lebre, com a boca aberta, pronto para apanhá-la, enquanto o débil animal avança, escapando no último momento. Assim voavam o deus e a virgem: ela com as asas do medo; ele com as do amor. O perseguidor é mais rápido, porém, e adianta-se na carreira: sua res-

Céfalo e Aurora, NICOLAS POUSSIN, 1627-1630, ÓLEO SOBRE TELA

piração ofegante, já atinge os cabelos da ninfa. As forças de Dafne começam a fraquejar e, prestes a cair, ela invoca seu pai, o rio-deus:

– Ajuda-me, Peneu! Abre a terra para envolver-me, ou muda minhas formas, que me têm sido tão fatais!

Mal pronunciara estas palavras, um torpor lhe ganha todos os membros; seu peito começou a revestir-se de uma leve casca; seus cabelos transformaram-se em folhas; seus braços mudam-se em galhos; os pés cravam-se no chão, como raízes; seu rosto tornou-se o cimo do arbusto, nada conservando do que fora, a não ser a beleza.

Apolo abraçou-se aos ramos da árvore e beijou ardentemente a madeira. Os ramos afastaram-se de seus lábios.

– Já que não podes ser minha esposa – exclamou o deus – serás a minha planta preferida. Usarei tuas folhas como coroa; com elas enfeitarei minha lira e minha aljava; e quando os grandes conquistadores romanos caminharem para o Capitólio, à frente dos cortejos triunfais, serás usada como coroas para suas frontes. E, tão eternamente jovem quanto eu próprio, também hás de ser sempre verde e tuas folhas não envelhecerão.

Não parecerá estranho, sem dúvida, que Apolo fosse o deus tanto da música quanto da poesia, mas o há de parecer o fato de a medicina fazer companhia àquelas duas artes. O poeta Armstrong, que era médico, assim explica o motivo:

Exaltando a alegria, por si mesma,
O sofrimento a música alivia.
Os priscos sábios adoravam, assim,
A medicina, o canto e a melodia.

Os poetas fazem freqüentemente alusão ao episódio de Dafne e de Apolo. Waller compara-o ao caso daqueles cujos versos de amor, embora não consigam abrandar o coração da amada, servem para trazer fama ao poeta:

O que cantou, porém, com tal paixão,
Não foi cantado nem sentido em vão.
Se foi surda a amada ao canto seu,
O canto aos outros homens comoveu.
Assim Febo, deixando a ilusória
Paixão, no louro pôs a eterna glória.

A seguinte estrofe do "Adonais" de Shelley alude às primeiras querelas de Byron com os críticos:

Os lobos que só sabem perseguir,
Os corvos tão valentes contra os mortos,
Os abutres que seguem o vencedor
E devoram os despojos desprezados,
Como fugiram todos, quando ele,
Como Apolo vibrando o áureo arco,
A seta disparou contra a serpente!

PÍRAMO E TISBE

Píramo era o mais belo jovem e Tisbe, a mais formosa donzela, em toda a Babilônia, onde Semíramis reinava. Seus pais moravam em casas contíguas; a vizinhança aproximou os dois jovens e o conhecimento transformou-se em amor. Seriam venturosos se se casassem, mas seus pais proibiram. Uma coisa, contudo, não podiam proibir: que o amor crescesse com o mesmo ardor no coração dos dois jovens. Conversavam por sinais ou por meio de olhares, e o fogo se tornava mais intenso, por ser oculto. Na parede que separava as duas casas havia uma fenda, provocada por algum defeito de construção. Ninguém a havia notado antes, mas os amantes a descobriram. Que há que o amor não descubra? A fenda permitia a passagem da voz; e ternas mensagens passaram nas duas direções, através da fenda. Quando Píramo e Tisbe se punham de pé, cada um de seu lado, suas respirações se confundiam.

– Parede cruel! – exclamavam. – Por que manténs separados dois amantes? Mas não seremos ingratos. Devemos-te, confessamos, o privilégio de dirigir palavras de amor a ouvidos complacentes.

Diziam tais palavras, cada um de seu lado da parede; e, quando a noite chegava e tinham de dizer adeus, apertavam o lábio contra a parede, ela do seu lado, ele do outro, já que não podiam aproximar-se mais.

De manhã, quando Aurora expulsara as estrelas e o sol derretera o granizo nas ervas, os dois encontraram-se no lugar de costume. E então, depois de lamentarem seu cruel destino, combinaram que, na noite seguinte, quando tudo estivesse quieto, eles se furtariam aos olhares vigilantes, deixariam suas moradas, dirigir-se-iam ao campo e, para um encontro, iriam ter a um conhecido monumento que ficava fora dos limites da cidade, chamado o Túmulo de Nino, e combinaram que aquele que chegasse primeiro esperaria o outro, junto de uma certa árvore. Era uma amoreira branca, próxima de uma fonte. Tudo ficou combinado, e os dois aguardaram, impacientes, que o sol se escondesse sob as águas e que a noite delas se levantasse. Então, Tisbe ergueu-se, cautelosamente, sem ser observada pela família, cobriu a cabeça com um véu, caminhou até o monumento e sentou-se embaixo da árvore. Enquanto estava ali sentada, sozinha, à luz difusa da noite, avistou uma leoa, que, com a boca ensangüentada por uma presa recente, aproximava-se da fonte, para matar a sede. Ao vê-la, Tisbe fugiu e refugiou-se numa gruta, deixando cair o véu quando fugia. A leoa, depois de saciar a sede na fonte, virou-se para voltar aos bosques, e, ao ver o véu no chão, investiu contra ele e despedaçou-o, com sua boca ensangüentada.

Píramo, que se atrasara, aproximou-se, então, do local do encontro. Viu, na areia, as pegadas da leoa, e o sangue fugiu-lhe das faces. Logo em seguida, encontrou o véu, dilacerado e cheio de sangue.

– Desventurada donzela! – exclamou. – Fui a causa de tua morte! Tu, mais digna de viver do que eu, caíste como primeira vítima. Seguir-te-ei. Fui o culpado, atraindo-te a um lugar tão perigoso, e não estando ali eu próprio para guardar-te. Vinde, leões, dos rochedos e despedaçai com vossos dentes este corpo maldito!

Apanhou o véu, levou-o até a árvore onde fora combinado o encontro, e cobriu-o de beijos e de lágrimas.

– Meu sangue também manchará teu tecido – exclamou.

E arrancando a espada, mergulhou-a no coração.

O sangue esguichou da ferida, tingiu de vermelho as amoras brancas da árvore, e, penetrando na terra, atingiu as raízes, de modo que a cor vermelha subiu, através do tronco, até o fruto.

Enquanto isso, Tisbe, ainda trêmula de medo, e não desejando, contudo, desapontar o amante, saiu cautelosamente, procurando o jovem com aflição, ansiosa por contar-lhe o perigo que atravessara. Ao chegar ao local e vendo a nova cor das amoras, duvidou de que estivesse no mesmo lugar. Enquanto hesitava, avistou um vulto que se debatia nas vascas da agonia. Recuou, e um tremor percorreu-lhe todo o corpo, como a água tranqüila se encrespa ao ser atingida por uma lufada repentina de vento. Logo, porém, reconheceu o amante, gritou e bateu no peito, abraçando-se ao corpo sem vida, derramando lágrimas sobre as feridas e beijando os lábios frios.

– Píramo, quem te fez isto? – exclamou. – Responde, Píramo! É tua Tisbe quem fala. Sou eu, a tua Tisbe, quem fala. Ouve-me, meu amor, e ergue esta cabeça pendente!

Ao ouvir o nome de Tisbe, Píramo abriu os olhos e fechou-os de novo. A donzela avistou o véu ensangüentado e a bainha vazia da espada.

– Tua própria mão te matou e por minha causa – disse. – Também posso ser corajosa uma vez, e meu amor é tão forte quanto o teu. Seguir-te-ei na morte, pois dela fui a causa; e a morte, que era a única que nos podia separar, não me impedirá de juntar-me a ti. E vós, infelizes pais de nós ambos, não negueis nossas súplicas conjuntas. Como o amor e a morte nos juntaram, deixai que um único túmulo nos guarde. E tu, árvore, conserva as marcas de nossa morte. Que tuas frutas sirvam como memória de nosso sangue.

Assim dizendo, mergulhou a espada no peito.

Os pais ratificaram seu desejo, e também os deuses. Os dois corpos foram enterrados na mesma sepultura, e a árvore passou a dar frutos vermelhos, como faz até hoje.

Moore, na "Batalha da Sílfide", referindo-se à lâmpada de segurança de Davy, relembra a parede que separava Tisbe de seu amante:

Bendita a gaze de metal tão fina
*   Seguro protetor,*
Com que Davy rodeia, e que domina
*   O fogo destruidor.*
Através da parede, a todo o instante,
*   Podem a Chama e o Ar,*
Como podiam Tisbe e seu amante,
*   Se ver, mas não beijar.*

Nos *Lusíadas*, há a seguinte alusão indireta ao episódio de Píramo e Tisbe e à metamorfose das amoras, quando o poeta descreve a Ilha dos Amores:

Os dons que dá Pomona, ali natura
Produz diferentes nos sabores,
Sem ter necessidade de cultura,
Que sem ela se dão muito melhores;
As cerejas purpúreas na pintura;
As amoras, que o nome têm de amores;
O pomo, que da pátria Pérsia veio,
Melhor tornado no terreno alheio.[1]

Se o leitor tem tão pouco coração que se disponha a dar algumas gargalhadas à custa dos desventurados Píramo e Tisbe, terá oportunidade de fazê-lo recorrendo à comédia de Shakespeare *Sonho de uma noite de verão*, onde o episódio é apresentado de forma divertida.

céfalo e prócris

Céfalo era um belo jovem, amante dos exercícios. Levantava-se antes do amanhecer, para perseguir a caça. Aurora viu-o, apaixonou-se por ele e raptou-o. Céfalo, porém, era recém-casado, e amava profundamente sua esposa que se chamava Prócris. A jovem era favorita de Diana, que lhe dera um cão, mais veloz que qualquer outro, e um dardo, que jamais errava o alvo; e Prócris oferecera estes presentes ao marido. Céfalo sentia-se tão feliz com a esposa que resistiu a todas as propostas de Aurora, que, afinal, o despediu, irritada, dizendo:

– Vai, ingrato mortal, fica com tua esposa, a qual, se não me engano, hás de lamentar ter conhecido.

Céfalo regressou e voltou a ser tão feliz quanto antes, com sua esposa, e suas façanhas pelos bosques. Ora, aconteceu que uma divindade irritada mandara uma voraz raposa devastar a região, e os caçadores acorreram, em grande número, para capturá-la. Todos os seus esforços foram em vão; nenhum cão conseguia acompanhar o animal na corrida. E, finalmente, procuraram Céfalo, a fim de que lhes emprestasse seu famoso cão, cujo nome era Lelaps. Mal o cão fora solto, disparou como um dardo, com tal velocidade que a vista não podia segui-lo. Se não tivessem visto suas pegadas na areia, todos teriam acreditado que ele voara. De pé, no alto de um morro, Céfalo e os outros assistiram à corrida. A raposa tentou todas as artimanhas: corria em círculo, perseguida de perto pelo cão que,

---

[1] No original inglês, a estrofe dos "Lusíadas" figura em versão de Micke, que se afasta bastante do texto português, dizendo, por exemplo, que a cor das amoras vem do fato de ter sido a fruta "manchada com o sangue das amantes", numa alusão muito mais direta a Píramo e Tisbe que a vaga alusão feita por Camões.

de boca aberta, investia sempre, mas mordia apenas o ar. Céfalo já ia lançar mão do dardo, quando viu o cão e a raposa pararem instantaneamente. Os deuses celestes, criadores de ambos, não queriam que nenhum dos dois saísse vitorioso. E, em sua própria atitude de vida e de ação, haviam sido petrificados. Tão naturais pareciam que, ao vê-los, tinha-se a impressão de que um ia latir e a outra dar um salto para a frente.

Céfalo, embora tivesse perdido o cão, continuou a deleitar-se com a caça. Saía pela madrugada, vagava pelos bosques e pelos montes, sem qualquer acompanhante, não necessitando ajuda, pois seu dardo era arma segura para todos os casos. Fatigado com a caça, quando o sol ia alto no céu, procurava um abrigo sombreado, junto ao qual corria um frígido regato e, estendido na relva, com as vestes atiradas para um lado, gozava a frescura da brisa. Às vezes, costumava dizer em voz alta:

– Vem, brisa suave, vem afagar-me e leva o calor que me abrasa.

Alguém que passava um dia, ouviu-o falando desse modo ao ar e, acreditando, por tolice, que ele estivesse falando com alguma mulher, correu a contar o segredo a Prócris, sua esposa. O amor é crédulo. Prócris, diante do choque, desmaiou. Voltando a si, sem demora, disse:

– Não pode ser verdade; não acreditarei nisso, a não ser que eu mesma seja testemunha.

Assim, aguardou, com o coração ansioso, até a manhã seguinte, quando Céfalo saiu, como de costume. Acompanhou-o, então, furtivamente, e escondeu-se no lugar que o informante indicara. Céfalo apareceu, quando se sentiu cansado da caçada, e estendeu-se na verde relva, exclamando:

– Vem, brisa suave, vem afagar-me. Sabes quanto te amo! Tu tornas deliciosos os bosques e minhas caminhadas solitárias!

Continuava a soltar estas exclamações quando ouviu, ou julgou ouvir, no meio do bosque, um ruído semelhante a um soluço. Supondo ser algum animal selvagem, atirou o dardo na direção do ruído. Um grito de sua amada Prócris revelou-lhe que a arma atingira o alvo com precisão. Correu para o lugar e encontrou-a ensangüentada, tentando arrancar da ferida o dardo, que fora presente dela mesma. Céfalo ergueu-a do chão, lutou para estancar o sangue, gritou-lhe que vivesse, que não o deixasse desamparado, recriminando-se de sua morte. Ela entreabriu os olhos e conseguiu murmurar estas palavras:

– Imploro-te, se algum dia me amaste, se algum dia mereci de ti benevolência, meu marido, que satisfaças minha última vontade: não te cases com essa odiosa Brisa!

Isto revelou todo o mistério; mas que adiantava revelá-lo agora? Prócris morreu, mas seu rosto tinha uma expressão de calma, olhando com ternura e perdão para o marido, que a fez compreender a verdade.

A morte de Prócris, CARLO CRIVELLI, C. 1510, ÓLEO SOBRE TELA

Moore, entre suas "Baladas Legendárias", tem uma sobre Céfalo e Prócris, que assim começa:

> *Num campo, um caçador repousou, certo dia,*
> > *Para do sol se abrigar*
> *E, deitado, implorava à brisa que fugia*
> > *O rosto lhe beijar.*
> *E, enquanto assim pedia, a brisa descuidada*
> > *Fugia para além.*
> *Chamava o caçador: "Ó vem brisa adorada!"*
> *E Eco repetia: "Ó vem, brisa adorada!"*
> > *"Brisa adorada, vem!"*

CAPÍTULO IV

Juno e suas rivais
Io e Calisto
Diana e Actéon
Latona e os camponeses

Certa vez, Juno notou que o dia escurecera de súbito e imediatamente desconfiou de que o marido levantara uma nuvem para esconder algumas de suas façanhas que não gostava de expor à luz. Juno afastou a nuvem e viu o marido, à margem de um rio cristalino, com uma bela novilha ao seu lado. A rainha dos deuses desconfiou de que a aparência da novilha ocultava alguma bela ninfa de estirpe mortal, como, na verdade, era o caso. Tratava-se de Io, filha do rio-deus Ínaco, a quem Júpiter cortejava, e a quem dera aquela forma ao sentir a aproximação de sua esposa.

Juno foi-se juntar ao marido e, vendo a novilha, elogiou a sua beleza e perguntou quem era ela e a que rebanho pertencia. Júpiter, para evitar que as perguntas continuassem, respondeu que se tratava de uma nova criação da terra. Juno pediu-lhe que lhe desse a novilha de presente. Que poderia Júpiter fazer? Não queria entregar a amante à sua esposa; como recusar-lhe, porém, um presente tão insignificante como uma novilha? Não poderia fazê-lo sem despertar suspeitas. Assim, concordou. A deusa ainda não pusera de lado suas desconfianças: entregou, portanto, a novilha a Argos, ordenando que fosse vigiada atentamente.

Ora, Argos tinha cem olhos na cabeça e, para dormir, jamais fechava mais de dois, ao mesmo tempo, de maneira que velava por Io constantemente. Deixava-a pastar durante o dia e, à noite, amarrava-a com uma corda em torno do pescoço. Io sentia ímpetos de estender os braços para implorar liberdade a Argos, mas não tinha braços e sua voz era um mugido que amedrontava até ela própria. Viu seu pai e suas irmãs, aproximou-se deles, deixou-os acariciá-la e louvar-lhe a beleza. Seu pai estendeu-lhe um punhado de relva e ela lambeu-lhe a mão estendida. Ansiava-se por se fazer conhecida dele, mas, infelizmente, as palavras lhe faltavam. Afinal, teve idéia de escrever, e escreveu seu nome – era bem curto – com o casco, na areia. Ínaco reconheceu-a e, descobrindo que sua filha, a quem há tanto tempo procurara em vão, estava escondida sob aquele disfarce, chorou e abraçando-se com seu branco pescoço, exclamou:

– Ah, minha filha! Teria sido menos doloroso perder-te inteiramente!

Enquanto assim se lamentava, Argos, observando o que se passava, aproximou-se e levou Io dali, indo ele próprio sentar-se num alto talude, de onde podia olhar em todas as direções.

Júpiter perturbou-se ao ver os sofrimentos da amante e, chamando Mercúrio, ordenou-lhe que matasse Argos. Mercúrio apressou-se: calçou as sandálias aladas, pôs o barrete, pegou sua vara de condão que fazia dormir e atirou-se das alturas do céu para a terra. Despojou-se, então, de suas asas, conservando apenas a vara de condão, com a qual se apresentou como um pastor conduzindo um rebanho. Enquanto caminhava, tocava sua gaita. Argos ouviu-o deleitado, pois era a primeira vez que via o instrumento.

– Jovem! – exclamou. – Vem assentar-te ao meu lado nesta pedra. Não há melhor lugar para teu rebanho pastar por estas redondezas e aqui há uma sombra suave, tal como os pastores apreciam.

Mercúrio sentou-se, conversou e contou histórias até bem tarde, e tocou em seu instrumento as melodias mais suaves, tentando adormecer os olhos vigilantes, mas tudo em vão. Argos conseguia deixar alguns de seus olhos abertos, embora fechando os demais.

Entre outras histórias, Mercúrio contou-lhe como fora inventado o instrumento que tocava.

– Havia uma certa ninfa, cujo nome era Sirinx, muito querida pelos sátiros e pelos espíritos dos bosques; ela, porém, não se entregava a nenhum, sendo fiel cultuadora de Diana, e dedicava-se à caça. Quem a visse em suas vestes de caça a teria tomado pela própria Diana; a única diferença é que seu arco era de chifre, e o da deusa, de prata. Certo dia, quando ela voltava da caça, Pã encontrou-a, disse-lhe isto e muito mais. A ninfa correu, sem parar para ouvir as lisonjas, e ele a perseguia, até as margens do rio, onde a agarrou, dando-lhe apenas tempo de gritar pedindo a ajuda de suas companheiras, as ninfas da água. Estas ouviram e acederam ao pedido. Pã abraçou o que acreditava ser o corpo de uma ninfa e na verdade era apenas um feixe de juncos!

Como desse um suspiro, o ar, atravessando os juncos, produziu uma melodia melancólica. Encantado com a novidade e com a doçura da música, o deus exclamou:

– Assim, pelo menos, serás minha.

Tomou alguns dos juncos, de tamanhos desiguais, colocou-os lado a lado, e assim construiu o instrumento que chamou de Sirinx, em homenagem à ninfa.

Antes de Mercúrio terminar sua história, percebeu que Argos adormecera, com todos os olhos fechados. Enquanto cabeceava, Mercúrio, com um só golpe, cortou-lhe a cabeça e atirou-a embaixo do rochedo. Desventurado Argos! A luz de seus cem olhos apagou-se imediatamente. Juno tomou-os e colocou-os, como ornamentos, na cauda de seu pavão, onde até hoje permanecem.

A vingança de Juno não estava ainda saciada, contudo. Mandou um moscardo perseguir Io, que fugiu de sua perseguição através do mundo inteiro. Atravessou a nado o Mar Jônico (ou Iônico), que dela tirou o seu nome; correu pelas planícies da Ilíria; galgou o Monte

Juno recebe a cabeça de Argos, JACOPO AMIGONI, C. 1730, ÓLEO SOBRE TELA

Hemo e atravessou o Estreito da Trácia, daí por diante chamado de Bósforo (rio da vaca); vagou pela Cítia e pelo país dos cimerianos e chegou, afinal, às margens do Nilo. Júpiter, enfim, intercedeu por ela e, diante de sua promessa de que não daria mais atenção alguma à ninfa, Juno consentiu em devolver-lhe a antiga forma. Foi curioso vê-la recuperar a própria aparência. Os ásperos pêlos caíram-lhe do corpo, os chifres encolheram, os olhos estreitaram-se, a boca diminuiu; mãos e unhas surgiram em lugar dos cascos das patas dianteiras; em breve nada mais restava da novilha, a não ser a beleza. A princípio, Io teve medo de falar, mas pouco a pouco recuperou a confiança e foi levada de volta para junto do pai e das irmãs.

Num poema dedicado por Keats a Leigh Hunt, há a seguinte alusão ao episódio de Pã e Sirinx:

E nos contou como, em um dia, Sirinx
De Pã fugiu, tremendo, apavorada.
Desventurada ninfa! Pobre Pã!
Como chorou, ao ver que conquistara
Da brisa apenas um suspiro doce!

CALISTO

Calisto foi outra jovem que provocou o ciúme de Juno, que a transformou numa ursa.
– Acabarei com aquela beleza que cativou meu marido – disse a deusa.

Calisto caiu apoiada nas mãos e nos joelhos. Tentou estender os braços numa súplica: eles já estavam começando a se cobrir de pêlo negro. As mãos arredondaram-
se, armaram-se de garras aduncas e tornaram-se patas; a boca, cuja beleza Júpiter
costumava exaltar, transformou-se num horrível par de maxilas; a voz, que se não fosse mudada inspiraria piedade aos corações, tornou-se um rugido, próprio a inspirar
o terror. Contudo, sua antiga disposição permaneceu e, continuando a gemer, Calisto
deplorou seu destino e mantinha-se tão ereta quanto podia, erguendo as patas para
implorar mercê, e sentia que Jove era cruel, embora não pudesse dizê-lo. Ah! Quantas
vezes, temerosa de ficar nos bosques sozinha a noite inteira, vagueava pelas vizinhanças de sua antiga morada! Quantas vezes, amedrontada pelos cães, ela, até tão pouco tempo caçadora, fugia aterrorizada, dos caçadores! Quantas vezes fugia das feras,
esquecendo-se de que, agora, não passava ela mesma de uma fera! E, embora sendo
ursa, tinha medo dos ursos.

Um dia, um jovem a viu, quando estava caçando. Ela também o viu e nele reconheceu
o próprio filho, agora homem. Parou, tendo vontade de abraçá-lo. Ao se aproximar, o jovem, assustado, ergueu a lança de caça e ia trespassá-la, quando Júpiter, vendo o que se
passava, impediu a consumação do crime e afastou os dois, colocando-os no céu, transformados nas constelações da Ursa Maior e da Ursa Menor. [1]

Juno enfureceu-se vendo sua rival merecer tal honra, procurou Tétis e Oceano, as
antigas potências do mar, e, em resposta às suas perguntas, assim descreveu o motivo
de sua vinda:

– Perguntai-me por que eu, rainha dos deuses, deixei as planícies celestiais e vim em
busca destas profundidades? Sabei que estou suplantada no céu: meu lugar é dado a outra. Dificilmente acreditareis em mim; mas olhai quando a noite escurecer o mundo, e
vereis os dois de quem tenho tanta razão de queixa exaltados no céu, naquela parte em
que o círculo é menor, nas vizinhanças do pólo. Por que iria alguém, de agora em diante,
tremer à idéia de ofender Juno, quando tais recompensas são as conseqüências do meu
desprazer? Vede o que consegui fazer! Impedi-a de usar a forma humana – ela é colocada
entre as estrelas! Tal é o resultado do meu castigo, tal a extensão de meu poder! Seria melhor que ela tivesse recuperado a forma humana, como permiti que Io recuperasse. Talvez

---

[1] Ovídio, de cujas "Metamorfoses" Bulfinch copiou o episódio, não diz, expressamente, que Calisto foi transforma-
da na Constelação da Ursa Maior. Limita-se a dizer que ela e seu filho, Arcas, foram levados para o céu por Júpiter,
que os transformou em dois astros vizinhos:
Arcuit omnipotens, paritesque ipsosque nefaste
Sustulit, et celeri rapto per inania vento
Imposuit celo vicinaque sidera fecit.
Segundo a tradição, Arcas não foi transformado na Ursa Menor, nem havia lógica em tal transformação, uma vez
que não fora antes, como sua mãe, metamorfoseado em urso. As duas constelações a que Ovídio se refere são as da
Ursa Maior e de Arctofilax (guardião da Ursa), também chamada do Boieiro (Bootes).

Jove pretenda desposá-la, e deixar-me de lado. Mas vós, meus pais de adoção, se estais a meu lado e encarais com desgosto esse indigno tratamento que me foi imposto, mostrai-mo, peço-vos, impedindo esse casal indigno de penetrar em vossas águas!

As potências do oceano concordaram e, conseqüentemente, as duas constelações da Ursa Maior e da Ursa Menor movem-se em círculo no céu, porém jamais descem, como as outras estrelas, por trás do oceano.[2]

Milton alude ao fato de a constelação da Ursa jamais se esconder, quando diz:

Que à meia-noite mi'a lâmpada seja
Vista em alguma torre solitária
De onde eu possa contemplar a Ursa etc.

E Prometeu, no poema de J. R. Lowell, exclama:

Ergueram-se e puseram-se as estrelas,
Iluminando os ferros que me prendem;
A Ursa, que passeia toda a noite,
Em seu abrigo já se refugiara,
Ouvindo os passos tímidos de Aurora.

A última estrela da cauda da Ursa Menor é a Estrela Polar, também chamada Cinosura, à qual se refere Milton:

Novos prazeres me deleitam os olhos
Na paisagem que se estende em torno.
...
Avistam altas e ameadas torres,
Escondidas sob árvores frondosas,
Onde talvez se oculte uma beleza,
A Cinosura de vizinhos olhos.

A alusão é, aqui, tanto à Estrela Polar como guia dos marinheiros quanto à atração magnética do norte. Milton a chama também de Estrela da Arcádia, porque o filho de Calisto se chamava Arcas e ele e a mãe viviam na Arcádia. Em "Comus", o irmão, surpreendido pela noite nos bosques, exclama:

---

[2] *Ibid.*

...Uma pálida luz!
Chega até nós o tímido clarão,
Vindo de alguma habitação humilde,
Bem junto com teus raios ofuscantes.
E serás, para nós, da Arcádia o astro.
Ou a tíria Cinosura.

Diana e Actéon

Vimos, assim, dois exemplos da severidade de Juno para com suas rivais. Vejamos, agora, como uma deusa virgem castigou um ofensor de seu recato.

Era meio-dia, e o sol encontrava-se a igual distância de ambas as metas, quando o moço Actéon, filho do Rei Cadmo, assim se dirigiu aos jovens que com ele caçavam o cervo nas montanhas:

– Amigos, nossas redes e nossas armas estão úmidas do sangue das vítimas. Já nos divertimos bastante por um dia, e amanhã poderemos recomeçar as nossas atividades.

Agora que Febo cresta a Terra, deixemos de lado nossos instrumentos e entreguemo-nos ao repouso.

Havia um vale rodeado por densa vegetação de ciprestes e pinheiros, consagrado à rainha caçadora, Diana. Na extremidade do vale havia uma gruta, não adornada pela arte, mas a natureza imitara a arte em sua construção, pois cravejara a abóbada de seu teto com pedras, tão delicadamente como se estivessem dispostas pelas mãos do homem. De um lado, jorrava uma fonte, cujas águas se espalhavam numa bacia cristalina. Ali, a deusa dos bosques costumava ir, quando cansada de caçar, e lavava seu corpo virginal na água espumejante.

Certo dia, tendo entrado ali com suas ninfas, entregou a uma delas o dardo, a aljava e o arco, a túnica a uma segunda, enquanto uma terceira retirava-lhe as sandálias dos pés. Então, Crócale, a mais habilidosa de todas, penteou-lhe os cabelos, e Néfele, Híale e as demais carregavam a água, em grandes urnas. Enquanto a deusa entregava-se assim aos cuidados íntimos, Actéon, tendo-se separado dos companheiros e vagando sem qualquer objetivo definido, chegou ao local, levado pelo destino. Quando surgiu à entrada da gruta, as ninfas, vendo um homem, gritaram e correram para junto da deusa, a fim de escondê-la com seus corpos. Ela, porém, era mais alta que as outras e sobrepujava todas pela cabeça. Uma cor semelhante à que tinge as nuvens no crepúsculo e na aurora cobriu o rosto de Diana, assim apanhada de surpresa. Cercada, como estava, por suas ninfas, ainda fez menção de voltar-se e procurou, impulsiva, as setas. Como estas não estivessem ao seu alcance, atirou água ao rosto do intruso, exclamando:

– Agora, vai, e dize, se te atreves, que viste Diana sem suas vestes.

Imediatamente um par de chifres galhados cresceu na cabeça de Actéon, seu pescoço encompridou-se, suas orelhas tornaram-se pontudas, suas mãos e braços transformaram-se em patas, seu corpo cobriu-se de um pêlo espesso. O medo substituiu a antiga ousadia, e o herói fugiu. Ele próprio admirava a velocidade com que corria, mas, quando viu os chifres refletidos na água, quis dizer "Desgraçado!", e a palavra não saiu. Gemeu, e lágrimas escorreram-lhe pela cara que tomara o lugar de sua própria. Sua consciência, no entanto, pemaneceu. Que fazer? Voltar para casa, procurar seu palácio, ou ficar escondido nos bosques? Tinha medo de uma coisa e vergonha de outra. Enquanto hesitava, os cães o avistaram. Primei-

Diana e Actéon, TIZIANO, C. 1556-1559, ÓLEO SOBRE TELA

ro Melampus, um cão espartano, deu o sinal, com um latido, depois, Panfagu, Dorceu, Lelaps, Teron, Nape, Tigre e todo o resto correram-lhe no encalço, mais velozes que o vento. Por despenhadeiros e rochedos, através de gargantas que pareciam impraticáveis, Actéon fugiu e os cães o seguiram. Onde ele muitas vezes caçara o cervo e açulara a matilha, a matilha o caçava, açulada por seus caçadores! Queria gritar: "Sou Actéon! Reconhecei vosso dono!", mas as palavras não obedeciam à sua vontade. O ar ressoava com os latidos dos cães. De súbito, um agarrou-o pelas costas, outro, pelos ombros. Enquanto os dois imobilizavam seu dono, o resto da matilha aproximou-se e cravou os dentes em sua carne. Ele gemeu – um gemido que não era humano, mas que não era, também, o de um cervo – e, caindo de joelhos, ergueu os olhos e teria erguido os braços, numa súplica, se os tivesse. Seus amigos e companheiros festejaram os cães e procuraram Actéon por toda a parte, chamando-o para juntar-se à comitiva. Escutando o seu nome, ele virou a cabeça e ouviu os outros lamentarem a sua ausência. Antes estivesse ausente! Teria se comprazido em ver as façanhas dos cães, mas senti-las era demais. Todos estavam em torno dele, mordendo e despedaçando; e somente quando Actéon exalou o último suspiro, a ira de Diana se satisfez.

No poema "Adonai", Shelley faz alusão à história de Actéon:

Um débil vulto, entre outros vultos, surge;
Um fantasma entre os homens; solitário,
Como da tempestade a derradeira
Nuvem, tendo por dobre funerário

O trovão. Ele, a Actéon semelhante,
Contemplou a nudez da Natureza
E foge agora pela terra inteira:
Os próprios pensamentos o perseguem,
Como ferozes cães, de instante a instante.

A alusão refere-se, provavelmente, ao próprio Shelley.

Latona e os camponeses

Alguns acham que, neste caso, a deusa foi mais severa que justa, enquanto outros louvam sua conduta, como rigorosamente de acordo com seu recato virginal. Como sempre, um acontecimento recente traz ao espírito outro mais antigo, e um dos que ouviram o episódio contou esta história.

"Alguns camponeses da Lícia insultaram, certa vez, a deusa Latona, mas não impunemente. Quando eu era jovem, meu pai, que estava demasiadamente velho para certos trabalhos, mandou-me à Lícia, para de lá trazer um rebanho de gado selecionado, e ali tive ocasião de ver o lago e os pântanos onde se passou o maravilhoso acontecimento. Perto fica um pequeno altar, enegrecido pela fumaça dos sacrifícios e quase escondido entre os juncos. Indaguei que altar seria aquele, se dos Faunos ou das Náiades, ou de algum deus das montanhas vizinhas, e um habitante da região respondeu-me:

– Nenhum deus de montanha ou de rio possui este altar, mas sim aquela a quem a real Juno, em seu ciúme, expulsou de terra em terra, negando-lhe um recanto qualquer onde pudesse criar os gêmeos. Trazendo em seus braços as divindades infantes, Latona chegou a esta terra, cansada e sedenta. Por acaso, viu, no fundo do vale, esta lagoa de águas claras, onde a gente da região trabalha, colhendo junco e vime. A deusa aproximou-se e, ajoelhando-se à margem da lagoa, ia saciar a sede em suas águas, mas os rústicos a impediram que o fizesse.

– Por que me recusais a água? – ela perguntou. – A água pertence a todos. A natureza não permite que ninguém reclame direitos de posse sobre a luz do sol, o ar ou a água. Venho compartilhar meu direito a um bem comum. Peço-vos, no entanto, como um favor. Não pretendo lavar nelas meus membros, por mais extenuada que esteja, mas apenas matar minha sede. Tenho a boca tão seca, que mal consigo falar. Um gole de água será o néctar para mim; há de reviver-me, e ser-vos-ei grata como pela própria vida. Possam estas crianças, que estendem os bracinhos, como que pedindo por mim, mover-vos à piedade!

Realmente, as crianças, enquanto ela falava, estendiam os bracinhos.

Quem não se comoveria com estas ternas palavras da deusa? Mas aqueles rústicos persistiram em sua rudeza; chegaram a acrescentar insultos e ameaças de violência se ela não abandonasse o local. E não se limitaram a isso. Entraram na lagoa e agitaram a lama com os pés, de maneira a tornar a água imprópria para ser bebida. Latona sentiu-se indignada a tal ponto que nem mais pensou em sua sede. Já não implorava aos rústicos, mas, levantando os braços para o céu, exclamou:

– Possam eles jamais deixar esta lagoa, mas passar nela suas vidas!

E isto aconteceu. Eles agora vivem na água, às vezes inteiramente submergidos, outras vezes levantando as cabeças à superfície ou nela nadando. Às vezes, saem para a margem da lagoa, mas logo pulam de novo para dentro d'água. Ainda continuaram a usar suas vozes de vilões nos vitupérios e, embora a água os cubra todos, não se envergonham de coaxar no meio dela. Sua voz tornou-se rude, a garganta intumesceu, a boca distendeu-se com o constante coaxar, os pescoços encolheram-se e desapareceram e a cabeça se juntou ao corpo. As costas tornaram-se verdes, o ventre desproporcionado, branco, em resumo, eles são agora rãs e moram na lamacenta lagoa."

Este episódio explica a alusão em um dos sonetos de Milton "Sobre as calúnias que se seguiram à redação de certos tratados":

Ante os asnos e os cães, raças malsãs,
Que visavam, rastejando como um verme
Nada mais fiz que confiar na História.
Também a raça transformada em rãs
De Latona insultou a prole inerme,
Que a lua e o sol depois regeram em glória.

O episódio, como se viu, alude à perseguição sofrida por Latona da parte de Juno. A tradição contava que a futura mãe de Apolo e Diana, fugindo da ira de Juno, andou por todas as ilhas do Mar Egeu, procurando um lugar de repouso, mas todos temiam demasiadamente a poderosa rainha do céu para proteger sua rival. Somente Delos concordou em se tornar o berço das futuras divindades. Delos era, então, uma ilha flutuante, mas, quando Latona ali chegou, Júpiter prendeu-a com cadeias fortíssimas ao fundo do mar, de maneira que pudesse tornar-se um abrigo seguro para seus bem-amados. Byron alude a Delos em seu "Don Juan":

Verdes ilhas da Grécia! Ilhas da Grécia!
Onde amou e cantou a ardente Safo,
Onde a arte nasceu, na paz e guerra,
Onde Delos se ergueu e ergueu-se Febo!

CAPÍTULO V

FAETONTE

Faetonte era filho de Apolo e da ninfa Climene. Certo dia, um companheiro de escola do menino zombou da idéia de ser ele filho de um deus, e Faetonte, furioso e envergonhado, contou o ocorrido à sua mãe.

– Se sou, na verdade, de origem celeste – disse – dá-me, minha mãe, uma prova disso, que me assegure o direito de reclamar a honra.

Climene estendeu os braços para o céu, exclamando:

– Tomo por testemunha o Sol que nos olha, de que te disse a verdade. Se menti, seja esta a última vez que contemplo esta luz. Não é preciso muito trabalho para tu mesmo ires averiguar; a terra onde mora o Sol fica próxima da nossa. Vai perguntar-lhe se te reconhece como filho.

Faetonte ouviu deleitado estas palavras. Viajou para a Índia, que fica junto das regiões do nascente, e cheio de esperança e de orgulho aproximou-se do destino, de onde seu pai começa o curso.

O palácio do Sol erguia-se muito alto, sobre colunas, reluzente de ouro e de pedras preciosas, com tetos de marfim polido e as portas de prata. A perfeição da obra sobrepujava o material.[1] Nas paredes, Vulcano havia representado a terra, o mar e o céu, com seus habitantes. No mar, estavam as ninfas, algumas divertindo-se nas ondas, algumas correndo montadas em peixes, enquanto outras, sentadas nos rochedos, secavam os cabelos esverdeados pelo mar. Seus rostos não eram inteiramente semelhantes entre si, nem inteiramente diferentes, mas tal como devem ser os rostos de irmãs. A terra mostrava as cidades, as florestas, os rios e as divindades rústicas. Dominando

---

[1] *Materiem superat opus* – Ovidio.

A queda de Faetonte, CARLONE, C. 1800, AFRESCO EM CAGNESSUR-MER

tudo, estava esculpida a imagem do glorioso céu, e, nas portas de prata, os signos do zodíaco, seis de cada lado.

O filho de Climene subiu a escadaria de acesso e entrou no palácio de seu pai. Aproximou-se, mas parou a distância, pois a luz era mais forte do que podia suportar. Febo, ostentando uma veste de púrpura, achava-se sentado num trono, onde brilhavam diamantes. Ao seu lado direito e ao esquerdo, estavam de pé o Dia, o Mês e o Ano e, a intervalos regulares, as Horas. A Primavera lá estava, com a cabeça coroada de flores; o Verão livre de seus trajos, com uma guirlanda de hastes de trigo maduros; o Outono com os pés manchados do caldo da uva e o Inverno com os cabelos cobertos de granizo. Cercado por estes ajudantes, o Sol, com os olhos que vêem todas as coisas, contemplou o jovem ofuscado com a novidade e o esplendor da cena e perguntou-lhe o motivo da visita.

– Ó luz do mundo ilimitado, Febo, meu pai, se me permites dar-te este nome, ofereceme uma prova, peço-te, pela qual possa ser reconhecido como teu filho.

Calou-se. O pai, pondo de lado os raios que brilhavam em torno da cabeça, fê-lo aproximar-se e disse-lhe, abraçando-o:

– Meu filho, mereces não ser repudiado e confirmo o que tua mãe te disse. Para pôr fim às tuas dúvidas, pede o que quiseres, e tua vontade será satisfeita. Tomo por testemunha aquele horrível lago, que nunca vi, mas pelo qual juram os deuses em seus compromissos mais solenes.

Faetonte imediatamente pediu para ter licença de dirigir por um dia o carro do sol. O pai arrependeu-se da promessa; três e quatro vezes, sacudiu a radiosa cabeça, advertindo:

– Falei levianamente. Este é o único pedido que deveria negar-te. Peço-te que o retires. Não é uma tarefa fácil, meu Faetonte, nem adequada à tua juventude e à tua força. Teu destino é mortal e pedes o que está além da capacidade de um mortal. Em tua ignorância, aspiras fazer o que nem os próprios deuses fazem. Ninguém, a não ser eu mesmo, pode guiar o flamejante carro do dia. Nem mesmo Júpiter, cujo terrível braço direito lança os raios. O início do caminho é uma ladeira, tão íngreme que os cavalos às primeiras horas da manhã mal conseguem subir; o meio fica tão alto no céu que eu mesmo mal consigo, sem susto, olhar para baixo e contemplar a terra e o mar estendidos aos meus pés. A última parte é uma descida rápida, e exige o maior cuidado ao guiar o carro. Tétis, que fica à minha espera, muitas vezes treme por mim, receando que eu seja precipitado das alturas. Ajunta a isto que o céu está constantemente girando e levando as estrelas consigo. Tenho de estar sempre em guarda, para que aquele movimento, que tudo arrasta, não me arraste também. Imaginemos que eu te emprestasse o carro, que irias fazer? Conseguirias manter teu curso, enquanto a esfera estivesse girando sob ti? Talvez penses que existem florestas, cidades, moradas de deuses, palácios e templos no itinerário. Ao contrário, o caminho corre no meio de monstros aterradores. Passas junto aos chifres do Touro, em frente do Sagitário e perto das fauces do Leão e onde o Escorpião estende seus ferrões numa direção e o Caranguejo na outra. E verás que não é fácil guiar esses cavalos, com seus peitos repletos do fogo que sai por suas bocas e narinas. Eu mesmo mal os posso governar, quando eles se mostram indóceis e resistem às rédeas. Cuidado, meu filho, para que eu não seja o doador de um presente fatal; desiste de teu pedido enquanto é tempo. Queres uma prova de que és fruto de meu sangue? Dou-te uma prova em meus temores por ti. Olha meu rosto. Se pudesses penetrar dentro de meu peito, verias ali toda a ansiedade paterna. Procura pelo mundo e escolhe o que a terra ou o mar contenham de mais precioso: pede sem medo de recusa. Apenas neste pedido imploro-te que não insistas. Não é a honra, mas a destruição que procuras. Por que me abraças e ainda suplicas? Terás, se insistires; o juramento está feito e deve ser mantido, mas imploro-te que escolhas mais sensatamente.

Calou-se; mas o jovem rejeitou todos os seus conselhos e manteve o pedido. Assim, tendo resistido tanto quanto pôde, Febo afinal encaminhou-se para onde estava o soberbo carro.

Era de ouro, presente de Vulcano; o eixo era de ouro, o timão de ouro e as rodas de ouro, os raios das rodas de prata. Ao longo da boléia, havia fileiras de topázios e diamantes, que refletiam o brilho do sol.

Enquanto o ousado jovem olhava com admiração, Aurora abriu as portas de púrpura do nascente e mostrou o caminho juncado de rosas. As estrelas retiraram-se, conduzidas pela Estrela d'Alva, que, última de todas, retirou-se também. Febo, quando viu a Terra começando a brilhar e a Lua preparando-se para retirar-se, ordenou às Horas que arreassem os cavalos. Elas obedeceram: tiraram das espaçosas cocheiras os corcéis alimentados com ambrosia e prenderam as rédeas. Então, o pai umedeceu o rosto do filho com um ungüento poderoso, tornando-o capaz de suportar o calor da chama. Colocou os raios em sua cabeça e, com um suspiro agoureiro, disse:

– Se, pelo menos nisso, meu filho, vais seguir meus conselhos, poupa o chicote, e sustenta as rédeas com força. Os cavalos seguem velozes por seu próprio gosto; o trabalho é contê-los. Não deves seguir o caminho direto entre os cinco círculos, mas afastar para a esquerda. Conserva o limite da zona mediana, evitando igualmente o norte e o sul. Verás as marcas das rodas e elas te servirão de guia. E, para que o Céu e a Terra possam receber cada um a quantidade devida de calor, não subas demais, senão incendiarás as moradas celestes, nem andes muito baixo, para que não ateies fogo à Terra; o meio é o caminho mais seguro e melhor.[2] E, agora, deixo-te entregue à tua sorte, que espero melhor para ti do que tu mesmo fizeste. A noite está saindo das portas ocidentais e não podemos atrasar por mais tempo. Toma as rédeas; mas, se, no último momento, teu coração fraquejar, e tirares proveito dos meus conselhos, fica aqui onde estás, em segurança, e deixa-me iluminar e aquecer a Terra.

O ágil jovem subiu no carro de um pulo, e, de pé, segurou as rédeas, deleitado, dizendo palavras de agradecimento ao relutante pai.

Enquanto isto, os cavalos enchiam o ar com seus relinchos e o ruído de sua respiração ardente, e escarvavam o chão, com impaciência. As barras foram descidas e as ilimitadas planícies do universo estenderam-se diante deles. Investiram e fenderam as primeiras nuvens e passaram à frente das brisas matinais que haviam partido também do nascente. Os cavalos logo perceberam que a carga que transportavam era mais leve que a de costume; e como um navio sem lastro é sacudido de um lado para o outro no mar, assim o carro, sem seu peso costumeiro, era sacudido como se estivesse vazio. Os corcéis avançaram, deixando o caminho sempre trilhado. Faetonte está assustado e não sabe como guiar os animais; e nem que soubesse teria a força necessária. Então, pela primeira vez, a Ursa Maior e a Menor foram abrasadas de calor e teriam querido, se tal fosse possível, mergulhar na água; e a Serpente, que jaz enroscada em torno do Pólo Norte, entorpecida e inofensiva, com o calor sentiu reviver sua fúria. O Boeiro, dizem, fugiu, embora dificultado pelo peso de seu arado e de todo desacostumado aos movimentos rápidos.

Quando o desventurado Faetonte baixou os olhos para a terra, que agora se desdobrava em grande extensão embaixo dele, empalideceu e seus joelhos bateram um contra o outro de pavor. A despeito do clarão que o rodeava, seus olhos turvaram-se. Desejou jamais ter tocado os cavalos paternos, jamais ter sabido sua origem, jamais ter insistido em seu pedido. É levado como uma embarcação arrastada pela tempestade, quando o piloto nada mais pode fazer e limita-se às preces. Que fazer? Grande parte do caminho celeste ficara para trás, mas muito mais restava pela frente. Volta os olhos de uma direção para a outra; ora para o ponto de onde começara a corrida, ora para os reinos do poente, que deveria alcançar. Perdera o domínio de si mesmo e não sabia o

[2] *Medio tutissumus ibis* – Ovidio. Irás com mais segurança pelo meio.

que fazer – se encurtar as rédeas ou se afrouxá-las; esquecera os nomes dos cavalos. Vê com terror as monstruosas formas espalhadas pela superfície do céu. Aqui, Escorpião estendia seus dois grandes braços, com a cauda e as garras recurvadas estendendo-se por dois signos do zodíaco. Quando o jovem o viu, ressumando veneno e ameaçando com os ferrões, sua coragem fraquejou e as rédeas lhe caíram das mãos.

Febo Apolo, (APOLO CONDUZINDO A QUADRIGA DE LEÕES), BRITON RIVERE, C. 1870, ÓLEO SOBRE TELA

Sentindo-as soltas em suas costas, os cavalos avançaram e, sem restrições, penetraram em regiões desconhecidas do céu, entre as estrelas, arrastando o carro em lugares sem estrada, ora a grande altura, ora quase junto da terra. A Lua viu, com assombro, o carro de seu irmão correndo abaixo do seu próprio. As nuvens começaram a esfumaçar e os cumes das montanhas a se incendiar; os campos tornaram-se ressequidos de calor, as plantas murcharam, as árvores queimavam-se com seus ramos copados, as colheitas estavam em chamas! Incendiavam-se as montanhas cobertas de florestas. Atos, o Taurus, o Tmolo e o Etna; Ida, outrora celebrada por suas fontes, agora secas; Hélicon, o monte das musas, e o Hemo; o Etna, com fogo por fora e por dentro, o Parnaso, com seus dois picos, e o Ródope, obrigado, afinal, a perder sua coroa de neve. Seu clima frio não constituiu proteção para a Cítia, o Cáucaso incendiou-se; incendiaram-se o Ossa e o Pindo, e o Olimpo, maior que ambos; os Alpes, que tão altos se erguem no ar, e os Apeninos, coroados de nuvens.

Faetonte contemplou o mundo em chamas e sentiu o calor intolerável. O ar que respirava era como o ar de uma fornalha, cheio de cinza, e a fumaça estava negra como breu. Avançou sem saber para onde. Então, acredita-se, o povo da Etiópia tornou-se negro, pelo fato de o sangue ser forçado a subir tão subitamente à superfície, e formou-se, pela seca, o deserto líbico, nas condições em que permanece até hoje. As ninfas das fontes, com os cabelos desgrenhados, choravam suas águas, e os rios também não tinham proteção entre suas margens: o Tanaus fumegava, e o Caico, o Xantux e Meandro, o Eufrates babilônico e o Ganges, o Tejo, com suas areias auríferas, e o Caister, onde se reúnem os cisnes. O Nilo fugiu e escondeu suas cabeceiras no deserto, onde ainda continuam escondidas. No ponto em que costumava descarregar no mar suas águas, através de sete bocas, apenas restaram sete canais secos. A terra ressequida criou fendas, através das quais a luz penetrou no Tártaro, amedrontando o rei das trevas e a rainha sua esposa. O mar evaporou-se. Onde antes era água, formou-se uma planície seca; e as montanhas que jazem por baixo das ondas ergueram a cabeça e tornaram-se ilhas. Os peixes procuraram as últimas profundidades e os delfins já não se atreviam a brincar à superfície, como de costume. Até mesmo Nereu e sua esposa, Dóris, com as Nereidas, suas filhas, buscaram as grutas mais profundas para refúgio. Três vezes Netuno tentou erguer a cabeça acima da superfície da água, e três vezes teve de recuar, com o calor. A Terra, embora cercada, como estava, pelas águas, com a cabeça e os ombros nus, protegendo o rosto com as mãos, olhou para o céu e, com voz enrouquecida, dirigiu-se a Júpiter:

– Ó pai dos deuses, se mereci este tratamento e se é teu desejo que eu pereça pelo fogo, por que poupas teus raios? Deixa-me, pelo menos, cair por tuas mãos. É esta a recompensa de minha fertilidade, de meus obedientes serviços? Foi para isso que forneci erva para o gado, frutos para os homens e incenso para os teus altares? Mas, se sou indigna de consideração, que fez meu irmão Oceano para merecer tal destino? Se nenhum de nós pode provocar tua piedade, pensa, peço-te, em teu próprio céu e vê como estão fumegantes ambos os pólos que sustentam teu palácio, que cairá, se eles forem destruídos. Atlas fraqueja e mal sustenta sua carga. Se o mar, a terra e o céu perecerem, cairemos no antigo Caos. Salva o que ainda nos resta da chama devoradora. Pensa em nossa salvação, neste momento fatal!

Assim falou a Terra, e, vencida pelo calor e pela sede, nada mais pôde dizer. Então, Júpiter onipotente, invocando o testemunho de todos os deuses, inclusive daquele que emprestara o carro, e mostrando-lhes que tudo estaria perdido, a não ser que fosse aplicado um remédio urgente, subiu à torre altaneira de onde espalha as nuvens sobre a terra e arremessa os recurvados raios. Desta vez, porém, não havia uma só nuvem que pudesse ser usada para proteção da terra, nem chuva que pudesse ser lançada. Júpiter trovejou e, erguendo um raio incandescente na mão direita, lançou-o contra o condutor do carro e arrancou-o, ao mesmo tempo, do seu lugar e da existência! Faetonte, com os cabelos em chama, caiu de cabeça para baixo, como uma estrela cadente que marca o céu com seu brilho enquanto cai, e Eridano, o grande rio, recebeu-o e refrescou seu corpo ardente.[3] As náiades italianas ergueram-lhe um túmulo e gravaram estas palavras sobre a pedra:

Aqui jaz Faetonte, que o paterno
Carro ousou dirigir, em vão. Contudo
Honrou-o a nobre audácia de tentá-lo

---

[3] *Hic situs est Phaeton, currus auriga paterni, quem si non tenuit, magnis tamem excidit ausis* – Ovídio. Aqui jaz Faetonte, condutor do carro paterno, que se não foi bem-sucedido, pelo menos ousou tentar uma grande empresa.

Suas irmãs, as Helíades, enquanto lamentavam seu destino, transformaram-se em choupos, nas margens do rio, e suas lágrimas, que continuavam a cair, transformaram-se em âmbar, ao atingir a água.

Milman, em seu poema "Samor", faz a seguinte alusão à história de Faetonte:

Como quando o universo horrorizado
Jazia mudo e quieto, quando o filho
Do Sol, dizem os poetas, o paterno
Carro levava por atalhos falsos.
Até que Jove o fulminou, e o mísero
Afogou-se no golfo junto ao qual
As irmãs, os seus ramos agitando,
Por ele choram lágrimas de âmbar.

Nos belos versos em que Walter Savage Landor descreve a concha marinha, há uma alusão ao palácio e ao carro do Sol. A ninfa da água diz:

Tenho sinuosas conchas, ostentando
Os matizes da pérola e que o brilho
Fazem lembrar do majestoso pórtico
Do palácio do Sol.

CAPÍTULO VI
MIDAS – BAUCIS E FILÊMON

Certa vez, Baco deu por falta de seu mestre e pai de criação, Sileno. O velho andara bebendo e, tendo perdido o caminho, foi encontrado por alguns camponeses que o levaram ao seu rei, Midas. Midas reconheceu-o, tratou-o com hospitalidade, conservando-o em sua companhia durante dez dias e dez noites, no meio de grande alegria. No décimo primeiro dia, levou Sileno de volta e entregou-o são e salvo a seu pupilo. Baco ofereceu, então, a Midas o direito de escolher a recompensa que desejasse, qualquer que fosse ela. Midas pediu que tudo em que tocasse imediatamente fosse transformado em ouro. Baco consentiu embora pesaroso por não ter ele feito uma escolha melhor. Midas seguiu caminho, jubiloso com o poder recém-adquirido, que se apressou a pôr em prova. Mal acreditou nos próprios olhos quando viu um raminho que arrancara de um carvalho transformar-se em ouro em sua mão. Segurou uma pedra; ela mudou-se em ouro. Pegou um torrão de terra; virou ouro. Colheu um fruto na macieira; ter-se-ia dito que furtara o jardim das Hespérides. Sua alegria não conheceu limite e, logo que chegou a casa, ordenou aos criados que servissem um magnífico repasto. Então verificou, horrorizado, que se tocava o pão, este enrijecia em suas mãos; se levava a comida à boca, seus dentes não conseguiam mastigá-la. Tomou um cálice de vinho, mas a bebida desceu-lhe pela garganta como ouro derretido.

Consternado com essa aflição sem precedente, Midas lutou para livrar-se daquele poder: detestava o dom que tanto cobiçara. Tudo em vão, porém; a morte por inanição parecia aguardá-lo. Ergueu os braços, reluzentes de ouro, numa prece a Baco, implorando que o livrasse daquela fulgurante destruição. Baco, divindade benévola, ouviu e consentiu.

– Vai ao Rio Pactolo – disse –, segue a corrente até a fonte que lhe dá origem, ali mergulha tua cabeça e teu corpo e lava tua culpa e o teu castigo.

O julgamento de Midas, DOMENICHINO E AS-
SISTENTES, C. 1616-1618, ÓLEO SOBRE MADEIRA

Midas assim fez e mal tocara as águas, antes mesmo de terem passado para elas o poder de transformar tudo em ouro, as areias do rio tornaram-se auríferas, e assim continuam até hoje.

Dali por diante, Midas, odiando a riqueza e o esplendor, passou a morar no campo, longe da cidade, e a cultuar Pã, o deus dos campos. Certa ocasião, Pã teve a temeridade de comparar sua música à de Apolo, e de desafiar o deus da lira para uma competição. O desafio foi aceito, e Tmolo, o deus da montanha, foi escolhido como árbitro. O velho acomodou-se e tirou as árvores de seus ouvidos, para escutar. A um dado sinal, Pã tocou sua avena e, com sua rústica melodia, deu grande satisfação a si mesmo e a seu fiel devoto Midas, que se achava presente. Em seguida, Tmolo virou a cabeça para o Rei Sol, e todas as árvores acompanharam seu gesto. Apolo ergueu-se, com a testa enfeitada do louro parnasiano, e a túnica de púrpura tíria arrastando-se no chão. Com a mão esquerda, segurava a lira, que dedilhava com a direita. Empolgado com a harmonia, Tmolo imediatamente concedeu a vitória ao deus da lira, e todos concordaram com o julgamento, menos Midas, que discordou e pôs em dúvida a justiça do prêmio. Apolo não tolerou que um par de orelhas de tão depravados ouvidos continuasse a ter a forma humana, e fê-las aumentar de tamanho, tornarem-se peludas, por dentro e por fora, e adquirirem movimento próprio; em suma: tornaram-se perfeitamente iguais às orelhas de um burro.

O Rei Midas sentiu-se bastante mortificado com a deformação, mas consolou-se, lembrando-se de que era possível esconder o infortúnio, o que tentou, por meio de um amplo turbante. O cabeleireiro, porém, ficou, evidentemente, a par do segredo. Teve ordem de não o revelar, sendo ameaçado de terrível castigo se se atrevesse a desobedecer. Verificou, porém, que era demais para sua discrição guardar o segredo; e, assim, foi ao campo, abriu um buraco no chão, e, abaixando-se, contou o caso, em voz baixa, e tampou o buraco. Pouco depois, crescia no local uma touceira de juncos que, logo que atingiu certo tamanho, começou a contar o caso em sussurro, e assim faz até hoje, todas as vezes que a brisa sopra sobre o local.

A história do Rei Midas tem sido contada por outros com algumas variantes. Dryden, em seu poema "História do Banho", atribui à rainha, esposa de Midas, a revelação do segredo:

A ninguém o segredo das orelhas
Midas ousou confiar, senão à esposa.

Midas era rei da Frígia e filho de Górdio, um pobre camponês, que foi escolhido pelo povo para rei em obediência à profecia do oráculo, segundo a qual o futuro rei chegaria numa carroça. Enquanto o povo estava deliberando, Górdio chegou à praça pública numa carroça, com a mulher e o filho.

Tornando-se rei, Górdio dedicou a carroça à divindade do oráculo, amarrando-a com um nó, o famoso *nó górdio*, a propósito do qual se dizia que, quem fosse capaz de desatá-lo, tornar-se-ia senhor de toda a Ásia. Muitos tentaram em vão, até que Alexandre Magno chegou à Frígia, com suas conquistas. Tentou também desatar o nó, com o mesmo insucesso dos outros, até que, impacientando-se, arrancou da espada e cortou-o. Quando, depois, conseguiu subjugar toda a Ásia, começou-se a pensar que ele cumprira os termos do oráculo em sua verdadeira significação.

BAUCIS E FILÊMON

Numa certa montanha da Frígia há, lado a lado, uma tília e um carvalho, rodeados por um muro baixo. Não muito distante do local fica um pântano, outrora terra habitável, mas agora cheia de lagos, e refúgio das aves aquáticas e corvos marinhos. Certa vez, Júpiter, sob forma humana, visitou a região, em companhia de Mercúrio (o do caduceu), sem suas asas. Apresentaram-se como viajantes fatigados, a muitas portas, procurando abrigo e repouso, mas encontraram todas fechadas, pois era tarde, e os poucos hospitaleiros habitantes não se dispuseram a levantar-se para ir recebê-los. Afinal, uma moradia humilde acolheu-os, uma pequena choupana, onde uma piedosa velha, Baucis, e seu marido, Filêmon, unidos quando jovens, haviam envelhecido juntos. Sem se envergonhar de sua pobreza, eles a tornaram suportável graças à moderação dos desejos e ao bom gênio. Não havia necessidade ali de procurar senhor e servo; os dois constituíam toda a casa, servos e senhores a um só tempo. Quando os hóspedes celestiais transpuseram o umbral humilde e abaixaram a cabeça para passar sob a porta muito baixa, o velho trouxe uma cadeira, sobre a qual Baucis, atenciosa e prestativa, estendeu um pano, pedindo-lhes que se assentassem. Em seguida, ela retirou as brasas do meio das cinzas e reavivou o fogo, alimentando-o com folhas e casco seco de madeira, e, com o pouco fôlego que lhe restava, soprou as chamas. Trouxe de um canto achas de madeira seca, quebrou-as e colocou-as sob a pequena chaleira. Seu marido colheu algumas ervas na horta e a velha preparou-as para a panela. Filêmon tirou com um gancho um naco de toucinho que pendia da chaminé, cortou um pedacinho e colocou-o na panela com as ervas, deixando o restante para outra ocasião. Encheram, em seguida, de água quente uma gamela de faia, a fim de que os hóspedes pudessem lavar-se.

No banco destinado aos hóspedes foi colocada uma almofada com recheio de alga, e uma toalha, que só aparecia nas grandes ocasiões, foi colocada por cima. A velha, trazendo um avental, pôs a mesa, com as mãos trêmulas. Uma perna da mesa era mais curta que as outras, mas uma pedra colocada embaixo restabelecera o equilíbrio. Arrumada a mesa, Baucis passou sobre ela algumas ervas de cheiro agradável, e foram colocadas algumas azeitonas da casta Minerva, algumas conservas em vinagre, e acrescentaram-se rabanetes e queijo, com ovos esquentados no borralho. O repasto foi servido em pratos de barro, e uma bilha de barro, com copos de madeira, achava-se entre as travessas. Quando tudo ficou pronto, colocou-se na mesa a sopa fumegante. Ajuntou-se algum vinho, não do mais velho, e, por sobremesa, maçãs e mel silvestre.

Ora, enquanto o repasto prosseguia, os velhos ficaram assombrados ao ver que o vinho, à medida que era servido, renovava-se no jarro. Tomados de terror, Baucis e Filêmon reconheceram seus hóspedes celestiais, caíram de joelhos e imploraram perdão pela pobreza do acolhimento. Possuíam um velho ganso, que conservavam como guardião de sua humilde choupana, e acharam que ele poderia ser sacrificado em honra dos hóspedes. Mas o ganso, muito ágil, correndo e batendo as asas, escapou à perseguição dos velhos e, afinal, refugiou-se entre os próprios deuses. Estes não permitiram que ele fosse morto, e disseram:

– Somos deuses. Esta aldeia inospitaleira sofrerá a pena de sua impiedade. Somente vós escapareis ao castigo. Deixai esta casa e vinde conosco para o alto daquele monte.

Os dois apressaram-se em obedecer e, apoiados em seus bastões, puseram-se a galgar a íngreme subida. Estavam à distância de um tiro de seta do alto, quando, voltando os olhos para trás, avistaram toda a região transformada num lago, estando de pé apenas sua casa. Enquanto maravilhavam-se com esse espetáculo e lamentavam o destino de seus vizinhos, sua velha casa transformou-se num templo. Colunas tomaram o lugar dos rudes postes, o colmo tornou-se amarelo e transformou-se num teto dourado, o chão cobriu-se de mármore, as portas enriqueceram-se com baixos-relevos e ornamentos de ouro. Então Júpiter falou, com benevolência:

– Excelente velho, e tu, mulher, digna de tal marido, dizei-me quais são os vossos desejos. Que favor quereis de nós?

Filêmon consultou Baucis durante alguns momentos, depois manifestou aos deuses seus desejos comuns:

– Queremos ser os sacerdotes e guardiães deste vosso templo. E, como passamos toda a nossa vida com amor e concórdia, desejamos que a mesma hora exata nos tire a ambos a vida, e que eu não viva para ver o túmulo de Baucis, nem ela para ver o meu.

Seu desejo foi satisfeito. Os dois foram os guardiães do templo enquanto viveram. Quando se tinham tornado muito velhos e estavam um dia de pé diante da escada do edifício sagrado, contando a história do lugar, Baucis viu Filêmon começar a cobrir-se de folhas, e Filêmon viu Baucis transformar-se da mesma maneira. Tufos de

Júpiter e Mercúrio com Filêmon e Baucis, Peter Paul Rubens, 1620-1625, óleo sobre tela

folhas já haviam crescido em suas cabeças e os dois continuavam a trocar palavras de despedida, enquanto podiam falar.

– Adeus, querida esposa. Adeus, querido esposo – diziam juntos, até o momento em que a nodosa casca lhes fechou a boca.

O pastor tianeano ainda mostra as duas árvores, uma ao lado da outra, metamorfoses de duas boas pessoas.

A história de Baucis e Filêmon foi imitada por Swift, em estilo burlesco, sendo os autores da transformação dois santos errantes, e a casa sendo transformada em capela, da qual Filêmon se tornou o vigário. Eis um trecho da mesma:

Mal se atrevem a falar, quando o telhado,
Devagar, começou a levantar-se.
Ergue-se cada viga, cada caibro.
As paredes pesadas se alteiam,
A chaminé alteia-se e alarga-se,
Em alto campanário se transforma.
Sobe a chaleira, até bater no teto,
Num barrote do teto fica presa,
Invertida, porém, para mostrar
A força de atração da gravidade,
Que em vão se exerce, pois força contrária

Sua queda detém e ali suspensa
A conserva, vencendo a gravidade.
Já não é mais chaleira, mas é sino.
Um girador de espeto de madeira,
Sem uso há tanto tempo que da arte
De assar a carne, quase se esquecera,
Transforma-se, de súbito e de todo,
Um recheio de rodas adquire
Para maior assombro e maravilha,
Quanto mais rodas tem mais lerdo fica.
Muito embora tivesse pés de chumbo,
Antes girava velozmente, e agora
Numa hora inteira, como que tolhido,
Uma só polegada mal avança.
O girador e a chaminé, amigos
Inseparáveis, não se separaram:
A chaminé é torre e seu amigo
Sem dela se afastar, sempre a seu lado,
O relógio virou do campanário.
Não esqueceu, contudo, os velhos dias,
Dos cuidados caseiros, não descuida
E ao meio-dia, dando horas, lembra
À cozinheira que queimar não deixe
A carne que ele próprio assar não pôde.
A pesada poltrona já começa
Ao mesmo tempo, como enorme lesma,
A deslizar ao longo da parede
E, maravilha!, em púlpito se torna.
O leito pesadão, de estilo antigo,
É em banco de igreja transformado,
Mas conservando a antiga natureza,
Pois quem nele se senta sente sono.

CAPÍTULO VII
prosérpina – gLauco e sila

Depois de Júpiter e seus irmãos terem derrotado os titãs e os expulsado para o Tártaro, um novo inimigo ergueu-se contra os deuses. Eram os gigantes Tífon, Briareu, Encélado e outros. Alguns deles tinham cem braços, outros respiravam fogo. Afinal, foram vencidos e enterrados vivos no Monte Etna, onde alguns continuam a lutar para se libertar, sacudindo toda a ilha com os terremotos. Sua respiração sai através da montanha e é o que os homens chamam de erupção vulcânica.

A queda desses monstros abalou a terra, o que alarmou Plutão, receoso de que seu reino pudesse ser aberto à luz do sol. Presa dessa apreensão, ele entrou em seu carro, puxado por cavalos negros, e viajou pela terra, para verificar a extensão dos danos. Enquanto se achava empenhado nesse mister, Vênus, que estava sentada no Monte Erix, brincando com seu filho Cupido, olhou-o e disse:

– Meu filho, toma tuas setas, com que vences todos, mesmo Jove, e crava uma delas no peito daquele sombrio monarca, que governa o reino do Tártaro. Por que deverá ele sozinho escapar? Aproveitar a oportunidade de ampliar o teu e o meu domínio. Não vês que mesmo no céu alguns

Prosérpina, Dante Gabriel Rosseti, 1874, óleo sobre tela

desprezam nosso poder? Minerva, a sábia, e Diana, a caçadora, desafiam-nos; e ali está a filha de Ceres, que ameaça seguir seu exemplo. Agora, se tens qualquer consideração por teus próprios interesses e pelos meus, junta aquelas duas pessoas em uma só.

O menino abriu a aljava e escolheu a mais aguda e fiel seta; depois, firmando o arco no joelho, distendeu a corda e desfechou a seta de ponta aguda bem no coração de Plutão.

Há, no Vale de Ena, um lago escondido no bosque, que o protege contra os ardentes raios do sol; o terreno úmido é coberto de flores, e a Primavera reina ali perpetuamente. Prosérpina lá se encontrava, brincando com suas companheiras, colhendo lírios e violetas, e enchendo com as flores seu cesto e seu avental, quando Plutão a viu, apaixonou-se por ela e raptou-a. Ela gritou, pedindo ajuda à mãe e às companheiras; e quando, apavorada, largou os cantos do avental e deixou cair as flores, sentiu, infantilmente, sua perda como um acréscimo ao seu sofrimento. O raptor excitou os cavalos, chamando-os cada um por seu nome e soltando sobre suas cabeças e pescoços as rédeas cor de ferro. Quando chegou ao Rio Cíano, e este se opôs à sua passagem, Plutão feriu a margem do rio com seu tridente, a terra abriu-se e deu-lhe passagem para o Tártaro.

Ceres procurou a filha por todo o mundo. Aurora, dos louros cabelos, ao sair pela manhã, e Hespéria, ao trazer as estrelas ao anoitecer, ainda a encontraram ocupada na procura. Tudo foi em vão, porém. Afinal, cansada e triste, ela se sentou numa pedra e ali continuou sentada, durante nove dias e nove noites, ao ar livre, à luz do sol e ao luar, e sob a chuva. Era onde ora se ergue a cidade de Elêusis, então morada de um velho chamado Celeus. Ele estava no campo, colhendo bolotas e amoras silvestres e gravetos para alimentar o fogo. Sua filhinha conduzia para casa duas cabras e, ao aproximar-se da deusa, que aparecia sob o disfarce de uma velha, disse-lhe:

– Mãe (e o nome foi suave aos ouvidos de Ceres), por que está sentada aí nessa rocha?

O velho também parou, embora sua carga fosse pesada, e convidou Ceres a entrar em sua cabana. Ela recusou e ele insistiu.

– Vai em paz – respondeu a deusa – e sê feliz em companhia de tua filha. Eu perdi a minha.

Ao falar, lágrimas – ou algo como lágrimas, pois os deuses não choram – escorreram-lhe pelo peito. O compassivo velho e a criança choraram com ela. Afinal, disse Celeus:

– Vem conosco e não desprezes nosso teto humilde. Talvez tua filha te seja devolvida sã e salva.

– Vamos – disse Ceres –, não posso resistir a tal apelo!

Levantou-se da pedra e seguiu com os dois. Enquanto caminhavam, Celeus contou que seu único filho, um menino, estava doente, febril e sem sono. Ceres parou e colheu algumas papoulas. Ao entrarem na cabana, encontraram todos muito tristes, pois o estado do menino parecia desesperador. Metanira, sua mãe, recebeu atenciosamente a visitante, e a deusa, debruçando-se, beijou os lábios da criança enferma. Instantaneamente, a palidez abandonou-lhe o rosto e o vigor da saúde voltou-lhe ao corpo. Toda a família ficou deleitada – isto é, o pai, a mãe e a menina, pois não tinham criados. Puseram a mesa, e serviram coalhada e creme, maçãs e mel. Enquanto comiam, Ceres misturou caldo de papoula no leite que o menino estava tomando. Quando veio a noite e tudo estava quieto, ela levantou-se e, pegando o menino adormecido, passou-lhe as mãos pelos lábios e murmurou três vezes palavras de encantamento, depois foi colocá-lo nas cinzas. A mãe do menino, que estava observando o que a hóspede fazia, levantou-se, com um grito, e tirou a criança do fogo. Então Ceres assumiu sua própria forma e um divino esplendor espalhou-se em torno. Diante do assombro de todos, disse:

– Mãe, foste cruel no amor ao teu filho. Eu ia torná-lo imortal, mas frustraste meus esforços. Não obstante, ele será grande e útil. Ensinará aos homens o uso do arado e as recompensas que o trabalho pode obter do solo cultivado.

Assim dizendo, envolveu-se numa nuvem e, tomando seu carro, afastou-se.

Ceres continuou a procurar a filha, passando de terra em terra, e atravessando mares e rios, até voltar à Sicília, de onde partira, e ficou de pé à margem do Rio Cíano, onde Plutão abrira uma passagem para os seus domínios. A ninfa do rio teria contado à deusa tudo que testemunhara, se não fosse o medo de Plutão; assim, apenas se aventurou a pegar a guirlanda que Prosérpina deixara cair em sua fuga e fazê-la descer pela correnteza do rio, até junto da deusa. Vendo-a, Ceres não teve mais dúvida sobre a perda da filha, mas ainda não conhecia a causa e lançou a culpa sobre a terra inocente.

– Ingrato solo, que tornei fértil e cobri de ervas e grãos nutritivos, não mais gozarás de meus favores! – exclamou.

Então, o gado morreu, o arado quebrou-se no sulco, as sementes não germinaram. Houve sol e chuva em demasia. As aves roubaram as sementes. Somente medravam os cardos e sarças. Ao ver isto, a fonte Aretusa intercedeu pela terra:

– Não culpes a terra, deusa! – exclamou. – Ela se abriu de má vontade para dar passagem à tua filha. Posso contar-te qual foi o seu destino, pois a vi. Esta não é minha terra natal; venho de Elis. Era uma ninfa dos bosques e comprazia-me na caça. Exaltavam minha beleza, mas eu não cuidava disso, e antes me vangloriava de minhas proezas venatórias. Certo dia, estava voltando do bosque, aquecida pelo exercício, quando vi um regato que corria sem ruído, tão claro que podiam contar-se as pedrinhas do fundo. Os salgueiros o sombreavam e as margens, cobertas de relva, desciam até à água, numa rampa suave. Aproximei-me, toquei a água com o pé. Entrei até ficar com água pelo joelho e, não contente com isto, deixei minhas vestes nos salgueiros e entrei no rio.

Enquanto lá estava, ouvi um murmúrio indistinto, vindo do fundo do rio, e apressei-me em fugir para a margem mais próxima.

– Por que foges, Aretusa? – disse a voz. – Sou Alfeu, o deus deste rio.

Fugi e ele me perseguiu. Não era mais rápido do que eu, mas era mais forte, e alcançou-me, quando minhas forças fraquejaram. Afinal, exausta, gritei pedindo a ajuda de Diana:

– Ajuda-me, deusa! Ajuda tua devota!

A deusa ouviu-me e envolveu-me logo em espessa nuvem. O rio-deus procurou-me, ora aqui, ora ali, e duas vezes aproximou-se de mim, mas não conseguiu encontrar-me.

– Aretusa! Aretusa! – gritava.

Oh, como eu tremia! Como o cordeirinho, que ouve o lobo uivando fora do redil. Um suor frio cobriu-me, meus cabelos caíram como correntes de água e onde estavam meus pés formou-se uma lagoa. Em resumo: em menos tempo do que levo para contar, tornei-me uma fonte. Mas ainda sob essa forma, Alfeu reconheceu-me e tentou misturar sua corrente com a minha. Diana abriu o solo e eu, tentando escapar à perseguição, mergulhei na caverna e, através das entranhas da terra, cheguei aqui à Sicília. Ao passar pelas camadas inferiores da terra, vi sua Prosérpina. Ela estava triste, mas já não refletia susto na fisionomia. Seu aspecto era o de uma rainha: a rainha do Érebo; a poderosa esposa do monarca do reino dos mortos.

Ao ouvir isto, Ceres ficou perplexa durante um momento, depois virou o seu carro para o céu e correu a apresentar-se diante do trono de Jove. Contou a história de sua aflição e implorou a Júpiter que intercedesse, para conseguir a restituição de sua filha. Júpiter consentiu, com uma condição: a de que Prosérpina não tivesse tomado qualquer alimento durante sua permanência no mundo inferior; de outro modo, as Parcas proibiam a sua libertação. E, assim, Mercúrio foi mandado, acompanhado de Primavera, para pedir Prosérpina a Plutão. O ardiloso monarca consentiu, mas, infelizmente, a donzela aceitara uma romã que Plutão lhe oferecera e sugara o doce suco de algumas sementes. Isso foi suficiente para impedir sua libertação completa. Fez-se um acordo, contudo, pelo qual Prosérpina passaria metade do tempo com sua mãe e o resto com seu marido Plutão.

Ceres deu-se por satisfeita com esse arranjo e restituiu à terra seus favores. Lembrou-se, então, de Celeus e de sua família, e da promessa feita ao menino Triptólemo. Quando o menino cresceu, ensinou-lhe o uso do arado e como semear. Levou-o em seu carro, puxado por dragões alados, a todos os países da terra, aquinhoando a humanidade com cereais valiosos e com o conhecimento da agricultura. Depois de seu regresso, Celeus construiu em Elêusis um magnífico templo dedicado a Ceres e estabeleceu o culto da deusa, sob o nome de mistérios de Elêusis, que, no esplendor e solenidade de sua observância, ultrapassavam todas as demais celebrações religiosas entre os gregos.

Não pode haver dúvida de que esta história de Ceres e Prosérpina é uma alegoria. Prosérpina representa a semente do trigo, que, quando enterrada no chão, ali fica escondida, isto é, levada pelo deus do mundo subterrâneo. Depois reaparece, isto é, Prosérpina é restituída à sua mãe. A primavera a faz voltar à luz do dia.

Milton faz referência ao episódio de Prosérpina no Livro IV do *Paraíso Perdido*:

Não era, não, de Ena o lindo campo
Onde colhendo flores, Prosérpina,
Ela mesma uma flor, pelo sombrio
Deus do reino dos mortos foi roubada,
O que custou a Ceres tantas penas.

Hood, em sua "Ode à Melancolia", recorre à mesma alusão, de maneira muito feliz:

Perdoa, se com a dor futura, esqueço
A presente ilusão,
Como perdeu as flores Prosérpina
À vista de Plutão.

O Rio Alfeu de fato desaparece embaixo da terra, durante uma parte de seu curso correndo por canais subterrâneos, até voltar à superfície de novo. Dizia-se que a fonte siciliana de Aretusa era proveniente da mesma corrente, que, após atravessar o mar, ressurgia na Sicília. Daí a lenda de que uma taça atirada no Alfeu aparecia em Aretusa. É a essa fábula do curso subterrâneo do Alfeu que Coleridge alude em seu poema "Kubla Khan":

Soberba, Kubla Khan em Xanadu ergueu
Imponente mansão
Onde corre, sereno, o Rio Sacro Alfeu
Que sob o próprio mar, em grutas se escondeu,
Bem no fundo do chão.

Em um de seus poemas juvenis, Moore assim se refere ao mesmo fato, e ao hábito de atirar guirlandas e outros objetos leves às águas do rio, para serem levados pela corrente e reaparecerem depois:

Que divina alegria, minha amada,
A das almas irmãs quando se encontram,

Como o rio sagrado cuja água
Corre através de grutas subterrâneas,
Carregando guirlandas e coroas
Pelas virgens olímpicas lançadas
Como tributo à ninfa de Aretusa.
Que alegria, que júbilo seria
O seu, de se encontrar com a fonte amada!

GLAUCO E SILA

Glauco era pescador. Certo dia, recolhendo as redes, verificou que apanhara muitos peixes, de várias espécies. Esvaziou a rede e tratou de separar os peixes, na relva. O lugar em que se encontrava era uma bela ilha fluvial, desabitada e não usada nem mesmo para pastagem do gado, que jamais fora visitada por quem quer que fosse, a não ser pelo próprio Glauco. De súbito, os peixes que se encontravam na relva começaram a reviver e mover as barbatanas, como se estivessem na água. E, enquanto o pescador contemplava o espetáculo, atônito, todos os peixes moveram-se a um só tempo para a água, nela mergulharam e se afastaram. Glauco ficou sem saber se fora algum deus que fizera aquilo, ou se havia algum poder secreto na erva.

– Que erva tem tal poder? – exclamou.

E, apanhando algumas folhas, provou-as. Mal o suco da planta atingiu-lhe o palato, ele se sentiu agitado por um violento desejo de penetrar na água. Não pôde resistir por muito tempo e, dizendo adeus à terra, mergulhou na corrente. Os deuses da água o receberam com benevolência e acolheram-no em sua sociedade. Obtiveram, ainda, o consentimento de Oceano e Tétis, os soberanos do mar, para que fosse lavado de tudo o que ainda lhe restava de mortal. Cem rios despejaram suas águas sobre ele. Glauco perdeu, então, toda a sensação de sua antiga natureza e toda a consciência. Quando voltou a si, estava mudado em forma e em espírito. Os cabelos tornaram-se verdes como o mar e arrastavam-se atrás dele na água; os ombros alargaram-se e as pernas assumiram a forma de uma cauda de peixe. Os deuses do mar cumprimentaram-no pela mudança de seu aspecto e ele se imaginou um personagem de bela aparência.

Um dia, Glauco viu a linda donzela Sila, favorita das ninfas da água, caminhando ao longo da praia à procura de um ponto tranqüilo onde pudesse entrar no mar, como entrou. Ele se apaixonou pela jovem e, surgindo à superfície das águas, falou-lhe, dizendo-lhe as palavras que lhe pareceram as mais convenientes para fazê-la ficar onde estava; ela, logo ao vê-lo, pôs-se a correr, até chegar a um rochedo que dominava o mar. Ali parou, para ver se se tratava de um deus ou animal marinho, e observou com assombro a forma e a cor de Glauco. Este, emergindo em parte da água e apoiando-se num rochedo, disse:

– Donzela, não sou um monstro, não sou um animal marinho, mas um deus. E nem Tritão nem Proteu estão colocados mais alto do que estou. Outrora fui mortal e ganhava minha vida no mar. Agora, porém, a ele pertenço inteiramente.

Contou, então, a história de sua metamorfose, e como fora elevado à sua atual dignidade, e acrescentou:

– De que vale, porém, tudo isso, se não consigo mover teu coração?

Continuava a falar no mesmo tom, mas Sila virou as costas e fugiu.

Glauco, desesperado a princípio, teve, depois, a idéia de consultar a feiticeira Circe. E, assim, dirigiu-se à sua ilha, à mesma onde mais tarde Ulisses desembarcou, como veremos em outro episódio. Depois das saudações recíprocas, disse Glauco:

– Deusa, imploro tua piedade. Somente tu podes aliviar meu sofrimento. Conheço o poder das ervas melhor que ninguém, pois a elas devo minha mudança de forma. Amo Sila. Envergonho-me de contar-te como a cortejei e lhe fiz promessas, e quão desdenhosamente ela me tratou. Peço-te que uses de teus encantamentos, ou ervas poderosas, se têm mais valor, não para curar-me do meu amor, pois não desejo tal coisa, e sim para fazer com que Sila o compartilhe e me retribua.

Ao que Circe replicou, pois não era insensível à atração da verde divindade marinha:

– Seria melhor que procurasses um objeto complacente ao teu amor. És digno de ser procurado, em vez de procurar em vão. Não sejas tímido, conheces teu próprio valor. Afirmo-te que mesmo eu, deusa como sou e conhecedora das virtudes das plantas e encantamentos, não saberia como resistir-te. Se ela te despreza, despreza-a também. Procura alguém que te encontre a meio caminho e assim possam ambos ser satisfeitos a um só tempo.

A estas palavras, Glauco retrucou:

– Mais cedo crescerão árvores no fundo do oceano e algas no alto das montanhas, do que deixarei de amar Sila, e somente ela.

A deusa ficou indignada, mas não podia puni-lo, e nem desejava, pois o amava; e assim voltou toda a ira contra a rival, a pobre Sila. Tomou plantas de poderes venenosos e misturou-as, com feitiçarias e encantações. Depois, passou através da multidão de animais, vítimas de sua arte, e dirigiu-se à costa

Glauco tentado por Sila

da Sicília, onde vivia Sila. Havia, no litoral, uma pequena baía, para onde Sila costumava ir, no calor do dia, a fim de respirar um ar mais fresco e banhar-se nas águas. Ali a deusa derramou a mistura venenosa e murmurou palavras mágicas de grande poder. Sila chegou, como de costume, e mergulhou na água até a cintura. Qual foi o seu horror ao perceber uma ninhada de serpentes e de monstros em torno dela! A princípio, não pôde imaginar que era uma parte dela própria e tentou deles fugir; mas, ao fugir, levava-os consigo e, quando tentou apalpar as pernas, suas mãos encontravam apenas as bocas escancaradas dos monstros. Sila ficou presa ao local. Seu gênio tornou-se tão horrível quanto sua forma, e ela se comprazia em devorar os inermes marinheiros que chegavam ao alcance de suas garras. Assim destruiu seis dos companheiros de Ulisses, e tentou destruir os navios de Enéias, até que foi transformada em rochedo e, como tal, ainda continua a ser o terror dos marinheiros.

Keats, no poema "Endimião", oferece-nos uma nova versão do fim do episódio de Glauco e Sila. Glauco curva-se aos encantos de Circe, até que, por acaso, presencia suas bruxarias com os animais.[1] Desgostoso com a traição e crueldade da deusa, tenta fugir, mas é capturado e Circe o expulsa, condenando-o a passar mil anos de decrepitude e sofrimento. Glauco volta ao mar e ali encontra o corpo de Sila, que a deusa não metamorfoseara, mas afogara. Glauco aprende que seu destino é este: se passar mil anos recolhendo os corpos dos amantes afogados, um jovem amado dos deuses surgirá para ampará-lo. Endimião cumpre essa profecia, restituindo a Glauco a mocidade, e a Sila e a todos os amantes afogados, a vida.

O trecho seguinte conta a impressão de Glauco depois da "metamorfose marinha":

Mergulhei, para a vida ou para a morte.
O esforço de vencer o mar bem forte
Seria certamente. Surpreendido
Fiquei, ao me sentir, a vida ilesa,
Cercado pelas águas. A surpresa
Não me abandonou, dia após dia.
Como a avezinha, que se inicia
No vôo, pouco a pouco, passo a passo,
Até cortar, voando, o alto espaço,
Eu, pouco a pouco, as amplidões marinhas
Fui conhecendo e tendo-as como minhas.

---

[1] V. capítulo XXIX

capítulo VIII

PIGMALIÃO – DRÍOPE
VÊNUS E ADÔNIS
APOLO E JACINTO

Pigmalião via tantos defeitos nas mulheres que acabou por abominá-las, e resolveu viver solteiro. Era escultor e executou, com maravilhosa arte, uma estátua de marfim tão bela que nenhuma mulher de verdade com ela poderia comparar-se. Era, na verdade, de uma perfeita semelhança com uma jovem que estivesse viva e somente o recato impedisse de mover-se. A arte, por sua própria perfeição, ocultava-se, e a obra parecia produzida pela própria natureza. Pigmalião admirou sua obra e acabou apaixonando-se pela criação artificial. Muitas vezes, apalpava-a, como para se assegurar se era viva ou não, e não podia mesmo acreditar que se tratasse apenas de marfim. Acariciava-a e dava-lhe presentes como as jovens gostam: conchas brilhantes e pedras polidas, pássaros e flores de diversas espécies, contas de âmbar. Colocou vestidos sobre seu corpo, anéis em seus dedos e um colar no pescoço, brincos nas orelhas e cordões de pérolas no peito. Vestiu-a e ela não pareceu menos encantadora do que nua. Deitou-a num leito recoberto de panos coloridos com púrpura, chamou-a de esposa e colocou-lhe a cabeça num travesseiro de plumas macias, como se ela pudesse sentir a maciez.

Estava próximo o festival de Vênus, celebrado com grande pompa em Chipre. Vítimas eram oferecidas, os altares fumegavam e o cheiro de incenso enchia o ar. Depois de ter executado sua parte nas solenidades, Pigmalião de pé, diante do altar, disse, timidamente:

– Deuses, vós que tudo podeis, dai-me por esposa... – não se atreveu a dizer "minha virgem de marfim", mas acrescentou: – ... alguém semelhante à minha virgem de marfim.

Pigmalião e a Imagem, Sɪʀ Eᴅᴡᴀʀᴅ Bᴜʀɴᴇ-
Jᴏɴᴇs. óᴌᴇᴏ sᴏʙʀᴇ ᴛᴇʟᴀ

Vênus, que estava presente ao festival, ouviu-o e compreendeu o pensamento que ele não se atrevera a formular, e, como augúrio de sua benevolência, fez a chama do altar erguer-se três vezes no ar. Ao voltar para casa, Pigmalião foi ver a estátua e, debruçando-se sobre o leito, beijou-a na boca. Os lábios pareceram-lhe quentes. Beijou-a de novo e abraçou-a; o marfim mostrava-se macio sob seus dedos, como a cera do Himeto. Atônito e alegre, embora duvidando e receando que se tivesse enganado, de novo, muitas vezes, com o ardor de um amante, toca o objeto de suas esperanças. Estava realmente vivo! O corpo, quando apertado, cedia aos dedos, para recuperar, depois, a elasticidade. Afinal, o cultuador de Vênus encontrou palavras para agradecer à deusa e apertou os lábios de encontro a lábios tão reais como os seus próprios. A virgem sentiu os beijos e corou, e abrindo seus tímidos olhos à luz fixou-os, no mesmo momento, em seu amante. Vênus abençoou as núpcias que propiciara, e dessa união nasceu Pafos, de quem a cidade, consagrada a Vênus, recebeu o nome.[1]

Dríope

Dríope e Iole eram irmãs. A primeira era esposa de Andrêmon, amada pelo marido e feliz com o nascimento do primeiro filho. Certo dia, as irmãs caminhavam pela margem de um rio que descia suavemente até junto da água, ao passo que a parte mais alta era recoberta de mirtos. As duas tencionavam colher flores, a fim de tecerem guirlandas para os altares das ninfas, e Dríope trazia a criança no regaço, e amamentava-a, enquanto caminhavam. Perto da água, crescia um lótus, repleto de flores de cor púrpura. Dríope colheu algumas e ofereceu-as à criancinha, e Iole ia fazer o mesmo, quando percebeu sangue escorrendo nas hastes de onde sua irmã colhera as flores. A planta não era outra senão a ninfa Lótis, que, fugindo de um vil perseguidor, fora metamorfoseada em planta. Foi o que as duas irmãs ficaram sabendo pelos habitantes da região, quando já era demasiadamente tarde.

---

[1] Como é sabido, a amante de Pigmalião chamava-se Galatéia. Bulfinch não menciona o nome, seguindo as "Metamorfoses" de Ovídio, de onde tirou o episódio (Livro II, versos 243 a 297).

Horrorizada, quando percebeu o que havia feito, Dríope teria com prazer fugido do lugar, mas sentiu os pés enraizados ao solo. Tentou arrancá-los, mas só pôde mover os membros superiores. Aos poucos, a dureza da madeira foi subindo pelo seu corpo e ela, angustiada, tentou arrancar os cabelos, mas viu as mãos cheias de folhas. A criança sentiu que o seio materno começara a enrijecer-se e o leite cessava de correr. Iole contemplou o triste destino da irmã, sem poder socorrê-la. Abraçou-se com o tronco que crescia, como se pudesse impedir a continuação da metamorfose, e teria de bom grado sido envolvida pelo duro córtex. Neste momento, surgiram o pai de Dríope e seu marido, Andrêmon, e, quando perguntaram por Dríope, Iole apontou-lhes o lótus recém-formado. Abraçaram-se com o tronco, ainda quente, e cobriram suas folhas de beijos.

Nada mais restava de Dríope, a não ser o rosto. As lágrimas continuavam a escorrer-lhe dos olhos, caindo sobre as folhas, e, enquanto podia, ela falou:

– Não sou culpada. Não mereço este destino. Não injuriei pessoa alguma. Se eu disse falsidades, possa minha folhagem perecer com a seca e meu tronco ser cortado e queimado. Tomai este menino e entregai-o a uma ama. Tragam-no sempre para ser nutrido sob meus ramos e brincar à minha sombra. E quando ele tiver crescido bastante para falar, ensinai-o a chamar-me de mãe e dizer, com tristeza: "Minha mãe está sob este córtex." Que ele seja cauteloso ao andar pelas margens dos rios e colher flores, lembrando-se de que cada moita de arbustos que vê pode ser uma deusa disfarçada. Adeus, querido esposo, irmã e pai. Se ainda me tendes amor, não deixeis que o machado me fira, nem que os rebanhos mordam e dilacerem meus galhos. Como não posso aproximar-me de vós, subi e beijai-me; e, enquanto meus lábios continuarem a sentir, erguei meu filho, para que eu possa beijá-lo. Não posso mais falar, pois o córtex avança até o pescoço e em breve atingirá meu rosto. Não precisais fechar-me os olhos, o córtex os fechará sem vossa ajuda.

Então os lábios cessaram de mover-se, e a vida extinguiu-se; mas os ramos conservaram durante algum tempo mais o calor vital.

vênus e adônis

Brincando, certo dia, com seu filho Cupido, Vênus feriu o peito em uma de suas setas. Afastou a criança, mas a ferida era mais profunda do que pensara. Antes de curá-la, Vênus viu Adônis, e apaixonou-se por ele. Já não se interessava por seus lugares favoritos: Pafos, Cnidos e Amatos, ricos em metais. Afastava-se mesmo do céu, pois Adônis lhe era mais caro. Seguiu-o, fez-lhe companhia. Ela, que gostava de se reclinar à sombra, sem outras preocupações a não ser a de cultivar seus encantos, anda pelos bosques e pelos montes, vestida como a caçadora Diana; chama seus cães e caça lebres e cervos, ou outros animais fáceis de caçar, abstendo-se, porém, de perseguir os lobos e os ursos, recendendo ao sangue dos rebanhos. Também recomenda a Adônis que tenha cuidado com tão perigosos animais:

– Sê bravo com os tímidos. A coragem contra os corajosos não é segura. Evita expor-te ao perigo e ameaçar minha felicidade. Não ataques os animais que a natureza armou. Não aprecio tua glória ao ponto de consentir que a conquistes expondo-te assim. Tua juventude e a beleza que encanta Vênus não enternecerão os corações dos leões e dos rudes javalis. Pensa em suas terríveis garras e em sua força prodigiosa! Odeio toda a raça deles. Queres saber por quê?

E, então, contou a história de Atalanta e Hipómenes, que ela transformara em leões, para castigo da ingratidão que lhe fizeram.

Tendo feito essa advertência, Vênus subiu ao seu carro, puxado por cisnes, e partiu, através dos ares. Adônis, porém, era demasiadamente altivo para seguir tais conselhos. Os cães haviam expulsado um javali de seu covil, e o jovem lançou seu dardo, ferindo o animal de lado. A fera arrancou o dardo com os dentes e investiu contra Adônis, que virou as costas e correu; o javali, porém, alcançou-o, cravou-lhe os dentes no flanco e deixou-o moribundo na planície.

Vênus, em seu carro puxado por cisnes, ainda não chegara a Chipre, quando ouviu, cortando o ar, os gemidos de seu amado, e fez voltar para a terra os corcéis de brancas asas. Quando se aproximou e viu, do alto, o corpo sem vida de Adônis, coberto de sangue, desceu e, curvando-se sobre ele, esmurrou o peito e arrancou os cabelos. Acusando as Parcas, exclamou:

– Sua ação, porém, constituiu um triunfo parcial. A memória de meu sofrimento perdurará, e o espetáculo de tua morte e de tuas lamentações, meu Adônis, será anualmente renovado. Teu sangue será mudado numa flor; este consolo ninguém pode negar-me.

Assim falando, espalhou néctar sobre o sangue e, ao se misturarem os dois líquidos, levantaram-se bolhas, como numa lagoa quando cai a chuva, e, no espaço de uma hora, nasceu uma flor cor de sangue, como a da romã. Uma flor de vida curta, porém. Dizem que o vento lhe abre os botões e depois arranca e dispersa as pétalas; assim, é chamada de anêmona, ou flor-do-vento, pois o vento é a causa tanto de seu nascimento como de sua morte.

Milton faz alusão ao episódio de Vênus e Adônis, em "Comus":

Entre moitas de rosas e jacintos,
Muitas vezes repousa o jovem Adônis
Amortecida a dor, e a seu lado
Jaz a triste rainha dos assírios...

APOLO e Jacinto

Apolo amava apaixonadamente um jovem chamado Jacinto. Acompanhava-o em suas diversões, levava a rede quando ele pescava, conduzia os cães quando ele caçava, seguia-o em suas excursões pelas montanhas e esquecia, por sua causa, a lira e as setas. Certo dia, os dois divertiram-se com um jogo e Apolo, impulsionando o disco, com força e agilidade, lançou-o muito alto no ar. Jacinto contemplou o disco e, excitado com o jogo, correu a apanhá-lo, ansioso por fazer a sua jogada, mas o disco saltou na terra e atingiu-o na testa. O jovem caiu desmaiado. O deus, pálido como Jacinto, ergueu-o e tratou de aplicar toda a sua arte para estancar o sangue e conservar a vida que se esvanecia, mas tudo em vão: o ferimento estava além dos poderes da medicina. Como um lírio, cuja haste quebrou-se num jardim, curva-se e volta para a terra suas flores, assim a cabeça do jovem moribundo, como se tivesse se tornado muito pesada para o pescoço, pendeu sobre o ombro.

– Morreste, Jacinto – exclamou Apolo –, roubado por mim de tua juventude. O sofrimento é teu, e meu o crime. Pudesse eu morrer por ti! Como, porém, isto é impossível, viverás comigo, na memória e no canto. Minha lira há de celebrar-te, meu canto contará teu destino e tu te transformarás numa flor gravada com minha saudade.

Enquanto Apolo falava, o sangue que escorrera para o chão e manchara a erva deixou de ser sangue; uma flor de colorido mais belo que a púrpura tíria nasceu, semelhante ao lírio, com a diferença de que é roxo, ao passo que o lírio é de uma brancura argêntea.[2] E isso não foi bastante para Febo. Para conferir ainda maior honra, deixou seu pesar marcado nas pétalas, e nelas escreveu "Ai! Ai!", como até hoje se vê. A flor tem o nome de jacinto e, sempre que a primavera volta, revive a memória do jovem e lembra o seu destino.

Conta-se que Zéfiro (o vento oeste), que também amava Jacinto e tinha ciúme da preferência de Apolo,

The National Gallery, Londres

Vênus e Cupido, Bronzino

---

[2] Evidentemente, não é o jacinto moderno que aqui se descreve. Trata-se, talvez, de alguma espécie de íris ou, possivelmente, da esporinha ou do amor-perfeito.

desviou o disco de seu rumo para fazê-lo atingir o jovem. Keats faz alusão a isso no "Endimião", quando descreve os espectadores do jogo de argolas:

Contemplam os jogadores dos dois lados
  Lembrando, ao mesmo tempo,
A sorte de Jacinto, quando o sopro,
  De Zéfiro o matou;
De Zéfiro que, agora, penitente,
  Quando Febo se eleva
No céu, as pétalas da florzinha beija.

Também no "Lycidas", de Milton, há uma alusão ao jacinto:

A roxa flor que traz a dor impressa.

CAPÍTULO IX

CEIX E ALCÍONE:

AS ALCÍONES

Ceix era rei da Tessália, onde reinava em paz, sem cometer violência ou injusti-ça. Era filho de Vésper, a Estrela-d'Alva, e o esplendor de sua beleza lembrava a do pai. Alcíone, filha de Éolo, era sua esposa, amante e dedicada. Ora, Ceix sentia-se profundamente aflito pela morte do irmão, e os horríveis prodígios que se seguiram a essa morte davam-lhe a impressão de que os deuses lhe eram hostis. Resolveu, por-tanto, fazer uma viagem a Carlos, na Jônia, a fim de consultar o oráculo de Apolo. Porém, logo que revelou sua intenção à esposa, Alcíone, esta estremeceu e tornou-se mortalmente pálida.

– Que culpa minha, querido marido, afastou de mim o teu afeto? – perguntou ela.
– Onde está aquele amor que dominava todos os nossos pensamentos? Aprendeste a te sentires bem, longe de Alcíone? Preferias que eu me afastasse de ti?

Também tentou desanimá-lo, descrevendo a violência dos ventos, que conhecera muito bem quando vivia em casa de seu pai, pois Éolo é o rei dos ventos, e fez todo o possível para dissuadi-lo.

– Eles correm juntos – disse – com tanta fúria que o fogo irrompe do conflito. Mas se vais, querido marido, deixa-me ir contigo, de outro modo sofrerei não apenas os males verdadeiros que encontrares como também aqueles que meu temor sugerir.

Estas palavras afetaram profundamente o espírito do Rei Ceix, que não desejava menos que a esposa, levá-la consigo, mas não podia expô-la aos perigos do mar. Res-pondeu, portanto, consolando-a como podia, e terminou com estas palavras:

– Prometo pelos raios de meu pai, a Estrela-d'Alva, que, se o destino permitir, volta-rei antes de a Lua ter girado duas vezes sobre sua órbita.

Morfeu, ESCULTURA ROMANA

Tendo assim falado, ordenou que o navio fosse tirado do estaleiro e os remos e velas colocados a bordo. Ao ver esses preparativos, Alcíone tremeu, como se tivesse pressentimento do mal. Com lágrimas e soluços, disse adeus ao marido e caiu sem sentidos no solo.

Ceix, por seu gosto, teria retardado a partida, mas os jovens marinheiros tinham tomado os remos e avançavam vigorosamente entre as ondas, com pancadas longas e cadenciadas. Alcíone ergueu os olhos lacrimosos e viu o marido de pé no convés, acenando-lhe. Respondeu ao aceno, até que o navio se afastou tanto que ela já não podia distinguir o vulto de Ceix dos demais. Quando o próprio navio já não pôde ser visto, a jovem rainha aplicou os olhos para avistar as velas num último relance até que estas também desapareceram. Retirou-se, então, para o seu quarto e lançou-se ao leito solitário.

Enquanto isso, os navegantes saíam do porto e a brisa brincava no cordame. Os marinheiros manejavam os remos e alçaram as velas. Quando mais ou menos metade do trajeto fora feito, o mar começou a embranquecer com ondas e o vento leste a soprar como um furacão. O mestre ordenou que se recolhessem as velas, mas a tempestade impediu que a ordem fosse cumprida, pois os gritos de comando não eram ouvidos entre o ruído dos ventos e das ondas. Os marinheiros, espontaneamente, tratavam de recolher os remos e rizar as velas. Enquanto assim fazem o que a cada um parece o melhor, a tempestade aumenta. Os gritos dos homens, o rangido das enxárcias e o batido das vagas misturam-se com o estrondo do trovão. O mar furioso parece levantar-se até o céu, para espalhar entre as nuvens sua espuma, depois, baixando até o fundo, tomar a cor do carvão: um negrume do Estige.

O navio acompanha todas essas mudanças. Parece um animal selvagem que corre sob as lanças dos caçadores. A chuva cai em torrentes, como se o céu estivesse caindo para se unir com o mar. Quando os raios cessam, por um momento, a noite parece ajuntar sua própria escuridão à da tempestade; em seguida vem o relâmpago, afastando as trevas e tudo iluminando com seu clarão. A habilidade falha, a coragem desaparece e a morte parece vir em cada vaga. Os homens ficam estupidificados de terror. Vêm-lhes à lembrança os pais e filhos, os parentes deixados em casa. Ceix pensa em Alcíone. Apenas o seu nome está em seus lábios e, ao mesmo tempo que anseia por vê-la, regozija-se com a sua ausência. De súbito, o mastro é despedaçado por um raio, o leme se quebra e a onda triunfante varre o tombadilho e sai em seguida, levando os destroços. Alguns dos marinheiros, petrificados pelo choque, afundam-se na água e não mais se erguem; outros agarram-se aos restos do naufrágio. Ceix, com a mão que costumava segurar o cetro, agarra-se a uma tábua, gritando por socorro – em vão, por desgraça – ao seu pai e ao seu sogro. O nome de Alcíone, porém, era o que mais vezes vinha aos seus lábios. Para ela voltam-se os seus pensamentos. Pede que as ondas possam levar seu corpo até Alcíone e que seus funerais por ela sejam feitos. Finalmente, as águas o cobriram e ele afunda. A Estrela-d'Alva mostrou-se sombria naquela noite. Como não podia deixar o céu, escondeu nas nuvens a face.

Enquanto isso, Alcíone, ignorando todos esses horrores, conta os dias para o prometido regresso do marido. Ora prepara as vestes que ele envergará, ora as que ela própria usará quando ele regressar. Oferece, freqüentemente, incenso a todos os deuses, porém mais do que todos a Juno. Reza, incessantemente, pelo marido que já não vive: que ele esteja salvo; que regresse ao lar; que não veja, em sua ausência, outra mulher que possa amar mais que a ela própria. De todas essas súplicas, porém, a última era a única destinada a ser atendida. A deusa, afinal, não mais suportando ouvir preces por alguém que era morto e ver estendidos em seus altares os braços que deveriam erguer-se nos ritos funerários, chamou Íris, ordenando:

A metamorfose de Alcíone, VITTORE CARPACCIO, ÓLEO SOBRE TELA

– Íris, minha fiel mensageira, vai à casa letárgica do Sono e dize-lhe para enviar uma visão a Alcíone, sob a forma de Ceix, a fim de que ela saiba o que aconteceu.

Íris envergou suas vestes de muitas cores e tingindo o espaço com seu arco procurou o palácio do Rei do Sono. Perto da região cimeriana, numa caverna da montanha, fica a morada daquele deus sonolento. Ali Febo não ousa entrar, nem ao se levantar, nem ao meio-dia, nem quando se recolhe. Nuvens e sombras erguem-se do chão e a luz brilha fracamente.

A ave da alvorada, de vermelha crista, jamais ali chama, em voz alta, Aurora, nem o vigilante cão ou o solerte ganso perturbam o silêncio. Nem animal selvagem, nem o gado, nem um ramo movido pelo vento, nem o ruído da conversa humana afetam a quietude. O silêncio ali reina; do fundo do rochedo, contudo, corre o Rio Letes, e seu murmúrio convida ao sono.

Junto à entrada da caverna, crescem abundantemente papoulas e outras plantas, de cujo suco a Noite extrai o sono, que espalha sobre a terra escurecida. Não há na mansão porta que gema nos gonzos, nem qualquer vigia; mas, no centro, um leito de negro ébano, adornado com plumas e cortinas negras. Ali o deus se recosta, com os membros relaxados pelo sono. Em torno dele, estão os sonhos, apresentando todos várias formas, tantas quantas hastes têm os trigais, quantas folhas tem a floresta, ou quantos grãos de areia têm as praias.

Logo que a deusa entrou e afastou os sonhos que se reuniam em torno dela, seu clarão iluminou a caverna. O deus, mal abrindo os olhos, e de vez em quando cabeceando e fazendo cair a comprida barba sobre o peito, afinal despertou e estendendo o braço indagou a que vinha Íris, pois a conhecia.

– Sono – disse ela –, tu, o mais gentil dos deuses, que tranqüilizas os espíritos e curas os corações amargurados, Juno ordena-te que envies um sonho a Alcíone, na cidade de Traquine, representando seu finado marido e todos os acontecimentos do naufrágio.

Tendo transmitido o recado, Íris apressou-se em sair, pois não podia tolerar o ar estagnado, e, sentindo a sonolência que a tomava, voltou, através de seu arco, ao caminho que trilhara antes. Então, Sono chamou um de seus inúmeros filhos, Morfeu, o mais hábil em simular formas e em imitar o andar, a fisionomia e a maneira de falar, mesmo os vestuários e os modos mais característicos de cada um. Ele, porém, apenas imitava os homens, deixando ao encargo de outro imitar aves, quadrúpedes e serpentes. Este era chamado Ícelo; e um terceiro, Fantasos, muda-se em rochedos, águas, bosques e outras coisas sem vida. Os dois servem a reis e grandes personagens, em suas horas de sono, ao passo que outros se movem entre a gente comum. De todos os irmãos, Sono escolheu Morfeu para executar a ordem de Íris. Depois, encostou a cabeça no travesseiro e entregou-se ao grato repouso.

Morfeu voou, sem fazer o menor ruído com as asas, e logo chegou à cidade hemoniana, onde, deixando de lado as asas, assumiu a forma de Ceix. Sob esse aspecto, mas pálido como um defunto, e nu, colocou-se em frente ao leito da desventurada esposa. Sua barba parecia encharcada e a água lhe escorria pelos cabelos. Debruçando-se sobre o leito, com lágrimas descendo dos olhos, disse:

– Reconheces Ceix, desventurada esposa, ou a morte modificou em demasia as minhas feições? Olha-me, vê-me, a sombra de teu marido, e não ele próprio. Tuas preces, Alcíone, de nada me valeram. Estou morto. Não te iludas mais com vãs esperanças de meu regresso. Os ventos tempestuosos afundaram meu navio no Mar Egeu, a água penetrou em minha boca enquanto eu dizia, em voz alta, o teu nome. Não é um mensageiro incerto que te conta isto, não é um vago rumor que chega aos teus ouvidos. Venho em pessoa, eu um náufrago, contar-te meu destino. Levanta-te! Dá-me lágrimas, dá-me lamentos, não me deixes descer ao Tártaro sem ser chorado.

A estas palavras Morfeu ajuntou a voz que parecia ser a do marido de Alcíone; vertia lágrimas iguais às de verdade, e suas mãos copiavam os gestos de Ceix.

Alcíone, chorando, gemeu e estendeu os braços, ainda dormindo, procurando abraçar o corpo, mas encontrando apenas o ar.

– Fica! – exclamou. Por que foges? Partamos os dois juntos!

Sua própria voz despertou-a. Assustada, olhou em volta, para ver se o marido ainda estava presente, pois os criados, alarmados por seus gritos, haviam acorrido, trazendo uma luz. Não encontrando o marido, Alcíone esmurrou o peito e rasgou as vestes. Não se preocupou em desatar os cabelos, mas arrancou-os, selvagemente. Sua ama indaga qual a causa de seu sofrimento.

– Alcíone já não existe – responde. – Pereceu com seu Ceix. Não digas palavras de consolo, ele naufragou e está morto. Eu o vi, reconheci-o. Estendi os braços para retê-lo. Sua sombra esvaneceu-se, mas era a verdadeira sombra de meu marido. Não com as feições costumeiras, não com sua beleza, mas pálido, nu e os cabelos molhados pela água do mar, para fazer-me sofrer. Aqui, neste mesmo lugar, esteve a triste visão. – E Alcíone olhou, procurando suas pegadas. – Era isto, era isto que meu espírito previa, quando lhe implorei que não me deixasse, que não se confiasse às águas. Oh, quanto desejaria, uma vez que foste, que me tivesses levado contigo! Quanto melhor teria sido! Não teria, então, um resto de vida para passar sem ti, nem de morrer uma morte separada. Se eu pudesse suportar a vida e lutar para tolerá-la, seria mais cruel para comigo mesma do que o mar tem sido. Mas não lutarei, não me separarei de ti, desventurado marido. Desta vez, pelo menos, far-te-ei companhia. Na morte, se um só túmulo não pode conter-nos, um só epitáfio conterá; se não posso misturar minhas cinzas com as tuas, meu nome, pelo menos, não será separado do teu.

O sofrimento impediu-a de dizer outras palavras, e as que dizia foram interrompidas por lágrimas e soluços.

Já era manhã. Alcíone dirigiu-se à praia e procurou o lugar onde vira o marido pela última vez, por ocasião de sua partida.

– Enquanto ajustava os apetrechos do navio, ele me deu aqui o último beijo.

Revendo cada objeto, ela se esforça para relembrar todos os incidentes, contemplando o mar, e avista, então, um objeto indistinto, flutuando na água. A princípio, duvidou do que fosse, mas, pouco a pouco, as águas o foram trazendo mais para perto, e não havia dúvida de que era o corpo de um homem. Embora sem saber de quem se tratava, como era o corpo de um náufrago, Alcíone ficou profundamente comovida e derramou lágrimas copiosas, exclamando:

– Ah, desventurado e desventurada esposa, se tens esposa!

Empurrado pelas águas, o corpo aproximou-se. E, ao vê-lo aproximar-se, Alcíone tremia cada vez mais. Agora, aproxima-se mais da praia. Aparecem, agora, sinais que ela reconhece. É o marido... Estendendo para o corpo os trêmulos braços, ela exclama:

– Oh, adorado marido, é assim que voltas para junto de mim?

Partindo da praia, fora construído um molhe, destinado a conter a fúria do mar. Alcíone salta sobre esta barreira e (coisa maravilhosa que o pudesse fazer) voa, e, cortando o ar com asas que haviam surgido naquele instante, aflorou a superfície da água, transformada numa ave desventurada. Enquanto voava, saíam-lhe da garganta sons dolorosos, semelhantes à voz de alguém que se lamenta. Ao tocar o corpo mudo e sem sangue com as asas recém-formadas, tentou beijá-lo, com seu bico ósseo. Se Ceix sentira o contato, ou se foi simplesmente ação das ondas, aqueles que contemplavam a cena não souberam dizer, mas o cadáver pareceu levantar a cabeça. Na verdade, porém, ele sentiu e, pela benevolência dos deuses, ambos os esposos foram transformados em aves. Acasalaram-se e reproduziram-se. Durante sete plácidos dias, no inverno, Alcíone choca os ovos no ninho, que flutua no mar. Então, as rotas são seguras para os marinheiros. Éolo impede que os ventos sacudam as profundezas das águas. O mar fica entregue, durante esse tempo, aos seus netos.

Os seguintes versos do poema "A Noiva de Ábidos", de Byron, poderiam parecer emprestados à parte final desta descrição, se não se esclarecesse que o autor se inspirou na observação do movimento de um cadáver flutuando nas águas:

No leito movediço sacudida,
Pende, ao sabor da vaga, a nívea face
E move-se, na vaga, a mão sem vida
Qual se de tanta dor e tantas mágoas

Com um gesto de ameaça se vingasse,
Mas logo rosto e mãos somem nas águas.

Milton, em seu "Hino à Natividade", assim alude à lenda Alcíone:

Bem tranqüila era a noite em que o Príncipe
Da luz sobre esta terra começou
Seu reinado de paz. Serena, a brisa
De leve o mar beijava. O oceano
Mal se movia. E as aves da bonança
Em seu ninho vagavam sobre as ondas.

Também Keats diz, no "Endimião":

Maravilhoso sono! Benfazeja
Ave que, no turbado mar da alma,
Seu ninho faz, até que o mar esteja
Tranqüilo e manso, e a natureza calma.

CAPÍTULO X
Vertuno e Pomona

As Hamadríades eram ninfas dos bosques. Pomona era uma delas, e nenhuma a excedia no amor aos jardins e ao cultivo das árvores frutíferas. Não se preocupava com florestas e rios, mas amava as regiões cultivadas e as árvores de onde pendem as maçãs deliciosas. Trazia como arma, na mão direita, não um dardo, mas um podão. Armada com ele, dedicava seu tempo ora a impedir que as plantas crescessem excessivamente e a cortar os ramos que saíam de seus lugares, ora a abrir uma fenda para nela inserir um enxerto, fazendo o ramo adotar um broto que não era seu. Também velava para que suas plantas prediletas não ficassem secas e conduzia até junto dela os canais, a fim de que as raízes sedentas pudessem beber. Essa ocupação era seu objetivo e sua paixão; e estava livre do que Vênus inspira. Receava os habitantes da região e mantinha seu pomar fechado, sem permitir que homem algum ali entrasse. Os faunos e sátiros dariam tudo de que dispunham para possuí-la, e assim também o velho Silvano, que parece jovem para sua idade, e Pã, que usa uma guirlanda de folhas de pinheiro em torno da cabeça. Vertuno, porém, a ama mais do que todos os outros; mas não tem mais sorte do que os outros. Quantas vezes, sob o disfarce de um segador, ele não levou a Pomona trigo num cesto, em tudo semelhante, de fato, a um ceifeiro! Com uma faixa de feno amarrada em torno do corpo, parecia, realmente, que acabara de ceifar os campos. Algumas vezes, trazia consigo um aguilhão e ninguém duvidaria de que acabara de desatrelar os fatigados bois. Ora trazia um podão e personificava um vinhateiro; ora, carregando uma escada, dava a impressão de que ia colher maçãs. Às vezes apresentava-se como um soldado licenciado, às vezes carregava um caniço, como se fosse pescar. Desse modo, conseguia aproximar-se de Pomona freqüentemente e alimentava a paixão com a sua presença.

Certo dia, ele apareceu disfarçado em velha, com os cabelos grisalhos cobertos por uma touca e tendo um bastão na mão. Entrou no pomar e admirou os frutos.

Pomona, SIR EDWARD BURNE-JONES

– Mereces louvor, minha filha – disse, e beijou Pomona, não exatamente como a beijaria uma velha.

Sentou-se num banco e olhou para os ramos carregados de frutos que pendiam acima dela. Em frente, havia um olmo, por cujo tronco subia uma parreira, carregada de uva. Elogiou a árvore e a vinha a ela associada.

– Mas – acrescentou – se a árvore ficasse só, sem a vinha lhe cingindo o tronco, nada teria para nos atrair ou nos oferecer, a não ser as folhas inúteis. E, igualmente, a vinha, se não se enroscasse em torno do olmo, estaria prostrada no chão. Por que não aproveitas a lição da árvore e da vinha e concordas em unir-te a alguém? Eu desejaria que assim o fizesses. A própria Helena não teve tantos pretendentes, nem Penélope, a esposa do astucioso Ulisses. Apesar de desprezá-los, eles te fazem a corte, divindades rurais e outros de diversas naturezas que andam por estas montanhas. Mas, se és prudente, e desejas fazer uma boa aliança, e deixares que te aconselhe uma velha que te ama mais do que supões, deixa de lado todos os outros e aceita Vertuno. É o meu conselho. Conheço-o tão bem quanto ele se conhece. Não é uma divindade errante, mas pertence a estas montanhas. Nem se assemelha a muitos dos amantes de hoje em dia, que amam todas que têm ocasião de ver. Ele te ama, e somente a ti. Ajunta a isso que ele é jovem e belo e tem a arte de assumir qualquer aspecto que deseje, e pode transformar-se exatamente naquilo que desejes. Além do mais, ele ama as mesmas coisas que amas, deleita-se com a jardinagem e admira tuas maçãs. Agora, porém, ele não se interessa por frutas e flores, nem outra coisa qualquer, a não ser por ti. Tem piedade dele e imagina-o falando agora por minha boca. Lembra-te de que os deuses castigam a crueldade e de que Vênus detesta os corações duros e vingar-se-á de tais ofensas, mais cedo ou mais tarde. Para provar isto, deixa-me contar-te uma história que é bem sabido em Chipre ser verdadeira. E espero que ela tenha como resultado tornar-te mais benevolente.

"Ífis era um jovem de origem humilde, que se apaixonou por Anaxárete, nobre dama de uma antiga família de Têucria. Lutou muito tempo com sua paixão, mas, quando do viu que não podia dominá-la, procurou a casa da mulher amada, como suplicante.

Primeiro contou sua paixão à ama de Anaxárete e pediu-lhe que, se amasse a filha de criação, favorecesse sua causa. Depois, tentou arrastar os criados para o seu lado. Às vezes, escrevia suas súplicas em tabuinhas e, muitas vezes, pendurou, na porta, guirlandas que molhara com suas lágrimas. Estendia-se nos umbrais da morada da jovem e murmurava suas queixas às barras e fechaduras cruéis que dela o separavam. Anaxárete mostrava-se mais surda que os vagalhões que se erguem nas tempestades de novembro; mais dura que o aço que vem das forjas germânicas ou que a pedra que ainda se prende ao seu rochedo nativo. Zombava e ria-se de Ífis, ajuntando palavras cruéis ao seu rude tratamento, e não lhe dava a mais ligeira esperança.

Ífis já não podia suportar os tormentos do amor desesperançado e, de pé diante da porta da amada, disse estas últimas palavras:

– Venceste, Anaxárete, e já não terás de suportar minhas importunações. Goza o teu triunfo! Canta canções de alegria e cinge tua cabeça de louros. Venceste. Vou morrer. Coração de pedra, regozija-te! Isto ao menos posso oferecer-te e obrigar-te a elogiar-me. E assim provarei que o meu amor por ti só me abandonará juntamente com a vida. Nem deixarei ao cuidado de outros a notícia de minha morte. Irei eu mesmo e me verás morrer e hás de regalar teus olhos com o espetáculo. Contudo, ó deuses que baixais os olhos para os sofrimentos dos mortais, observai meu destino! Só peço uma coisa: que eu seja lembrado nos tempos vindouros e que ajunteis à minha fama os anos que roubastes de minha vida.

Assim ele disse e, voltando o rosto pálido e os olhos lacrimosos para a mansão da amada, amarrou uma corda ao portal onde muitas vezes prendera guirlandas e, metendo a cabeça no laço, murmurou:

As ninfas de Diana perseguidas pelos sátiros, PETER PAUL RUBENS, 1638-40, ÓLEO SOBRE TELA

– Pelo menos esta guirlanda há de agradar-te, jovem cruel!

E caiu enforcado, suspenso à corda pelo pescoço quebrado. Ao cair, chocou-se contra a porta, e o ruído foi semelhante a um gemido. Os criados abriram a porta, encontraram-no morto, e, com exclamações de piedade, retiraram o corpo e levaram-no para casa, entregando-o à sua mãe, pois seu pai já era morto. Ela recebeu o corpo sem vida do filho, apertou-o de encontro ao peito e disse as palavras dolorosas que as mães costumam dizer no sofrimento. O triste funeral atravessou a cidade e o pálido cadáver foi levado num caixão para o lugar da pira funerária. Por acaso, a casa da Anaxárete ficava na rua onde passava o desfile, e os lamentos das carpideiras chegaram aos ouvidos daquela a quem a divindade vingadora já marcara para o castigo.

– Vamos ver este triste desfile – disse ela, e subiu a uma torre através de cuja janela aberta contemplou o funeral.

Mal demoraram no vulto de Ífis estendido no caixão, seus olhos começaram a enrijecer e esfriou o quente sangue de seu corpo. Procurando recuar, a jovem percebeu que não podia mover os pés. Tentou virar o rosto, mas em vão. Pouco a pouco, todos os seus membros tornaram-se de pedra, como o coração.

Não podes duvidar do fato, pois a estátua ainda se encontra no templo de Vênus em Salamina, ostentando a forma exata da dama. E, agora, reflete sobre todas essas coisas, minha querida, e põe de lado o desdém e as protelações e aceita um amante. Assim não possa o granizo hibernal crestar teus jovens frutos, nem os ventos furiosos dispersar tuas flores!"

Tendo assim falado, Vertuno livrou-se do disfarce da velha e se mostrou tal como era, um belo jovem. Pomona teve a impressão de ver o sol irrompendo através de uma nuvem. Ele ia renovar seus apelos, mas não houve necessidade; seus argumentos e seu próprio aspecto triunfaram e a ninfa já não mais resistiu, correspondendo-lhe com o mesmo ardor.

CUPIDO E PSIQUE

Certos rei e rainha tinham três filhas. A formosura das duas mais velhas era fora do comum, mas a beleza da mais moça era tão maravilhosa que não existem palavras para expressá-la como merece. A fama de tal beleza foi tão grande que estrangeiros de países vizinhos iam, em multidões, admirá-la, assombrados, rendendo à jovem homenagens que só se devem à própria Vênus. Na verdade, Vênus viu os seus altares desertos, enquanto os homens voltavam sua devoção à jovem virgem. Quando esta passava, as pessoas entoavam-lhe loas e semeavam seu caminho de coroas e flores.

O desvirtuamento de uma homenagem devida apenas aos poderes imortais, para exaltação de uma simples mortal, ofendeu profundamente a Vênus. Sacudindo com indignação a linda cabeleira, ela exclamou:

– Terei, então, de ser eclipsada em minhas honras por uma jovem mortal? Em vão aquele pastor real, cujo julgamento foi aprovado pelo próprio Jove, concedeu-me a palma da beleza sobre minhas ilustres rivais, Palas e Juno. Ela não poderá, contudo, usurpar minhas honras tranqüilamente. Dar-lhe-ei motivo para se arrepender dessa beleza injustificada.

Cupido e Psique, FRANÇOIS GERARD, 1798, ÓLEO SOBRE TELA

Chama, então, seu filho alado Cupido, bastante ardiloso por sua própria natureza, e o exalta e provoca-o ainda mais por seus cumprimentos. Mostra-lhe Psique e diz:

– Castiga, meu filho, aquela audaciosa beleza; assegura à tua mãe uma vingança tão doce quanto foram amargas as injúrias recebidas. Infunde no peito daquela altiva donzela uma paixão por algum ser baixo, indigno, de sorte que ela possa colher uma mortificação tão grande quanto o júbilo e o triunfo de agora.

Cupido preparou-se para obedecer às ordens maternas. Há duas fontes no jardim de Vênus, uma de água doce, outra de água amarga. Cupido encheu dois vasos de âmbar, cada um com água de uma das fontes, e, suspendendo-os, no alto de sua aljava, dirigiu-se ao quarto de Psique, que encontrou dormindo. Derramou, então, algumas gotas de água da fonte amarga sobre os lábios da jovem, embora ao vê-la quase fosse tomado de piedade; depois, tocou-a de lado com a ponta de sua seta. Ao contato, Psique acordou e abriu os olhos diante de Cupido (ele próprio invisível), que, perturbado, feriu-se com sua própria seta. Descuidando-se do ferimento, o único pensamento do deus consistia em desfazer o mal que fizera, e derramou as balsâmicas gotas de alegria sobre os sedosos cabelos da jovem.

Psique, daí em diante desdenhada por Vênus, não tirou vantagem de todos os seus encantos. É bem certo que todos os olhos a contemplavam com admiração e todas as bocas a exaltavam; mas nenhum rei, príncipe ou plebeu apresentava-se para pedi-la em casamento. Suas duas irmãs mais velhas, muito menos belas, de há muito se haviam casado com dois príncipes herdeiros, enquanto Psique, em seus aposentos, deplorava a solidão, irritada com uma beleza que, embora trazendo uma prodigalidade de louvores, não conseguira despertar amor.

Seus pais, receosos de que, inadvertidamente, tivessem incorrido na ira dos deuses, consultaram o oráculo de Apolo, que respondeu:

– A virgem não se destina a ser esposa de um amante mortal. Seu futuro marido a espera no alto da montanha. É um monstro a quem nem os deuses nem os homens podem resistir.

Essa terrível predição do oráculo encheu a todos de desânimo, e os pais da jovem entregaram-se ao desespero. Psique, porém, disse:

– Por que me lamentais, queridos pais? Devereis antes ter sofrido quando todos me cumulavam de honras indevidas e a uma voz me chamavam de Vênus. Percebo agora que sou vítima daquele nome. Resigno-me. Levai-me àquele rochedo a que me destinou meu desventurado destino.

E, assim, tendo sido preparadas todas as coisas, a donzela real tomou seu lugar no cortejo, que mais parecia um funeral que um casamento, e com seus pais, entre as lamentações do povo, subiu à montanha, no alto da qual deixaram-na só, voltando para casa, com os corações afogados em tristeza.

Enquanto Psique estava de pé no alto da montanha, tremendo de medo e com os olhos rasos de lágrimas, o gentil Zéfiro a levantou acima da terra e a conduziu suavemente até um vale florido. Pouco a pouco, a jovem acalmou-se e estendeu-se na relva, para dormir. Ao despertar, refeita pelo sono, olhou em torno e viu, bem perto, um lindo bosque de árvores altas e majestosas. Entrou no bosque e, no meio dele, encontrou uma fonte de águas puras e cristalinas, e, mais adiante, um magnífico palácio, cuja augusta fachada dava a impressão de que não se tratava de obras de mortais, mas da venturosa morada de algum deus. Tomada de espanto e admiração, a moça aproximou-se do palácio e aventurou-se a entrar. Cada objeto que viu a encheu de assombro. Colunas de ouro sustentavam o teto abobadado e as paredes eram ornadas de baixos-relevos e pinturas de animais selvagens e cenas rurais, representados de modo a deleitar os olhos do espectador. Continuando a avançar, Psique percebeu que, além dos aposentos majestosos, havia outros repletos de tesouros e de todos os mais belos produtos da natureza e da arte.

Enquanto admirava, uma voz se fez ouvir, embora a jovem não visse quem quer que fosse, dizendo estas palavras:

– Soberana dama, tudo que vês é teu. Nós, cujas vozes ouves, somos teus servos e obedeceremos às tuas ordens com a maior atenção e diligência. Retira-te, pois, para teu quarto e repousa em teu leito e, quando tiveres descansado, poderás banhar-te. A ceia te espera no aposento adjacente, quando te aprouver ali te assentares.

Psique atendeu às recomendações dos servos invisíveis; depois de repousar e banhar-se, sentou-se no aposento contíguo, onde imediatamente surgiu uma mesa, sem qualquer servidor visível, com os pratos e vinhos mais deliciosos. Também seus ouvidos foram deleitados com música tocada por executantes invisíveis; um dos quais cantava, outro, tocava alaúde, enquanto os demais completavam a maravilhosa harmonia de um coro perfeito.

Psique ainda não vira o marido que lhe estava destinado. Ele vinha apenas nas horas de escuridão e partia antes do amanhecer, mas suas expansões eram repletas de amor e inspirou nela uma paixão semelhante. Muitas vezes ela implorava ao amante que ficasse e a deixasse olhá-lo, mas ele não consentia. Ao contrário, recomendou-lhe que não fizesse qualquer tentativa para vê-lo, pois ele tinha bons motivos para se esconder.

– Por que queres me ver? – perguntava. – Podes duvidar de meu amor? Tens algum desejo que não foi satisfeito? Se me visses, talvez fosses temer-me, talvez adorar-me, mas a única coisa que peço é que me ames. Prefiro que me ames como igual a que me adores como deus.

Estes argumentos de certo modo aquietaram Psique, durante algum tempo, e, enquanto tudo foi novidade, ela se sentiu feliz. Finalmente, porém, a lembrança de seus pais, que ignoravam seu destino, e das irmãs, impedidas de compartilhar com ela as delícias de sua situação, dominou-lhe o espírito, e ela começou a considerar o palácio apenas como uma esplêndida prisão. Quando o marido apareceu certa noite, ela lhe contou seus sofrimentos e acabou, embora a custo, obtendo seu consentimento para que suas irmãs pudessem ir vê-la.

Assim, chamando Zéfiro, ela lhe transmitiu as ordens do marido e ele, obedecendo prontamente, trouxe as irmãs de Psique, através da montanha, para o vale onde ficava o seu palácio. Elas a abraçaram e a jovem retribuiu-lhes as carícias.

– Vinde – disse Psique. – Entrai em minha casa e disponde do que vossa irmã tem para vos oferecer.

Então, tomando-as pelas mãos, levou-as a seu palácio de ouro e entregou-as aos cuidados dos criados invisíveis, a fim de que se banhassem, fossem servidas à mesa e admirassem os numerosos tesouros. A vista daqueles dons celestiais fez com que a inveja penetrasse no coração das duas, vendo que sua irmã mais moça possuía tais riquezas e esplendores, muito superiores aos seus.

Fizeram a Psique inúmeras perguntas, entre outras, que espécie de pessoa era seu marido. Psique respondeu que era um belo jovem, que geralmente passava o dia caçando nas montanhas. As irmãs, não satisfeitas com essa resposta, fizeram-na confessar que nunca o vira. Trataram, então, de encher o coração da jovem de sombrias desconfianças.

– Lembra-te – disseram – que o oráculo pitiano anunciou que tu te casarias com um monstro horrível e tremendo. Os habitantes deste vale dizem que teu marido é uma terrível e monstruosa serpente, que te nutre, por enquanto, com alimentos deliciosos a fim de devorar-te depois. Ouve nosso conselho. Mune-te de uma lâmpada e de uma faca afiada; esconde-as de maneira que teu marido não possa achá-las, e, quando ele estiver dormindo profundamente, sai do leito, traze a lâmpada e vê, com teus próprios olhos, se o que dizem é verdade ou não. Se é, não hesites em cortar a cabeça do monstro e recuperares tua liberdade.

Psique resistiu a esses conselhos tanto quanto pôde, mas eles não deixaram de impressioná-la, e, depois que suas irmãs se retiraram, o efeito de suas palavras e a própria curiosidade da jovem tornaram-se bastante fortes para que ela pudesse resistir. Assim, preparou a lâmpada e uma faca afiada e escondeu-as do marido. Quando ele adormeceu, Psique levantou-se sem fazer ruído e, trazendo a lâmpada, divisou não um monstro horripilante, mas o mais belo e encantador dos deuses, com madeixas louras caindo sobre o pescoço cor de neve e as faces róseas, um par de asas nos ombros, mais brancas que a neve, de penas brilhantes como as flores da primavera. Ao abaixar a lâmpada para ver o rosto do marido mais de perto, uma gota de óleo ardente caiu no ombro do deus, que, assustado, abriu os olhos e encarou Psique. Depois, sem dizer uma palavra, abriu as brancas asas e voou através da janela. Psique, na vã tentativa de segui-lo, caiu da janela ao solo. Cupido, vendo-a estendida no chão, parou o vôo por um instante e disse:

– Tola Psique, é assim que retribuis meu amor? Depois de haver desobedecido às ordens de minha mãe e te tornado minha esposa, tu me julgavas um monstro e estavas disposta a cortar-me a cabeça? Vai. Volta para junto de tuas irmãs, cujos conselhos pareces preferir aos meus. Não lhe imponho outro castigo, além do de deixar-te para sempre. O amor não pode conviver com a desconfiança.

Assim dizendo, ele continuou seu vôo, deixando a pobre Psique estendida no chão e lamentando-se tristemente.

Quando se recompôs um pouco, olhou em torno, mas o palácio e os jardins haviam desaparecido, e ela se viu num campo aberto a pequena distância da cidade onde moravam suas irmãs. Procurou-as e contou-lhes toda a história do seu infortúnio, com o que as desprezíveis criaturas, fingindo pesar, na verdade se regozijavam.

– Agora, talvez ele escolha uma de nós – disseram.

Levadas por essa idéia, e sem dizer uma palavra sobre suas intenções, cada uma delas levantou-se cedo na manhã seguinte, dirigiu-se ao alto da montanha e convocou Zéfiro, para recebê-la e levá-la a seu senhor. Depois, atirou-se no ar e, não sendo sustentada por Zéfiro, caiu no precipício e se despedaçou.

Enquanto isto, Psique caminhava noite e dia, sem repouso nem alimentação, à procura do marido. Tendo avistado uma imponente montanha, em cujo cume havia um templo magnífico, disse consigo mesma, suspirando:

– Talvez meu amor, meu senhor, habite ali.

E, assim dizendo, dirigiu-se ao templo.

Mal entrara, viu montões de trigo, quer em espigas, quer em feixes, misturados com espigas de cevada. Espalhados em torno, havia foices e ancinhos e todos os demais instrumentos da ceifa, em desordem, como que atirados descuidadamente pelas mãos de ceifadores cansados, nas horas escaldantes do dia.

A piedosa Psique pôs fim àquela confusão indizível, separando e colocando cada coisa em seu lugar devido, convencida de que não deveria negligenciar o culto de nenhum deus, mas, ao contrário, procurar, com sua diligência, cultuá-los todos. A santa Ceres, de quem era aquele templo, vendo a jovem tão piedosamente ocupada, assim lhe falou:

– Ó Psique, em verdade digna de nossa piedade, embora eu não possa proteger-te contra a má vontade de Vênus, posso ensinar-te o melhor meio de evitar desagradá-la. Vai e voluntariamente rende-te à tua deusa e soberana e trata de conseguir-lhe o perdão pela modéstia e submissão, e talvez ela te restitua o marido que perdeste.

Psique obedeceu à ordem de Ceres e dirigiu-se ao templo de Vênus, tentando fortalecer o espírito e repetindo, em voz baixa, o que iria dizer e como tentaria apaziguar a divindade irritada, compreendendo que o caso era difícil e talvez fatal.

Vênus recebeu-a com a ira estampada na fisionomia.

– Tu, a mais ingrata e infiel das servas, lembraste, afinal, que tens realmente uma senhora? – exclamou. – Ou talvez vieste para ver teu marido enfermo, ainda guardando o leito em conseqüência da ferida que lhe causou a amada esposa? És tão pouco favorecida e tão desagradável que o único meio pelo qual podes merecer teu amante é a prova de indústria e diligência. Farei uma experiência de tua capacidade como dona-de-casa.

Ordenou, então, a Psique que fosse ao celeiro de seu templo, onde havia grande quantidade de trigo, aveia, milhete, ervilhaças, feijões e lentilhas preparados para a alimentação dos pombos sagrados, e disse:

– Separa todos estes cereais, colocando cada um de acordo com sua qualidade, e trata de fazer isso antes do anoitecer.

Depois Vênus partiu, deixando a jovem.

Psique, porém, quedou consternada diante da imensidade do trabalho, estúpida e calada, sem mover um dedo.

Enquanto estava ali, desesperada, Cupido incitou a formiguinha, nativa dos campos, a ter pena dela. A chefe do formigueiro e toda a multidão de suas súditas de seis pernas aproximaram-se do montão de cereais e com a maior diligência, tomando grão por grão, separaram o montão, formando um monte de cada qualidade e, quando tudo terminou, desapareceram num momento.

Ao aproximar-se do crepúsculo, Vênus voltou do banquete dos deuses, recendendo a perfumes e coroada de rosas. Vendo a tarefa executada, exclamou:

– Isto não é obra tua, desgraçada, mas daquele que conquistaste para seu infortúnio e para o teu.

Assim dizendo, deu à jovem um pedaço de pão preto para a ceia e partiu.

Na manhã seguinte, Vênus mandou chamar Psique e disse-lhe:

– Olha para aquele bosque que se estende à margem do rio. Ali encontrarás carneiros pastando sem um pastor, cobertos de lã brilhante como ouro. Vai buscar-me uma amostra daquela lã preciosa colhida de cada um dos velocinos.

Docilmente, Psique dirigiu-se à margem do rio, disposta a fazer o que estivesse ao seu alcance para executar a ordem. O rio-deus, porém, inspirou aos juncos harmoniosos murmúrios, que pareciam dizer:

– Oh! donzela duramente experimentada, não desafies a corrente perigosa, nem te aventures entre os formidáveis carneiros da outra margem, pois, enquanto eles estiverem sob a influência do sol nascente, são dominados por uma raiva cruel de destruir os mortais, com seus chifres aguçados ou seus rudes dentes. Quando, porém, o sol do meio-dia tiver levado o rebanho para a sombra e o espírito sereno do rio o tiver acalentado para descansar, podes atravessar entre ele sem perigo e encontrarás a lã de ouro nas moitas de arbustos e nos troncos das árvores.

Assim o bondoso rio-deus ensinou à Psique o que deveria fazer para executar sua tarefa e, seguindo suas instruções, ela em breve voltou para junto de Vênus, com os braços cheios de lã de ouro. Não foi, contudo, recebida com benevolência por sua implacável senhora, que disse:

Psique e Caronte, JOHN RODDAM SPENCER-STANHOPE

– Sei muito bem que não foi por teu próprio esforço que foste bem-sucedida nessa tarefa e ainda não estou convencida de que tenhas capacidade para executares sozinha uma tarefa útil. Toma esta caixa, vai às sombras infernais e entrega-a a Prosérpina, dizendo: "Minha senhora Vênus quer que lhe mandes um pouco de tua beleza, pois, tratando de seu filho enfermo, ela perdeu alguma da sua própria." Não demores a executar o encargo, pois preciso disso para aparecer na reunião dos deuses e deusas esta noite.

Psique ficou certa de que sua perda era, agora, inevitável, obrigada a ir com seus próprios pés diretamente ao Érebo. Assim, para não adiar o inevitável, dirigiu-se ao alto de uma elevada torre, para de lá se precipitar, de maneira a tornar mais curta a descida para as sombras. Uma voz vinda da torre, disse-lhe, porém:

– Por que, desventurada jovem, pretendes pôr fim aos teus dias de modo tão horrível? E que covardia faz desanimar diante deste último perigo quem tão milagrosamente venceu todos os outros?

Em seguida, a voz lhe disse como, através de certa gruta, poderia alcançar o reino de Plutão e como evitar os perigos do caminho, passar por Cérbero, o cão de três cabeças, e convencer Caronte, o barqueiro, a transportá-la para a travessia do negro rio e trazê-la de volta.

– Quando Prosérpina te der a caixa com sua beleza – acrescentou, porém, a voz – tem cuidado, acima de todas as coisas, para de modo algum abrires a caixa e não permitir que tua curiosidade olhe o tesouro de beleza das deusas.

Animada por estas palavras, Psique seguiu todas as recomendações e chegou sã e salva ao reino de Plutão. Foi admitida no palácio de Prosérpina e sem aceitar o delicioso banquete que lhe foi oferecido, contentando-se com pão seco para alimentar-se, transmitiu o recado de Vênus. A caixa lhe foi devolvida sem demora, fechada e repleta de coisas preciosas. Psique voltou, então, pelo mesmo caminho e bem feliz se sentiu quando viu de novo a luz do dia.

Depois, porém, de vencer tantos perigos, foi dominada por intenso desejo de examinar o conteúdo da caixa.

– Como? – exclamou. – Eu, transportando a beleza divina, não aproveitarei uma parte mínima dela para pôr em minhas faces e parecer mais bela aos olhos de meu amado marido?

Assim dizendo, abriu cuidadosamente a caixa, mas nada ali encontrou de beleza e sim o infernal e verdadeiro sono estígio, que, libertando-se da prisão, tomou posse dela e fê-la cair no meio do caminho, como um cadáver sem senso de movimento.

Cupido, porém, já restabelecido de seu ferimento, e já não suportando a ausência de sua amada Psique, passando pela greta da janela de seu quarto, que fora deixada aberta, voou até o lugar onde estava a jovem e retirando o sono de seu corpo, fechou-o de novo na caixa e acordou Psique, com o ligeiro contato de uma de suas setas.

– Mais uma vez – exclamou – quase morreste, devido à mesma curiosidade. Mas agora executa exatamente a tarefa que lhe foi imposta por minha mãe, e cuidarei do resto.

Então, Cupido, rápido como o relâmpago, penetrando através das alturas do céu, apresentou-se diante de Júpiter, com sua súplica. Júpiter ouviu-o com benevolência e advogou com tanto empenho a causa dos amantes que conseguiu a concordância de Vênus. Mandou, então, Mercúrio levar Psique à assembléia celestial e, quando ela chegou, entregou-lhe uma taça de ambrosia, dizendo:

– Bebe isto, Psique, e sê imortal. Cupido não romperá jamais o laço que atou, mas essas núpcias serão perpétuas.

Assim, Psique ficou, finalmente, unida a Cupido e, mais tarde, tiveram uma filha, cujo nome foi Prazer.

A lenda de Cupido e Psique é, geralmente, considerada alegórica. Psique em grego significa tanto *borboleta* como *alma*. Não há alegoria mais notável e bela da imortalidade da alma como a borboleta, que, depois de estender as asas do túmulo em que se achava, depois de uma vida mesquinha e rastejante como lagarta, flutua na brisa do dia e torna-se um dos mais belos e delicados aspectos da primavera. Psique é, portanto, a alma humana, purificada pelos sofrimentos e infortúnios, e preparada, assim, para gozar a pura e verdadeira felicidade.

Nas obras de arte, Psique é representada como uma donzela com asas de borboleta, juntamente com Cupido, nas diferentes situações descritas pela alegoria.

Milton alude à história de Cupido e Psique, na conclusão do seu "Comus":

Seu filho, o deus Cupido, logo avança,
A linda amada, em transe, conduzindo,
Após tantos labores enfrentar,
Eis que, com a aprovação dos deuses todos,
Em sua esposa eterna há-de torná-la.
E, de tal himeneu, irão dois gêmeos,
Juventude e Alegria, venturosos,
Muito em breve nascer; jurou-o Jove.

A alegoria de Cupido e Psique é também apresentada nestes versos de T. K. Harvey:

Quanta lenda tão bela, outrora, nesse dia
Longínquo em que a razão tomava à fantasia
A asa multicor e, entre areias de ouro,
O rio carregava um líquido tesouro!
Quando a mulher sem par, beleza peregrina,
Que de sofrer e amar e lutar teve a sina,
A terra percorreu, exausta, noite e dia,
Em procura do Amor, que só no céu vivia!

A história de Cupido e Psique apareceu pela primeira vez nas obras de Apuleio, escritor do segundo século da nossa era. É, portanto, uma lenda muito mais recente que a maioria das outras da Idade da Fábula. É a isso que Keats faz alusão, em sua "Ode a Psique":

Ó mais bela visão! Ó derradeira imagem
Da estirpe celestial, da olímpica linhagem!
Mais bela que Diana livre de seu véu
E que Vésper erguida entre os astros do céu!
Que, no Olimpo, pudeste reluzir e ofuscar,
Embora sem um templo, embora sem altar!

CAPÍTULO XII

CADMO

OS MIRMIDÕES

Disfarçado em touro, Júpiter raptara Europa, filha de Agenor, rei da Fenícia. Agenor ordenou a seu filho Cadmo que saísse à procura da irmã e não voltasse sem ela. Cadmo partiu e procurou a irmã por muito tempo e por longínquas terras, mas não conseguiu encontrá-la. Não se atrevendo a regressar sem cumprir a missão, consultou o oráculo de Apolo, para saber em que país deveria fixar-se. O oráculo respondeu que ele encontraria uma vaca no campo e deveria segui-la, acompanhando-a aonde fosse, e onde a vaca parasse, ele deveria construir uma cidade e chamá-la de Tebas. Mal saíra da gruta de Castália, onde o oráculo se manifestava, Cadmo avistou uma novilha caminhando vagarosamente diante dele. Seguiu-a de perto, dirigindo, ao mesmo tempo, preces a Febo. A vaca atravessou o raso canal de Cefiso e entrou na planície de Panope. Ali ficou imóvel, levantando a cabeça para o céu e enchendo o ar com seus mugidos. Cadmo agradeceu ao deus e, parando, beijou o solo estrangeiro e depois, levantando os olhos, saudou as montanhas circunjacentes. Desejando oferecer um sacrifício a Júpiter, mandou seus criados procurarem água pura para a libação. Perto, estendia-se um velho bosque, que jamais fora profanado pelo machado, no meio do qual havia uma gruta, escondida pelo mato espesso, com o teto formando uma abóbada baixa, da qual saía uma fonte de água puríssima. Na caverna dormia uma horrível serpente, de grande crista e escamas que brilhavam como ouro. Seus olhos flamejavam como fogo, o corpo era repleto de veneno e a boca tinha uma língua tríplice e três fileiras de dentes. Mal haviam os tírios mergulhado seus odres na fonte, provocando um ruído na água, a brilhante serpente levantou a cabeça fora da gruta e soltou um silvo horripilante. Os servos deixaram cair as vasilhas, o sangue lhes fugiu da face e eles se puseram a tremer da cabeça aos pés. A serpente, contorcendo o corpo escamoso, levantou a cabeça até as árvores mais altas e, como os tírios, aterrorizados, não podiam fugir nem lutar, matou alguns com seus dentes, outros com seu abraço e outros com sua respiração venenosa.

Tendo esperado até meio-dia pelo regresso de seus homens, Cadmo saiu à sua procura. Vestia uma pele de leão e, além do dardo, levava na mão uma lança e no peito trazia um coração valoroso, proteção melhor que qualquer das outras. Ao entrar no bosque, vendo os corpos sem vida de seus homens e o monstro com as maxilas ensangüentadas, exclamou:

Cadmo mata o dragão, ILUMINURA PUBLICADA EM *Metamorfoses de Ovídio*, FINS DO SÉC. XV

– Oh, fiéis amigos! Hei de vingar-vos ou compartilhar vossa morte.

Assim dizendo, ergueu uma enorme pedra e atirou-a, com toda a força, na serpente. O choque abalaria as muralhas de uma fortaleza, mas não afetou o monstro. Cadmo arremessou seu dardo, que conseguiu melhor resultado, pois penetrou entre as escamas da serpente, atingindo-lhe as entranhas. Furioso com a dor, o monstro virou a cabeça para a ferida e tentou arrancar a arma com os dentes, mas quebrou-a, deixando a ponta de ferro cravada em sua carne. Seu pescoço intumesceu de raiva, uma espuma sangrenta lhe saiu da boca e a respiração de suas narinas empestou a atmosfera.

Contorceu-se, formando um círculo, depois estendeu-se no chão, como o tronco de uma árvore caída. Enquanto avançou, Cadmo foi recuando, apontando a lança para a boca escancarada do monstro. A serpente investiu contra a arma e tentou morder sua ponta de ferro. Afinal, Cadmo, aproveitando a oportunidade, moveu a lança no momento em que a cabeça do animal fora empurrada de encontro ao tronco de uma árvore e conseguiu, assim, prendê-lo pelo flanco. O peso do animal curvou a árvore, ao mesmo tempo em que ele se debatia nas vascas da agonia.

Enquanto Cadmo, de pé, junto do inimigo vencido, contemplava seu enorme tamanho, ouviu sua voz (de onde vinha não sabia, mas ouviu-a distintamente) ordenando-lhe que tomasse os dentes da serpente e com eles semeasse a terra. Obedeceu. Abriu uma cova na terra e semeou os dentes, destinados a produzir uma colheita de homens. Mal o acabara de fazer, os torrões de terra começaram a mover-se e as pontas de lanças apareceram acima da superfície do solo, depois surgiram elmos com seus penachos, depois os ombros, o peito e os membros de homens armados, e, afinal, uma colheita de guerreiros. Cadmo, assustado, preparava-se para enfrentar um novo inimigo, quando um dos homens lhe disse:

– Não te intrometas em nossa guerra civil.

Assim dizendo, atravessou com a espada um dos companheiros recém-surgidos e ele próprio caiu atravessado pela seta de um outro. Este último caiu vítima de um quarto, e, dessa maneira, toda a multidão lutava entre si, até que todos caíram, mortos uns pelos outros, com exceção de cinco. Um destes últimos atirou fora as armas e gritou:

– Vivamos em paz, irmãos!

Estes cinco juntaram-se a Cadmo, para fundação da cidade a que deram o nome de Tebas.

Cadmo casou-se com Harmonia, filha de Vênus. Os deuses deixaram o Olimpo para honrar o acontecimento com a sua presença, e Vulcano presenteou a noiva com um colar de grande beleza, obra dele próprio. A fatalidade, porém, pesava sobre a família de Cadmo, por ter ele matado a serpente consagrada a Marte. Suas filhas, Sêmele e Ino, e seus netos, Actéon e Penteu, tiveram todos morte desventurosa, e Cadmo e Harmonia saíram de Tebas, que se lhes tornara odiosa, e emigraram para o país dos enquelianos, que os receberam com honras e fizeram de Cadmo seu rei. O infortúnio de seus filhos continuava, porém, a atormentar o casal, e, certo dia, Cadmo exclamou:

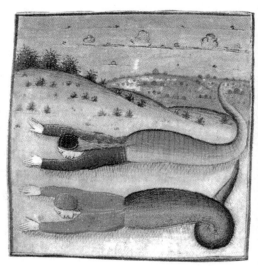

Cadmo e sua mulher transformam-se em serpentes, ILUMINURA PUBLICADA EM *Metamorfoses de Ovídio*, FINS DO SÉC. XV

– Se a vida de uma serpente é tão cara aos deuses, eu preferia ser uma serpente.

Mal pronunciara estas palavras, começou a mudar de forma. Harmonia viu o que estava acontecendo e implorou aos deuses que a fizessem compartilhar do destino do marido. Ambos transformaram-se em serpentes. Viviam nos bosques, mas, ciosos de sua origem, não evitavam a presença do homem, nem faziam mal a quem quer que fosse.

Segundo a tradição, Cadmo introduziu na Grécia as letras do alfabeto, inventadas pelos fenícios. Byron alude a isso quando, dirigindo-se aos gregos modernos, diz:

Tendes as letras que Cadmo ofertou.
Achais que era um presente para escravos?

Milton, descrevendo a serpente que tentou Eva, relembra as serpentes das lendas clássicas e diz:

Era belo e agradável seu aspecto
Mais belo que qualquer outra serpente,
Mesmo aquelas em que se transformaram
Hermíone e Cadmo na Ibúria
E o deus de Epidauro.

Quanto à última alusão, ver Capítulo XXXIV.

os mirmidões

Os mirmidões eram os soldados de Aquiles, na Guerra de Tróia. Até hoje, costuma-se dar esse nome a todos os seguidores fanáticos e inescrupulosos de um chefe político. A origem dos mirmidões, contudo, não dá a idéia de uma raça belicosa e sanguinária, mas antes de um povo laborioso e pacífico.

Céfalo, rei de Atenas, chegara à Ilha de Egina, a fim de procurar ajuda de seu amigo e aliado, o Rei Éaco, em sua guerra com Minos, rei de Creta. Céfalo foi cordialmente recebido e a desejada ajuda prometida sem demora.

– Disponho de bastante gente para proteger-me e fornecer-te a força que desejares – disse Éaco.

– Regozijo-me com isto – replicou Céfalo – e confesso que fiquei maravilhado de encontrar tantos jovens quantos vejo em torno de mim, todos aparentemente da mesma idade. Por outro lado, há muitos indivíduos que conheci anteriormente e que não vejo agora, por mais que procure. Que lhes aconteceu?

Éaco deu um suspiro e respondeu, com tristeza:

– Tencionava contar-te, e o farei agora, sem mais tardança, para que vejas como de um começo doloroso às vezes surge um resultado benéfico. Aqueles que conheceste antes são, agora, cinza e pó! Uma praga enviada pela cruel Juno devastou a ilha. Ela a odiava porque a ilha tem o nome de uma das favoritas de seu marido. Enquanto a doença parecia derivar de causas naturais, nós a combatemos, da melhor maneira que podíamos, com os remédios naturais. Não tardamos a verificar, porém, que a peste era demasiadamente poderosa para nossos esforços, e nos rendemos. No começo, o céu parecia ter baixado sobre a terra e espessas nuvens encerravam a atmosfera aquecida. Durante quatro meses inteiros, soprou um mortal vento sul. A desordem afetou os poços e os mananciais; milhares de serpentes arrastaram-se na terra e despejaram seus venenos nas fontes. A força da moléstia gastou-se, primeiramente, nos animais inferiores: cães, vacas, ovelhas e aves. O infeliz lavrador espantava-se ao ver os bois tombarem no meio de seu trabalho e ficarem inermes junto ao sulco inacabado. A lã caía dos carneiros e seus corpos definhavam. O cavalo, outrora o mais veloz na corrida, já não disputava a palma, mas gemia em sua cocheira e morria de uma morte inglória. O javali esquecia sua fúria, o cervo, sua rapidez, os ursos já não atacavam os rebanhos. Tudo enlanguescia; as carcaças jaziam nas estradas, nos campos e nos bosques, empestando a atmosfera. Digo-te uma coisa que é quase incrível, mas nem os cães nem as aves, nem mesmo os lobos famintos as tocavam. A decomposição dessas carcaças espalhou a epidemia. A moléstia atacou os camponeses, depois os habitantes da cidade. A princípio, as faces congestionavam-se e a respiração tornava-se difícil. A língua inchava e endurecia e a boca ressequida abria-se com as veias alargadas, ofegante, em busca de ar. Os homens não toleravam o calor das roupas ou dos leitos, preferindo deitar-se no chão; e o chão não os refrescava, mas, ao contrário, eles é que esquentavam o lugar onde ficavam. Os médicos não podiam valer, pois a moléstia os atacara também e o contato com os enfermos os infeccionava, de sorte que os mais dedicados foram as primeiras vítimas. Então, os homens entregaram-se às suas inclinações, sem cuidar de indagar o que era conveniente, pois nada havia conveniente. Pondo de lado toda restrição, ajuntaram-se em torno dos poços e das fontes e beberam até morrer, sem matar a sede. Muitos não tiveram forças para sair da água e morreram no meio da correnteza, na qual os outros continuavam a beber. Tal era o horror que tinham de seus leitos de enfermos que alguns se arrastavam e, se não tinham forças suficientes para se sustentar, morriam no chão. Pareciam odiar os amigos e fugiam de seus lares, como se, não sabendo a causa de sua enfermidade, a atribuíssem à localização de sua morada. Alguns foram vistos arrastando-se pelas estradas, enquanto conseguiam manter-se de pé, ao passo que outros caíam em terra e lançavam os olhos moribundos em torno, para contemplar o mundo pela última vez, depois os fechavam para sempre.

Que ânimo poderia ter eu, durante tudo isso, ou que poderia fazer, senão detestar a vida e desejar estar com meus súditos mortos? De todos os lados, estendia-se minha gente como maçãs caídas de maduras da árvore ou bolotas arrancadas, pela tempestade, dos carvalhos. Estás vendo aquele templo ali adiante, no alto? É consagrado a Júpiter. Quantos aí ergueram preces, maridos por esposas, pais por filhos, e tombaram no próprio ato da súplica! Quantas vezes, enquanto o sacerdote se preparava para o sacrifício, a vítima caía, abatida pela moléstia, sem esperar a pancada mortal! Finalmente, perdeu-se toda a reverência pelas coisas sagradas. Deixavam-se os cadáveres insepultos, faltava lenha para as piras funerárias, os homens brigavam disputando sua posse. Não restou mais ninguém para chorar os mortos; filhos e maridos, velhos e jovens pereceram sem serem lamentados.

De pé diante do altar, ergui os olhos para o céu.

Oh, Júpiter – disse. – Se és, de fato, meu pai e não te envergonhas de tua prole, devolve-me meu povo, ou leva-me também!

A estas palavras, ouviu-se um trovão.

– Aceito o augúrio – gritei. – Possa ele ser indício de benevolência para comigo!

Por acaso, havia, perto do lugar em que me encontrava, um frondoso carvalho consagrado a Júpiter. Observei uma multidão de formigas ocupadas em seu trabalho, carregando diminutos grãos na boca e caminhando uma atrás da outra no tronco da árvore. Notando seu número, com admiração, exclamei:

– Dá-me, pai, cidadãos tão numerosos quanto estas formigas, para encher a cidade vazia.

A árvore agitou-se, produzindo um ruído farfalhante com os ramos, embora nenhum vento a sacudisse. Tremi da cabeça aos pés, mas mesmo assim beijei a terra e a árvore. Não confessava a mim mesmo que tinha esperança, mas esperava. A noite chegou e o sono tomou posse de meu corpo cansado de preocupações. Em meus sonhos, vi a árvore diante de mim, com todos os seus ramos cobertos de criaturas vivas e moventes. Tive a impressão de que ela se agitava, atirando ao solo a multidão daqueles laboriosos animais, que pareceram aumentar de tamanho, cada vez mais, e, pouco a pouco, ficar eretos, deixar de lado as pernas supérfluas e a cor negra e, finalmente, tomar a forma humana. Acordei, então, e meu primeiro impulso foi censurar os deuses, que tinham me privado de uma agradável visão, para me trazer de volta à realidade. Estando ainda no templo, chamou-me a atenção o ruído de muitas vozes do lado de fora, coisa com que, ultimamente, não estava acostumado. Pensei que ainda estivesse sonhando, mas meu filho Télamon exclamou, abrindo as portas do templo:

– Aproxima-te, meu pai, e vê que as coisas estão ultrapassando mesmo tuas esperanças!

Saí e vi uma multidão de homens, tal como tinha visto em meu sonho, e que desfilavam da mesma maneira. Enquanto eu os contemplava admirado e satisfeito, eles se aproximaram e, ajoelhando-se, saudaram-me como seu rei. Rendi meus votos a Jove e tratei de entregar a cidade vaga à raça recém-nascida e de dividir entre seus membros os campos. Chamei-os mirmidões, por terem procedido da formiga (*myrmex*). Já viste esses homens; sua disposição parece idêntica à que tinham em sua forma anterior. É uma raça diligente e laboriosa, ávida de ganhar e perseverante na defesa do que ganha. Podes recrutar tuas forças entre eles. Eles te seguirão na guerra, de idade jovem e coração valente.

A descrição da peste foi copiada por Ovídio da descrição que o historiador grego Trucídides fez da peste em Atenas. O historiador pintou a realidade, e todos os poetas e ficcionistas que tiveram ocasião de descrever uma cena semelhante nele se inspiraram.

CAPÍTULO XIII

NISO E SILA
ECO E NARCISO
CLÍTIA – HERO E LEANDRO

Minos, rei de Creta, fazia guerra a Megara, cujo rei, Niso, tinha uma filha, a jovem Sila. O sítio durava seis meses e a cidade ainda resistia, pois estava decretado pelo destino que ela não seria tomada, enquanto um certo cacho de cor púrpura, que brilhava entre os cabelos do Rei Niso, continuasse em sua cabeça. Havia, nas muralhas da cidade, uma torre que dominava a planície onde Minos e seu exército estavam acampados, e Sila costumava ir a essa torre contemplar as tendas do exército inimigo. O sítio durava tanto tempo que a moça já distinguia os chefes. Minos, em particular, despertava sua admiração, com seu porte gentil, ostentando o elmo e o escudo; sua agilidade, combinada com a força, em lançar o dardo; sua maneira de distender o arco, que o próprio Apolo não faria mais graciosamente. Quando, porém, ele deixava o elmo e, envergando as vestes de púrpura, cavalgava o ginete branco ricamente ajaezado que mordia o freio com a boca espumejante, a filha de Niso mal conseguia conter-se; sentia por ele uma admiração frenética. Invejava as armas que ele segurava, as rédeas que sustentava. Tinha vontade de ir, se fosse possível, procurá-lo, através das fileiras inimigas; sentia o impulso de lançar-se da torre no meio do acampamento de Minos, ou de abrir-lhe as portas da cidade, ou de fazer qualquer coisa que lhe desse satisfação. Sentada na torre, assim falava consigo mesma:

– Não sei se devo lamentar ou regozijar-me com esta triste guerra. Lamento que Minos seja nosso inimigo, mas regozijo-me com qualquer coisa que o traga à minha vista. Talvez ele esteja disposto a nos conceder a paz e tomar-me como refém. Eu voaria, se pudesse, para pousar em seu acampamento e dizer-lhe que nos entregamos à sua mercê. Mas trair meu pai! Não! Antes nunca mais tornar a ver Minos. No entanto, não há dúvida de que é bem certo que, às vezes, não há coisa melhor para uma cidade que ser conquistada, quando o conquistador é clemente e generoso. Minos sem dúvida está com a razão; acho que seremos vencidos, e, se tal deve ser o desfecho, por que não lhe abrir as portas da cidade, em vez de deixar que isso se faça pela guerra? Seria preferível evitar a demora e a carnificina. E se alguém matasse Minos? Ninguém certamente teria coragem de matá-lo; é possível, contudo, que alguém o fizesse, por ignorância, sem conhecê-lo. Vou entregar-me a ele, tendo meu país como dote e pôr fim a esta guerra. Mas como? As portas estão guardadas e meu pai tem as chaves; somente ele se interpõe no meu caminho. Oxalá quisessem os deuses levá-lo! Mas por que pedir aos deuses para fazer tal coisa? Outra mulher, amando como amo, afastaria com suas próprias mãos qualquer obstáculo que se interpusesse no caminho de seu amor. E pode outra mulher fazer mais do que eu? Desafiarei ferro e fogo para conquistar o que desejo. Mas não há necessidade de ferro e fogo. Preciso apenas da madeixa de cor púrpura de meu pai. Mais preciosa para mim do que o ouro, isso me dará tudo o que quero.

Enquanto a jovem assim refletia, a noite chegou, e em breve todo o palácio estava mergulhado no sono. Sila entrou no aposento do pai e cortou a madeixa fatal; depois, saiu da cidade e entrou no acampamento inimigo. Pediu para ser levada à presença do rei, e assim a ele se dirigiu:

– Sou Sila, filha de Niso. Entrego-te meu país e a casa de meu pai. Não te peço outra recompensa senão tu mesmo; foi por amor a ti que fiz isto. Aqui está a madeixa de cor púrpura. Com isto, eu te entrego meu pai e seu reino.

Estendeu o braço com o despojo fatal, mas Minos recuou e não quis tocá-lo.

– Os deuses te destruam, mulher infame! – exclamou. – Desgraça de nosso tempo! Que nem a terra nem o mar te dêem um lugar de repouso! Minha Creta, onde o próprio Jove foi criado, não será poluída com tal monstro!

Dito isto, deu ordens para que fossem oferecidas condições razoáveis à cidade conquistada e que a frota partisse imediatamente da ilha.

Sila ficou desesperada.

– Homem ingrato! – exclamou. – É assim que me abandonas? Eu que te dei a vitória, que sacrifiquei por ti meu pai e minha pátria? Sou culpada, confesso, e mereço morrer, mas não por tuas mãos!

Quando os navios se afastaram do litoral, ela se atirou à água e, agarrando-se ao leme do barco que transportava Minos, foi levada como companheira indesejável de viagem. Uma águia marinha voando bem alto – era seu pai, que havia tomado aquela forma –, vendo-a, lançou-se sobre ela e feriu-a com o bico e com as garras.

Aterrorizada, ela largou o navio e teria se afogado no mar, se uma divindade piedosa não a tivesse transformado em uma ave. A águia do mar conservou a velha animosidade; e sempre que a avista em seu vôo altaneiro lança-se sobre ela, atacando-a com o bico e as garras, para se vingar do antigo crime.

Eco e narciso

Eco era uma bela ninfa, amante dos bosques e dos montes, onde se dedicava a distrações campestres. Era favorita de Diana e acompanhava-a em suas caçadas. Tinha um defeito, porém: falava demais e, em qualquer conversa ou discussão, queria sempre dizer a última palavra.

Certo dia, Juno saiu à procura do marido, de quem desconfiava, com razão, que estivesse se divertindo entre as ninfas. Eco, com sua conversa, conseguiu entreter a deusa, até as ninfas fugirem. Percebendo isto, Juno a condenou com estas palavras:

– Só conservarás o uso dessa língua com que me iludiste para uma coisa de que gostas tanto: responder. Continuarás a dizer a última palavra, mas não poderás falar em primeiro lugar.

A ninfa viu Narciso, um belo jovem, que perseguia a caça na montanha. Apaixonou-se por ele e seguiu-lhe os passos. Quanto desejava dirigir-lhe a palavra, dizer-lhe frases gentis e conquistar-lhe o afeto! Isso estava fora de seu poder, contudo. Esperou, com impaciência, que ele falasse primeiro, a fim de que pudesse responder. Certo dia, o jovem, tendo se separado dos companheiros, gritou bem alto:

– Há alguém aqui?

– Aqui – respondeu Eco.

Narciso olhou em torno e, não vendo ninguém, gritou:

– Vem!

– Vem! – respondeu Eco.

– Por que foges de mim? – perguntou Narciso.

Eco respondeu com a mesma pergunta.

– Vamos nos juntar – disse o jovem.

A donzela repetiu, com todo o ardor, as mesmas palavras e correu para junto de Narciso, pronta a se lançar em seus braços.

Metamorfose de Narciso, SALVADOR DALI, 1936-1937, ÓLEO SOBRE TELA

Eco e Narciso, J. W. WATERHOUSE, 1903, ÓLEO SOBRE TELA

– Afasta-te! – exclamou o jovem, recuando. – Prefiro morrer a te deixar possuir-me.

– Possuir-me – disse Eco.

Mas tudo foi em vão. Narciso fugiu e ela foi esconder sua vergonha no recesso dos bosques. Daquele dia em diante, passou a viver nas cavernas e entre os rochedos das montanhas. De pesar, seu corpo definhou, até que as carnes desapareceram inteiramente. Os ossos transformaram-se em rochedos e nada mais dela restou além da voz. E, assim, ela ainda continua disposta a responder a quem quer que a chame e conserva o velho hábito de dizer a última palavra.

A crueldade de Narciso nesse caso não constituiu uma exceção. Ele desprezou todas as ninfas, como havia desprezado a pobre Eco. Certo dia, uma donzela que tentara em vão atraí-lo implorou aos deuses que ele viesse algum dia a saber o que é o amor e não ser correspondido. A deusa da vingança ouviu a prece e atendeu-a.

Havia uma fonte clara, cuja água parecia de prata, à qual os pastores jamais levavam rebanhos, nem as cabras montesas freqüentavam, nem qualquer um dos animais da floresta. Também não era a água enfeada por folhas ou galhos caídos das árvores; a relva crescia viçosa em torno dela, e os rochedos a abrigavam do sol. Ali chegou um dia Narciso, fatigado da caça, e sentindo muito calor e muita sede. Debruçou-se para dessalterar-se, viu a própria imagem refletida na fonte e pensou que fosse algum belo espírito das águas que ali vivesse. Ficou olhando com admiração para os olhos brilhantes, para os cabelos anelados como os de Baco ou de Apolo, o rosto oval, o pescoço de marfim, os lábios entreabertos e o aspecto saudável e animado do conjunto. Apaixonou-se por si mesmo. Baixou os lábios, para dar um beijo e mergulhou os braços na água para abraçar a bela imagem. Esta fugiu com o contato, mas voltou um momento depois, renovando a fascinação. Narciso não pôde mais conter-se. Esqueceu-se de todo da idéia de alimento ou repouso, enquanto se debruçava sobre a fonte, para contemplar a própria imagem.

– Por que me desprezas, belo ser? – perguntou ao suposto espírito – Meu rosto não pode causar-te repugnância. As ninfas me amam e tu mesmo não pareces olhar-me com indiferença. Quando estendendo os braços, fazes o mesmo, e sorris quando te sorrio, e respondes com acenos aos meus acenos.

Suas lágrimas caíram na água, turbando a imagem. E, ao vê-la partir, Narciso exclamou:

– Fica, peço-te! Deixa-me, pelo menos, olhar-te, já que não posso tocar-te.

Com estas palavras, e muitas outras semelhantes, atiçava a chama que o consumia, e, assim, pouco a pouco, foi perdendo as cores, o vigor e a beleza, que antes tanto encantara a ninfa Eco. Esta se mantinha perto dele, contudo, e, quando Narciso gritava "Ai, ai", ela respondia com as mesmas palavras. O jovem, depauperado, morreu. E, quando sua sombra atravessou o Rio Estige, debruçou-se sobre o barco, para avistar-se na água.

As ninfas o choraram, especialmente as ninfas da água. E, quando esmurravam o peito, Eco fazia o mesmo. Prepararam uma pira funerária, e teriam cremado o corpo, se o tivessem encontrado; em seu lugar, porém, só foi achada uma flor, roxa, rodeada de folhas brancas, que tem o nome e conserva a memória de Narciso.

Milton faz alusão à história de Eco e Narciso na canção da Dama, do poema "Comus". A Dama, procurando os irmãos na floresta, canta, para atrair-lhes a atenção:

Ó Eco, doce ninfa que, invisível,
Vives nas verdes margens do Meandro
E no vale coberto de violetas,
Onde ao luar o rouxinol te embala,
Com seu canto nostálgico e suave,
Dois jovens tu não viste, por acaso,
Bem semelhantes, Eco, ao teu Narciso?
Se, em alguma gruta os escondeste,
Dize-me, ó ninfa, onde essa gruta está
E, em recompensa, subirás ao céu.
E mais graça darás, ó bela ninfa,
À Celeste harmonia em seu conjunto!

Além disso, Milton imitou a história de Narciso na descrição, que põe na boca de Eva, acerca de sua impressão ao ver-se, pela primeira vez, refletida na fonte:

Muitas vezes relembro aquele dia
Em que fui despertada a vez primeira
Do meu sono profundo. Sob as folhas
E as flores, muitas vezes meditei:
Quem eu era? Aonde ia? De onde vinha?
Não distante de mim, doce ruído

De água corrente vinha. De uma gruta
Saía a linfa e logo se espalhava
Em líquida planície, tão tranqüila
Que outro céu tranqüilo parecia.
Com o espírito incerto caminhei e fui
Na verde margem repousar do lago
E contemplar de perto as claras águas
Que eram, aos meus olhos, novo firmamento.
Ao debruçar-me sobre o lago, um vulto
Bem em frente de mim apareceu
Curvado para olhar-me. Recuei
E a imagem recuou, por sua vez.
Deleitada, porém, com o que avistara,
Novamente eu olhei. Também a imagem
Dentro das águas para mim olhou,
Tão deleitada quanto eu, ao ver-me.
Fascinada, prendi na imagem os olhos
E, dominada por um vão desejo,
Mais tempo ficaria, se uma voz
Não se fizesse ouvir, advertindo-me:
"És tu mesma que vês, linda criatura."
PARAÍSO PERDIDO, LIVRO IV

Nenhuma das lendas da Antiguidade tem sido mais comentada que a de Narciso. Eis dois epigramas que a encaram sob dois aspectos diferentes. O primeiro é de Goldsmith:

A PROPÓSITO DE UM JOVEM QUE FICOU CEGO EM CONSEQÜÊNCIA DE UM RAIO

Não por ódio ou descuido a Providência
Isto te fez, mas por piedade e arte:
Se cego te tornou, como Cupido,
Da sorte de Narciso quis livrar-te.

O outro é de Cooper:

SOBRE UM MOÇO FEIO

Evita, amigo, evita debruçar-te
Sobre o cristal de um cristalino veio,
Senão, como Narciso, irás matar-te,
Não por te veres belo, mas tão feio.

CLÍTIA

Clítia era uma ninfa aquática, apaixonada por Apolo, que não lhe correspondia, o que a fez definhar. Deixava-se ficar durante todo o dia sentada no frio chão, com as tranças desatadas caídas sobre os ombros. Durante nove dias assim ficou, sem comer nem beber, alimentando-se apenas com as próprias lágrimas e com o gélido orvalho. Contemplava o sol, desde que ele se erguia no nascente até se esconder no poente, depois do seu curso diário; não via outra coisa, seu rosto voltava-se constantemente para ele. Afinal, conta-se, seus pés enraizaram-se no chão, seu rosto transformou-se numa flor [1] que se move constantemente em seu caule, de maneira a estar sempre voltada para o sol, em seu curso diário, conservando, assim, o sentimento da ninfa que lhe deu origem.

HERO E LEANDRO

Leandro era um jovem de Ábidos, cidade situada na margem asiática do estreito que separa a Ásia da Europa. Na margem oposta do estreito, na cidade de Sestos, vivia a donzela Hero, sacerdotisa de Vênus. Leandro a amava e costumava atravessar o estreito a nado, todas as noites, para gozar a companhia da amante, guiado por uma tocha, que ela acendia na torre, para esse fim.

Mas, numa noite de tempestade, em que o mar estava muito agitado, o jovem perdeu as forças, e afogou-se. As ondas levaram o corpo à margem européia, onde Hero tomou conhecimento de sua morte e, desesperada, atirou-se da torre ao mar e pereceu.

A história de Leandro atravessando o Helesponto a nado era tida como lendária e considerada impossível, até Lord Byron provar a sua possibilidade, realizando a façanha ele próprio. Na "Noiva de Ábidos", diz ele:

Estes membros que as ondas carregaram.

---

[1] O girassol

A distância na parte mais estreita do Helesponto é de quase uma milha[2] e há uma corrente constante, no sentido do Mar de Mármara para o Arquipélago. Depois de Byron, a travessia tem sido realizada por outros. De qualquer maneira, porém, trata-se de uma proeza notável, capaz de assegurar fama àquele que a consiga realizar.

No começo do segundo canto do mesmo poema, Byron assim alude à lenda:

Sopram fortes os ventos no Helesponto,
Como naquela noite tempestuosa
Em que o próprio Amor que o enviara
De salvar descuidou-se o bravo jovem,
O belo jovem, única esperança
De Hero, filha de Sesto. Solitária,
Na alta torre a fogueira crepitava,
Desafiando o furacão e as ondas.
As marítimas aves, crocitando,
Pareciam gritar-lhe que não fosse
E a cor escura das pesadas nuvens
Era outro núncio do perigo extremo.
Nada, porém, ele escutava ou via
Senão a luz do amor, a luz da estrela
Que, nas trevas, brilhava, solitária,
E a voz de Hero, a voz do amor, nas trevas,
Abafando o fragor da tempestade.

[2] 1.609 metros (N. do T.)

CAPÍTULO XIV

Minerva

NÍOBE

Minerva, a deusa da sabedoria, era filha de Júpiter. Contava-se que saíra da cabeça do deus, já adulta e revestida de armadura completa. Além de padroeira das artes úteis e ornamentais, tanto dos homens (como a agricultura e a navegação) quanto as das mulheres (como a fiação, tecelagem e os trabalhos de agulha), era também uma divindade guerreira; só protegia, porém, a guerra defensiva e não simpatizava com o selvagem amor de Marte pela violência e pelo derramamento de sangue. Atenas era seu santuário, sua cidade, que lhe fora oferecida como prêmio de uma disputa com Netuno, que também aspirava a tal glória. A lenda diz que, no reinado de Cécrope, o primeiro rei de Atenas, as duas divindades disputaram a posse da cidade. Os deuses decidiram que o prêmio seria dado àquela que oferecesse aos mortais o presente mais útil. Netuno ofereceu o cavalo e Minerva, a oliveira. Os deuses decidiram que a oliveira era mais útil e concederam a cidade a Minerva, que lhe deu o nome, pois Minerva em grego é Atena.

Houve uma outra competição, em que uma mortal se atreveu a concorrer com Minerva. Essa mortal foi Aracne, uma donzela que atingira tal perfeição nas artes de tecer e bordar que as próprias ninfas costumavam deixar suas grutas e suas fontes para ir admirar seu trabalho, que era belo não somente depois de feito, mas belo também ao ser feito. Dir-se-ia que fora a própria Minerva a sua mestra, quando ela a observava, pegando a lã bruta para formar novelos, ou separando-a com os dedos e cardando-a até que ela se tornasse leve e macia como uma nuvem, ou tecendo o pano, ou, depois de tê-lo tecido, adorná-lo com os seus bordados. Ela negava, no entanto, não querendo ser discípula nem mesmo de uma deusa.

– Que Minerva compare sua habilidade com a minha – disse ela. Se vencida, pagarei a penalidade.

Minerva ouviu estas palavras e ficou indignada. Tomando a forma de uma velha, procurou Aracne e deu-lhe, benevolentemente, alguns conselhos.

– Tenho muita experiência e espero que não desprezes os meus conselhos – disse. – Desafia os mortais como tu, mas não te atrevas a competir com uma deusa. Ao contrário, aconselho-te a pedir-lhe perdão pelo que disseste, e, como a deusa é misericordiosa, talvez te perdoe.

Aracne interrompeu seu trabalho de fiação e encarou a velha visivelmente irritada.

– Trata de dar conselhos a tuas filhas e a tuas servas. Quanto a mim, sei o que dizer e o que fazer. Não tenho medo da deusa. Que ela mostre sua habilidade, se se atrever.

– Ela aqui está – disse Minerva, livrando-se do seu disfarce.

As ninfas curvaram-se, reverentes, assim como todos os demais presentes. Apenas Aracne não se atemorizou. Na verdade, um rubor coloriu-lhe as faces, que, em seguida, tornaram-se muito pálidas. A jovem, porém, manteve-se firme e, levada pela louca confiança em sua habilidade, enfrentou o destino. Minerva, esgotada a paciência, já não deu novos conselhos.

As duas iniciaram a competição. Cada uma toma sua posição e coloca o fio no tear. A esguia lançadeira é colocada entre os fios. O pente, com seus finos dentes, ataca a trama do tecido e a comprime. Ambas as competidoras trabalham com rapidez; suas ágeis mãos movem-se céleres, e o ardor da disputa torna leve o labor. Os fios purpúreos contrastam com os de outras cores, que confundem seus matizes de tal modo que os olhos não percebem onde se unem. Como o longo arco que colore o céu, formado pelos raios de sol refletidos na chuva,[1] no qual as cores combinadas onde se juntam parecem a mesma, mas a pequena distância do ponto de contato são inteiramente diferentes.

Minerva bordou em seu tecido a cena de sua disputa com Netuno. Estão representados doze dos poderes celestes. Júpiter, com augusta gravidade, acha-se sentado no meio. Netuno, senhor do mar, segura

GEMÄLDEGALERIE, DRESDEN

Netuno e Minerva, GAROFALO

[1] Esta correta descrição do arco-íris foi traduzida literalmente de Ovídio.

o tridente, e parece ter acabado de golpear a Terra, da qual saltou um cavalo. A própria Minerva apresenta-se com o elmo na cabeça, o peito protegido por Égide. Assim era o círculo central; nos quatro cantos, estavam representados incidentes mostrando o descontentamento dos deuses com mortais presunçosos que se atreviam a concorrer com eles. Eram advertências de Minerva à sua rival, no sentido de desistir, antes que fosse demasiadamente tarde.

Aracne escolheu especialmente para seus bordados assuntos destinados a provar os enganos e erros dos deuses. Uma cena representava Leda acariciando o cisne, sob cuja forma Júpiter se havia disfarçado; outra, Dânae, na torre de bronze em que seu pai a havia aprisionado, mas onde o deus conseguiu penetrar, sob a forma de uma chuva de ouro. Outra, ainda, mostrava Eu-

Minerva e o Centauro, SANDRO BOTTICELLI, C.1482, ÓLEO SOBRE TELA

ropa, iludida por Júpiter, sob a forma de um touro. Encorajada pela mansidão do animal, Europa aventurou-se a cavalgá-lo, e Júpiter, então, entrou no mar e levou-a a nado para Creta. Tinha-se a impressão de que era um touro de verdade, com tal naturalidade e realismo estavam representados ele e a água em que nadava. Europa parecia olhar com ansiedade para a praia de onde saíra e pedir socorro às suas companheiras. Mostrava-se horrorizada com as ondas e encolhia os pés, para afastá-los da água.

Aracne cobriu o pano de tais bordados maravilhosamente bem-feitos, mas deixando patentes sua presunção e impiedade. Minerva não pôde deixar de admirar, mas sentiu-se indignada com o insulto. Investiu contra o tecido, com sua lançadeira, e fê-lo em pedaços. Em seguida, encostou a mão na fronte de Aracne, fazendo-a sentir-se culpada e envergonhada, a tal ponto que, não podendo mais suportar, enforcou-se. Minerva compadeceu-se dela, ao vê-la suspensa a uma corda.

– Viva, mulher culpada! – exclamou. – E, para que seja conservada a lembrança desta lição, continuarás pendente, tu e toda a tua descendência, por todos os tempos futuros.

Aspergiu-a com o suco do acônito, e imediatamente seus cabelos caíram, e, do mesmo modo, desapareceram o nariz e as orelhas. Seu corpo encolheu-se e sua cabeça tornou-se ainda menor; os dedos colaram-se aos seus flancos, transformando-se em patas.

Todo o restante dela mudou-se no corpo, do qual ela tece seu fio, suspensa na mesma posição em que se encontrava quando Minerva a tocou e metamorfoseou-a em aranha.

Spencer conta a história de Aracne em seu poema "Muiopotmos", seguindo muito de perto seu mestre Ovídio, mas aperfeiçoando a conclusão do episódio. As duas estrofes que seguem contam o que foi feito depois de a deusa bordar a cena representando a criação da oliveira:

> *Por entre as verdes folhas da oliveira*
> *Colocou, com tal arte, uma falena*
> *Que bem viva e voando dir-se-ia.*
> *Tudo era vivo: o veludoso pêlo*
> *Que se estendia sobre as quatro asas,*
> *A sedosa penugem sobre o dorso,*
> *As compridas antenas, os brilhantes*
> *Olhos e as cores várias e vistosas.*

> *Vendo Aracne a obra já completa,*
> *Com perfeição tão rara extasiada,*
> *Imóvel, dilatadas as pupilas,*
> *Quedou, sem que o silêncio conseguisse*
> *Romper e nem os olhos afastar.*
> *A vitória era sua, mas a ira*
> *Que a deusa lhe causara foi tão grande*
> *Que veneno mortal lhe trouxe ao sangue.*

Assim, a metamorfose foi causada pela própria mortificação e vergonha de Aracne, e não por um ato direto da deusa.

E eis, a propósito, um galanteio de Garrick no estilo da época:

A UMA DAMA, A RESPEITO DE UM BORDADO

> *De sua arte, Aracne era ciosa*
> *A ponto tal, conta um poeta antigo,*
> *Que a mediu com Minerva, frente a frente,*
> *E da deusa sofreu atroz castigo.*

> *Tem cuidado, Cloé, sê cautelosa.*

Ah! não queira Minerva castigar-te,
De despeito, por teres, certamente,
Muito mais que Minerva, engenho e arte.

NÍOBE

O destino de Aracne tornou-se conhecido no país, servindo de advertência a todos os mortais presunçosos para não se compararem com os deuses. Uma matrona, contudo, não aprendeu a lição de humildade. Foi Níobe, rainha de Tebas. Na verdade, tinha muita coisa de que se orgulhar; o que a envaidecia, no entanto, não era a fama de seu marido, nem sua própria beleza, nem a nobreza de sua ascendência, nem o poderio de seu reino: eram seus filhos. E, realmente, Níobe teria sido a mais feliz das mães, se não se tivesse proclamado tal. Foi por ocasião das celebrações anuais em honra da Latona e sua prole, Apolo e Diana – quando o povo de Tebas se reunia, com as frontes coroadas de louro, levando incenso aos altares, rendendo seus tributos e cumprindo seus votos –, que Níobe apareceu entre a multidão. Suas vestes eram esplêndidas, enfeitadas de ouro e pedras preciosas, e seu aspecto belo, tanto quanto pode ser uma bela mulher enraivecida. Parando, ela contemplou a multidão, com ar altivo:

– Que loucura é esta? – exclamou. – Preferir seres que nunca vistes àqueles que tendes diante dos olhos! Por que Latona deve ser cultuada, e eu não? Meu pai foi Tântalo, recebido como conviva na mesa dos deuses; minha mãe era deusa. Meu marido construiu e governa esta cidade, Tebas, e Frígia é minha herança paterna. Seja para onde for que eu volte os olhos, contemplo os elementos do meu poder. E meu aspecto não é indigno de uma deusa. Acrescentai a tudo isso o fato de que tenho sete filhos e sete filhas e procuro genros e noras à altura de minha aliança. Faltam-me motivos para ter orgulho? Preferis a mim essa Latona, filha do Titã, com seus dois filhos? Tenho sete vezes mais. Em verdade, sou feliz e feliz hei de ser! Poderá alguém duvidar disso? A abundância é minha garantia. Sinto-me demasiadamente forte para ser vencida pela Fortuna. Por mais que ela me tome, ainda me restará muito. Se eu perdesse alguns de meus filhos, dificilmente ficaria tão pobre como Latona, com seus dois únicos. Suspendei esta solenidade... tirai o louro de vossas frontes... Não prossigais este culto!

O povo obedeceu, e não completou os serviços sagrados.

A deusa ficou indignada. No cume da montanha cinfiana, onde morava, assim se dirigiu ao seu filho e sua filha:

– Meus filhos, eu que sinto tanto orgulho convosco, e que me acostumara a considerar-me como a primeira das deusas, depois de Juno, começo agora a duvidar se sou realmente uma deusa. Deixarei de ser cultuada inteiramente, a não ser que me protejais.

Continuava a falar no mesmo tom, mas foi interrompida por Apolo.

– Não digas mais nada – exclamou ele. – As palavras apenas servirão para adiar o castigo.

O mesmo disse Diana.

Cortando o céu, escondidos nas nuvens, os dois desceram nas torres da cidade. Diante das portas, estendia-se uma planície, onde os jovens da cidade entregavam-se a exercícios bélicos. Os filhos de Níobe ali se encontravam com os demais, alguns cavalgando corcéis ricamente ajaezados, outros guiando aparatosos carros. Ismenos, o mais velho, quando dirigia seus fogosos cavalos, ferido com uma seta partida do alto, apenas teve tempo de exclamar "Ai de mim!", antes de largar as rédeas e cair sem vida. Outro, ouvindo o sibilo do arco – como o marinheiro que vê a tempestade aproximar-se e trata de virar as velas para o porto –, soltou as rédeas dos animais e tentou escapar. A inevitável seta atingiu-o enquanto fugia. Dois outros, mais jovens, terminados seus exercícios, haviam ido ao campo de recreação para divertirem-se com uma luta. Enquanto se entretinham de pé, peito contra peito, uma seta atravessou os dois. Deram um grito juntos, juntos olharam em torno surpresos e juntos exalaram o último suspiro. Alfenor, um irmão mais velho, vendo-os cair, correu para junto deles, a fim de socorrê-los, e caiu ferido enquanto cumpria seu dever fraternal. Restava apenas um, Ilioneus, que levantou os braços para o céu.[2]

– Poupai-me, deuses! – gritou, dirigindo-se a todos, sem saber que não precisava implorar a todos.

Apolo o teria poupado, se a seta já não tivesse partido e já não fosse demasiadamente tarde.

O terror do povo e o pesar dos circunstantes logo fizeram Níobe tomar conhecimento do que ocorrera. Custou-lhe acreditar; sentia-se indignada vendo que os deuses se atreviam a tanto e tinham capacidade de fazer aquilo. Seu marido, Anfíon, abalado com o golpe, suicidou-se. Ah! Quanto era diferente agora Níobe daquela que, tão pouco tempo antes, afastara o povo dos rituais sagrados, e caminhava triunfalmente pela cidade, despertando inveja em seus amigos, quanto agora causava compaixão aos próprios inimigos! Ajoelhou-se junto aos corpos sem vida e beijou ora um, ora outro de seus amados filhos.

– Cruel Latona! – exclamou, erguendo os pálidos braços para o céu. – Sacia todo o teu ódio em minha angústia! Que teu duro coração se regozije, enquanto levo ao túmulo meus sete filhos. Mas onde está o teu triunfo? Despojada como estou, ainda assim sou mais rica que tu, que me venceste.

---

[2] O original inglês descreve apenas a morte de seis dos sete filhos de Níobe, mencionando os nomes de três e omititndo de outros três (Sípilo, Fédimo e Tântalo). Deixa de mencionar o nome e de descrever a morte de um deles. Damasíchton. (Ovídio, "Metamorfoses", Livro VI, versos 218 a 266).

Mal falara, o arco vibrou, espalhando o terror em todos os corações, exceto no da própria Níobe, tornada corajosa pelo excesso de dor. Suas filhas, em vestes de luto, choravam junto aos corpos dos irmãos mortos. Uma delas, atingida por uma seta, caiu sobre o cadáver que pranteava. Outra, procurando consolar sua mãe, calou-se, de súbito, tombando em terra sem vida. Uma terceira tentou escapar escondendo-se, a quarta pela fuga e outra deixou-se ficar de pé, toda trêmula, sem saber o que fazer. Seis já estavam mortas e restava apenas uma, que a mãe apertou nos braços, como que para protegê-la com seu corpo.

– Poupai-me esta, a mais moça! – gritou. – Poupai-me uma, entre tantas!

E, enquanto falava, a filha caiu morta.

Desolada, ela sentou-se entre os filhos, filhas e marido, todos mortos, apática com o sofrimento. A brisa não lhe agitava os cabelos, suas faces estavam inteiramente descoloridas, o olhar fixo e imóvel. Não havia nela sinal de vida. A própria língua prendeu-se ao céu da boca e as veias cessaram de transportar o fluido vital. O pescoço não se curvou, os braços não fizeram gesto algum, os pés não deram um só passo. Ela se transformara em pedra, por fora e por dentro. As lágrimas, no entanto, continuaram a correr. E, levada por um redemoinho de vento para sua montanha natal, ainda lá continua: um bloco de rochedo, do qual escorre um estreito regato, tributo de uma dor sem fim.

A história de Níobe inspirou a Byron uma bela comparação com as tristes condições da Roma moderna:

A Níobe das nações! Ei-la, indefesa,
Sem filhos, sem coroa, sem ao menos
Voz para lamentar as priscas glórias,
Tendo nas mãos inermes uma urna
Vazia já. As cinzas sacrossantas
No pó se dispersaram há longo tempo.
Dos Cipiões o túmulo jaz vazio.
Cada próprio sepulcro abandonado
Foi pelo morto ilustre, herói antigo.
Hás de correr, resignado, agora,
Num deserto de mármore, velho Tibre?
Sai de teu leito e, sob a água, esconde
A vergonha de Roma, velho Tibre!
CHILDE HAROLD, IV, 79

Há na galeria imperial de Florença uma famosa estátua, inspirada no episódio, e que se acredita ter pertencido, originalmente, ao frontão de um templo. A figura da mãe, abraçada pela filha horrorizada, é uma das mais admiradas da escultura antiga, colocando-se ao lado de Laocoonte e de Apolo, como uma obra-prima artística. Há um epigrama grego que se acredita referir-se a essa estátua e cuja tradução é a seguinte:

Em pedra a transformaram os deuses, mas em vão:
Fê-la viver de novo a arte do escultor.

Por mais trágica que seja a história de Níobe, não podemos deixar de sorrir diante da comparação que ela inspirou a Moore em seus *Versos Escritos na Estrada* ("Rhyme on the Road"):

Em sua carruagem, o orgulho da poesia,
Sir Richard Blackmore, seus versos escrevia.
E se não lhe faltava engenho nem tinteiro,
A morte e a epopéia ocupavam-lhe o dia,
Escrevia e matava, alegre, o dia inteiro.
E, como Apolo, assim, em seu carro corria,
Quer cantando, gentil, como deus da poesia,
Quer matando de Níobe o filho derradeiro.

Sir Richard Blackmore era médico e, ao mesmo tempo, poeta muito fecundo e muito sem gosto, cujas obras estão hoje esquecidas, a não ser quando lembradas numa alusão irônica, como no caso de Moore.

CAPÍTULO XV

AS GRÉIAS E AS GÓRGONAS
PERSEU – MEDUSA
ATLAS – ANDRÔMEDA

As Gréias eram três irmãs grisalhas desde o nascimento, e daí o seu nome. As Górgonas eram mulheres monstruosas, com dentes enormes como os do javali, garras de bronze e cabelos de serpentes. Nenhuma dessas entidades representou papel destacado na mitologia, exceto a górgona Medusa, cuja história veremos a seguir. Citamo-las principalmente para mencionarmos a engenhosa teoria de alguns escritores modernos, segundo a qual as górgonas e as gréias eram personificações dos terrores do oceano, as primeiras representando os grandes vagalhões do mar alto, e as outras, as ondas coroadas de espuma branca que se despedaçam de encontro aos rochedos do litoral. Em grego, seus nomes confirmam essa etimologia.

PERSEU E MEDUSA

Perseu era filho de Júpiter e de Dânae. Seu avô, Acrísio, assustado com a predição de um oráculo, no sentido de que o filho de sua filha seria o instrumento de sua morte, determinou que a mãe e o filho fossem encerrados numa arca, e esta colocada no mar. A arca flutuou até Serifo, onde foi encontrada por um pescador, que levou a mãe e o filho a Polidectes, o rei do país, que os tratou com bondade. Quando Perseu tornou-se homem, Polidectes mandou-o combater Medusa, monstro terrível que devastava o país. Medusa fora outrora uma linda donzela, que se orgulhava principalmente de seus cabelos, mas se atreveu a competir em beleza com Minerva, e a deusa privou-a de seus encantos e transformou as lindas madeixas em hórridas serpentes. Medusa tornou-se

Perseu com a cabeça de Medusa,
BENVENUTO CELLINI, SÉC. XVI,
ESCULTURA EM BRONZE

um monstro cruel, de aspecto tão horrível, que nenhum ser vivo podia fitá-la sem se transformar em pedra. Em torno da caverna onde ela vivia, viam-se as figuras petrificadas de homens e de animais que tinham ousado contemplá-la. Perseu, com apoio de Minerva, que lhe enviou seu escudo, e de Mercúrio, que lhe mandou suas sandálias aladas, aproximou-se de Medusa enquanto ela dormia e, tomando o cuidado de não olhar diretamente para o monstro, e sim guiado pela imagem refletida no brilhante escudo que trazia, cortou-lhe a cabeça e ofereceu a Minerva, que passou a trazê-la presa no meio da Égide.

Milton, em "Comus", assim se refere à Égide:

O que era aquele escudo, com a cabeça
Asquerosa de Górgona adornado,
Que trazia Minerva, a impoluta
Virgem, e petrificava os inimigos,
Senão aquela santa austeridade,
Essa expressão em face à qual se curva,
Humilhada e vencida, a força bruta?

PERSEU E ATLAS

Depois de matar Medusa, Perseu, carregando a cabeça da górgona, voou sobre a terra e sobre o mar. Ao anoitecer, atingiu o limite ocidental da Terra, onde o sol se põe. Sentir-se-ia feliz de ali descansar até o amanhecer. Era o reino de Atlas, cuja estatura ultrapassava a de todos os outros homens. Possuía ele grande riqueza em rebanhos e não tinha vizinho ou rival que lhe disputasse os bens. Seu maior orgulho, porém, eram os seus jardins, onde frutos de ouro pendiam de galhos também de ouro, ocultos por folhas de ouro.

– Vim como hóspede – disse-lhe Perseu. – Se honras uma origem ilustre, sabe que tenho Júpiter por pai. Se preferes feitos valorosos, sabe que venci a górgona. Procuro repouso e alimento.

Atlas, porém, lembrou-se de que uma velha profecia o advertira de que um filho de Jove lhe roubaria, um dia, as maçãs de ouro.

– Sai! – retrucou, portanto. – Não serás protegido por tuas falsas pretensões de origem ilustre ou feitos gloriosos.

Ao mesmo tempo, tratou de expulsá-lo. Perseu, percebendo que o gigante era muito forte para ele, retrucou:

– Uma vez que prezas tão pouco minha amizade, digna-te de receber um presente. E, virando o rosto para o lado, levantou a cabeça da górgona. O corpo enorme de Atlas transformou-se em pedra. Sua barba e seus cabelos tornaram-se florestas, os braços e ombros, rochedos, a cabeça, um cume e os ossos, as rochas. Cada parte aumentou de volume até se tornar uma montanha e (assim quiseram os deuses) o céu, com todas as suas estrelas, se apoiando em seus ombros.

O monstro marinho

Continuando seu vôo, Perseu chegou ao país dos etíopes, cujo rei era Cefeu. A rainha Cassiopéia, orgulhosa de sua beleza, atrevera-se a comparar-se com as ninfas marinhas, que, indignadas, mandaram um prodigioso monstro marinho devastar o litoral. A fim de apaziguar as divindades, Cefeu foi aconselhado, por um oráculo, a expor sua filha Andrômeda para ser devorada pelo monstro. Olhando do alto, em seu vôo, Perseu avistou a virgem acorrentada a um rochedo e esperando que o dragão se aproximasse. Estava tão pálida e imóvel que, se não fossem as lágrimas que escorriam e os cabelos que a brisa agitava, Perseu a teria tomado por uma estátua de mármore. Tão surpreso ficou ele diante do que via, que quase se esqueceu de bater as asas. Adejando sobre Andrômeda, exclamou:

– Ó virgem, que não mereces estas cadeias, mas antes aquelas que prendem os amantes, dize-me, peço-te, teu nome e o nome de teu país, e por que estás presa desse modo.

Ela, a princípio, manteve-se em silêncio, levada pelo recato, e teria escondido o rosto nas mãos, se o pudesse. Quando, porém, ele repetiu as perguntas, receosa de que lhe fosse atribuída a culpa de algum ato que não cometera, a virgem revelou seu nome e o de seu país, e o orgulho de sua mãe com a própria beleza.

Antes que acabasse de falar, ouviu-se um ruído vindo da água e apareceu o monstro marinho, com a cabeça erguida sobre a superfície, cortando as ondas com o enorme peito. A virgem estremeceu, e seus pais, que haviam chegado ao local, mostravam-se desesperados, principalmente a mãe, que, incapaz, contudo, de proteger a filha, limitava-se a lamentar e abraçar a vítima.

– Não há tempo para lágrimas – exclamou Perseu, então. – Só temos este momento para salvá-la. Minha posição como filho de Júpiter e meu renome como matador da górgona torna-me aceitável como pretendente. Tentarei, contudo, merecê-la pelos serviços prestados, se os deuses me forem propícios. Se ela for salva pelo meu valor, peço que seja a minha recompensa.

Os pais consentiram (quem teria hesitado?) e prometeram, com a filha, um dote real.

O monstro já se encontrava a uma distância em que seria alcançado por uma pedrada de um hábil atirador, quando o jovem, num impulso súbito, ergueu-se no ar.

GALERIA DEGLI UFFIZI, FLORENÇA

Perseu salva Andrômeda, PIERO DI COSIMO

Como uma águia, quando das alturas em que voa, avista uma serpente aquecendo-se ao sol, lança-se sobre ela e prende-a pelo pescoço, impedindo-a de virar a cabeça e utilizar-se de seus dentes, assim o jovem investiu contra o dorso do monstro, mergulhando a espada em seus ombros. Furioso com o ferimento, o monstro ergueu-se no ar, depois mergulhou no mar e, em seguida, como o javali cercado por uma matilha de cães, voltou-se rapidamente de um lado para o outro enquanto o jovem livrava-se de seus ataques por meio das asas. Sempre que conseguia encontrar, entre as escamas, uma passagem para a espada, Perseu produzia um ferimento no monstro, atingindo ora o flanco, ora as proximidades da cauda. A fera lançava, pelas narinas, água misturada com sangue. As asas do herói estavam molhadas e ele já não se atrevia a confiar nelas. Colocando-se num rochedo que se erguia acima das ondas, e erguendo um fragmento da rocha, desfechou com ele o golpe mortal. O povo, que se reunira na praia, ergueu um grito que ecoou pelos montes. Os pais, arrebatados de alegria, abraçaram o futuro genro, proclamando-o libertador e salvador de sua casa, e a virgem, causa e recompensa da luta, desceu do rochedo.

Cassiopéia era etíope e, portanto, negra, a despeito de sua proclamada beleza. Pelo menos é o que parece ter pensado Milton, que faz alusão ao episódio no "Penseroso", onde se refere à Melancolia como sendo

> *... a deusa sábia e santa,*
> *Cujo rosto divino tem um brilho*
> *Forte demais para o olhar humano.*
> *E, assim, de negra cor, aos nossos olhos,*
> *Parece ser. De cor escura e bela*
> *Como a irmã do Príncipe Mêmnon*
> *Ou a estelar Rainha da Etiópia*
> *Punida ao atrever-se a comparar*
> *Com a das ninfas do mar sua beleza.*

Cassiopéia é chamada a "estelar Rainha da Etiópia" porque, depois de morta, foi colocada entre as estrelas, formando a constelação daquele nome. Embora tivesse alcançado essa honra, as ninfas do mar, suas velhas inimigas, conseguiram que ela fosse colocada na parte do céu próxima ao pólo, onde, todas as noites, tem de passar metade do tempo com a cabeça para baixo, recebendo uma lição de humildade.

Mêmnon era um príncipe etíope a respeito do qual falaremos em outro capítulo.

A FESTA NUPCIAL

Acompanhando Perseu e Andrômeda, os alegres pais voltaram ao palácio onde se realizou um banquete, e tudo era risos e alegria. De súbito, porém, ouviram-se gritos belicosos, e Frineu, o noivo da donzela, surgiu com um grupo de seus sequazes, exigindo a jovem, como sua. Em vão, Cefeu retrucou-lhe:

– Deverias tê-la reclamado quando ela se encontrava acorrentada ao rochedo, vítima do monstro. A sentença dos deuses, voltando-a a tal destino, dissolveu todos os compromissos, como a morte o teria feito.

Frineu, em vez de responder, lançou seu dardo contra Perseu, não o atingindo, porém, e ficando desarmado. Perseu teria replicado, lançando o próprio dardo, mas o covarde atacante fugiu e escondeu-se atrás do altar. Isso foi sinal para o ataque geral de seu bando contra os convivas de Cefeu. Estes defenderam-se seguindo-se um conflito geral, e o velho rei retirou-se da cena depois de infrutíferos apelos, invocando o testemunho dos deuses de que não tinha culpa do ultraje aos deveres de hospitalidade.

Perseu e seus amigos sustentaram, por algum tempo, a luta desigual, mas o número de atacantes era excessivo para eles e sua destruição parecia inevitável, quando Perseu teve uma idéia: "Farei minha inimiga defender-me."

Depois exclamou, em voz alta:

– Se tenho aqui algum amigo, que ele afaste os olhos!

E levantou a cabeça de Medusa.

– Não tentes amedrontar-nos com tuas imposturas! – exclamou Tesceleu.

Ergueu o dardo, para lançá-lo, e transformou-se em pedra nessa posição.

Ampix ia cravar a espada no corpo de um inimigo prostrado, mas seu braço inteiriçou-se, e ele não pôde estendê-lo, nem dobrá-lo. Outro, no meio de um ruidoso desafio, ficou com a boca aberta, sem emitir qualquer som. Aconteus, um dos amigos de Perseu, avistou a górgona e imobilizou-se como os outros. Astíages atingiu-o com a espada, mas esta, em vez de feri-lo, retrocedeu, com um ruído áspero.

Frineu, contemplando o terrível resultado de sua injusta agressão, ficou transtornado. Chamou os amigos, em voz alta, mas não obteve resposta; tocou-os e viu que eram pedra. Caindo de joelhos e estendendo os braços para Perseu, mas com o rosto voltado para outro lado, implorou misericórdia.

– Toma tudo, mas poupa-me a vida – exclamou.

– Desprezível covarde – retrucou Perseu –, conceder-te-ei isso. Nenhuma arma te tocará. Além disso, serás conservado em minha casa, como lembrança destes aconte-cimentos.

Assim dizendo, levantou a cabeça da górgona na direção em que Frineu olhava e este transformou-se num bloco de pedra, na mesma posição em que se encontrava, de joelhos, com os braços estendidos e o rosto virado.

CAPÍTULO XVI

OS MONSTROS: GIGANTES, A ESFINGE, PÉGASO E A QUIMERA, CENTAUROS, PIGMEUS E GRIFOS

Os monstros, na linguagem da mitologia, eram seres de partes ou proporções sobre-naturais, em via de regra encarados com horror, como possuindo imensa força e ferocidade, que empregavam para perseguir e prejudicar os homens. Alguns deles, imaginava-se, combinavam os membros de diferentes animais, como a Esfinge e a Quimera. E a todos estes eram atribuídas as terríveis qualidades dos animais ferozes, juntamente com a sagacidade e outras qualidades humanas. Outros, como os gigantes, diferiam dos homens principalmente quanto ao tamanho; e, nesse particular, devemos reconhecer que havia uma grande diferença entre eles. Os gigantes humanos, se assim podiam ser chamados, tais como os Ciclopes, Anteu, Órion e outros, não eram inteiramente despro-porcionados com relação aos seres humanos, pois se misturavam com os homens, em seus amores e lutas. Por outro lado, os gigantes super-humanos, que guerreavam com os deuses, eram de proporções muito mais vastas. Tício, contava-se, quando se estendia na planície cobria nove acres,[1] e para cobrir Encélado foi preciso todo o Monte Etna.

Já falamos da guerra que os gigantes travaram com os deuses e de seu desfecho. En-quanto durou essa guerra, os gigantes mostraram-se inimigos temíveis. Alguns deles, co-mo Briareu, tinham cem braços; outros, como Tífon, soltavam fogo pela boca e pelas na-rinas. Em certa ocasião, fizeram tanto medo aos deuses que estes fugiram para o Egito e se esconderam sob várias formas. Júpiter tomou a forma de um carneiro, pelo que depois

---

[1] O acre equivale a 40,70 ares (N. do T.)

O gigante, Francisco De Goya, c.1818, AQUATINTA

foi cultuado no Egito como o deus Âmon, com chifres recurvados. Apolo transformou-se em um corvo, Baco, em um bode, Diana, em uma gata, Juno, em uma vaca, Vênus, em um peixe, Mercúrio, em uma ave. Em outra ocasião, os gigantes tentaram escalar o céu e, para esse fim, colocaram o Monte Ossa sobre o Pélion.[2] Afinal, foram vencidos pelos raios, que Minerva inventou e ensinou Vulcano e os Ciclopes a fazer para Júpiter.

A ESFINGE

Laio, rei de Tebas, foi advertido por um oráculo de que haveria perigo para sua vida e seu trono se crescesse seu filho recém-nascido. Ele, então, entregou a criança a um pastor, com ordem de que fosse morta. O pastor, porém, levado pela piedade e, ao mesmo tempo, não se atrevendo a desobedecer inteiramente à ordem recebida, amarrou a criança pelos pés e deixou-a pendendo do ramo de uma árvore. O menino foi encontrado por um camponês, que o levou aos seus patrões. O casal adotou a criança, que recebeu o nome de Édipo, ou Pés Distendidos.

Muitos anos depois, quando Laio se dirigia para Delfos, acompanhado apenas de um servo, encontrou-se, numa estrada muito estreita, com um jovem que também conduzia um carro. Como este se recusasse a obedecer à ordem de afastar-se do caminho, o servo matou um de seus cavalos, e o estranho, furioso, matou Laio e seu servo. O jovem era Édipo, que, desse modo, se tornou o assassino involuntário do próprio pai.

Pouco depois desse fato, a cidade de Tebas viu-se afligida por um monstro, que assolava as estradas e era chamado de Esfinge. Tinha a parte inferior do corpo de leão e a parte superior de uma mulher e, agachada no alto de um rochedo, detinha todos os viajantes que passavam pelo caminho, propondo-lhes um enigma, com a condição de que passariam sãos e salvos aqueles que o decifrassem, mas seriam mortos os que não conseguissem encontrar a solução. Ninguém conseguira decifrar o enigma, e todos haviam sido mortos. Édipo, sem se deixar intimidar pelas assustadoras narrativas, aceitou, ousadamente, o desafio.

– Qual é o animal que de manhã anda com quatro pés, à tarde com dois e à noite com três? – perguntou a Esfinge.

– É o homem, que engatinha na infância, anda ereto na juventude e com ajuda de um bastão na velhice – respondeu Édipo.

---

[2] *Imponere Pelio Ossam* – Virgílio.

A Esfinge ficou tão humilhada ao ver resolvido o enigma que se atirou do alto do rochedo e morreu.

A gratidão do povo pela sua libertação foi tão grande que fez de Édipo seu rei, dando-lhe a Rainha Jocasta em casamento. Não conhecendo seus progenitores, Édipo já se tornara assassino do próprio pai; casando-se com a rainha, tornou-se marido da própria mãe. Esses horrores ficaram desconhecidos até que Tebas foi assolada pela peste e, sendo consultado o oráculo, revelou-se o duplo crime de Édipo. Jocasta pôs fim à própria vida, e Édipo, tendo enlouquecido, furou os olhos e fugiu de Tebas, temido e abandonado por todos, exceto pelas filhas, que fielmente o seguiram até que, depois de dolorosa peregrinação, ele se libertou de sua desgraçada vida.

Pégaso e a Quimera

Quando Perseu cortou a cabeça de Medusa, o sangue, caindo sobre a terra, transformou-se no cavalo alado Pégaso. Minerva pegou-o e amansou-o, dando-o de presente às musas. A fonte de Hipocreue, situada na montanha onde viviam as musas, Hélicon, foi aberta por um coice daquele cavalo.

A Quimera era um monstro horripilante, que expelia fogo pela boca e pelas narinas. A parte anterior de seu corpo era uma combinação de leão e cabra e a parte posterior, a de um dragão. Causava grandes estragos na Lícia, de sorte que o rei do país, Iobates, procurava um herói para destruí-la. Naquela ocasião, chegou à sua corte um jovem e bravo guerreiro, chamado Belerofonte, que trazia carta de Proteu, genro de Iobates, recomendando-o em termos calorosos como um herói invencível, mas acrescentando, no fim, um pedido ao sogro para mandar matá-lo. O motivo disso é que Proteu tinha ciúme de Belerofonte, por desconfiar de que sua esposa, Antéia, nutria demasiada admiração pelo jovem guerreiro.

Ao ler as cartas, Iobates ficou hesitante, não querendo violar as regras da hospitalidade, mas desejoso de satisfazer a vontade do genro. Teve, então, a idéia de mandar Belerofonte lutar contra a Quimera. Belerofonte aceitou a proposta, mas antes de entrar em combate consultou o vidente Pólido, que o aconselhou a recorrer, se possível, para a luta, ao cavalo Pégaso. Para esse fim, o jovem deveria passar a noite no templo de Minerva. Assim fez Belerofonte e, enquanto dormia, Minerva procurou-o e entregou-lhe uma rédea de ouro, que se encontrava na mão do jovem quando ele despertou. Minerva mostrou-lhe, também, Pégaso bebendo água no poço de Pirene, e, mal avistou a rédea dourada, o cavalo aproximou-se docilmente e se deixou cavalgar. Nele montado, Belerofonte elevou-se nos ares, não tardou a encontrar a Quimera e obteve uma fácil vitória sobre o monstro.

Depois de vencer a Quimera, Belerofonte foi exposto a novos perigos e trabalhos por seu pouco amável hospedeiro, mas, com a ajuda de Pégaso, triunfou em todas as provas, até que Iobates, vendo que o herói era particularmente favorecido pelos deuses, deu-lhe sua filha em casamento e tornou-o seu sucessor no trono. Afinal, Belerofonte, por seu orgulho e presunção, incorreu na ira dos deuses; chegou, segundo se conta, a tentar voar até o céu em seu corcel alado, mas Júpiter mandou um moscardo atormentar Pégaso. O cavalo atirou ao chão o cavaleiro, que, em conseqüência, se tornou coxo e cego. Depois disso, Belerofonte vagou sozinho pelos campos aleanos, evitando o contato dos homens, e morreu miseravelmente.

Milton faz alusão a Belerofonte no começo do Livro VII do *Paraíso Perdido*:

Desce, Urânia, ao céu (se, realmente,
Deves por este nome ser chamada),
Tu, de cuja voz divina ao apelo,
Subi além do Olimpo, além dos cimos
Que Pégaso alcançara com seu vôo,
E, assim, por ti levado ao céu supremo,
Respirar atrevi o ar do Empíreo
(Teu elemento), eu, mortal humilde,
Faze-me voltar, agora, tão seguro
Como quando parti, ao chão da terra.
Não permitas, Urânia, que, caindo
Do fogoso corcel que ora cavalgo
(Como Belerofonte, de uma altura
Muito menos caído), abandonado
Venha me ver nos campos aleanos,
Sem saber dirigir os próprios passos.

COLEÇÃO PARTICULAR

Belerofonte mata Quimera, GIOVANNI-BATTISTA TIEPOLO

Como cavalo das musas, Pégaso esteve sempre a serviço dos poetas. Schiller contanos, a propósito, uma história pitoresca, segundo a qual um poeta necessitado vendera o cavalo, que foi destinado a puxar a carroça e o arado. Pégaso não se adaptou a tal serviço e seu rústico dono não viu serventia para o animal. Um jovem, contudo, pediulhe que o deixasse experimentar. E, mal o cavalgou, o animal, que a princípio se mostrava indomável e depois apático, ergueu-se majestosamente, como um espírito ou um deus, desdobrou o esplendor de suas asas e voou para o céu. Também Longfellow recorda uma aventura do famoso corcel em seu poema "Pégaso no Lago".

Shakespeare faz alusão a Pégaso no "Henrique IV", onde Veron descreve o Príncipe Henrique:

> De elmo e armadura lhe cobrindo o corpo,
> O jovem Henrique vi do chão erguer-se,
> Tão destro quanto o alígero Mercúrio,
> E o corcel cavalgar, airosamente,
> Como se fosse um anjo que das nuvens
> Caísse e um cavaleiro se fizesse,
> Para um fogoso Pégaso domar.

os centauros

Estes monstros tinham do homem a cabeça e o tronco e o restante do corpo, do cavalo. Os antigos apreciavam muito o cavalo para considerar que sua união com o homem constituísse uma forma degradante e, assim sendo, o centauro é o único dos monstros mitológicos da Antiguidade ao qual eram atribuídas boas qualidades. Os centauros eram admitidos na companhia dos homens, e estavam entre os convidados no casamento de Píritos com Hipodâmia. Na festa, Eurátion, um dos centauros, tendo-se embriagado com vinho, tentou violentar a noiva; os outros centauros seguiram seu exemplo, provocando um terrível conflito, no qual vários deles foram mortos. É a célebre batalha dos lápites e centauros, assunto favorito dos escultores e poetas da Antiguidade.

Nem todos os centauros, porém, eram semelhantes aos grosseiros convidados de Píritos. Quíron recebeu lições de Apolo e Diana, tornando-se famoso por sua habilidade na caça, medicina, música e arte da profecia. Os mais notáveis heróis da Grécia foram seus discípulos, entre eles o menino Esculápio, que lhe foi confiado por seu pai Apolo. Quando o sábio voltou para casa levando a criança, sua filha Ocíroe veio ao seu encontro e, vendo a criança, começou a profetizar (pois era profetisa), prevendo a glória que ela iria conquistar. Esculápio, depois de adulto, tornou-se médico famoso e, em um caso, chegou mesmo a restituir a vida a um morto. Plutão irritou-se com isso e, a seu pedido, Júpiter fulminou o ousado e atrevido médico com um raio, mas, depois de sua morte, recebeu-o entre os deuses.

Quíron foi o mais sábio e justo dos centauros, e, quando morreu, Júpiter colocou-o entre as estrelas, como a constelação do Sagitário.

OS PIGMEUS

Os pigmeus constituíam uma nação de anões e seu nome deriva de uma palavra grega que significa uma medida correspondente a cerca de treze polegadas,[3] que, segundo se acreditava, era a altura daquela gente. Os pigmeus viviam perto das nascentes do Nilo, ou, de acordo com outros, na Índia. Homero conta que os grous costumavam emigrar, todos os invernos, para o país dos pigmeus, e seu aparecimento era o sinal de uma sangrenta guerra com os diminutos habitantes, que tinham de pegar em armas para defender os trigais contra os rapaces estrangeiros. Os pigmeus e seus inimigos, os grous, serviram de assunto a diversas obras de arte.

Escritores mais modernos falam de um exército de pigmeus que, encontrando Hércules adormecido, preparou-se para atacá-lo, como se se tratasse do ataque a uma cidade. O herói, contudo, tendo despertado, riu dos minúsculos guerreiros e, embrulhando alguns em sua pele de leão, levou-os para Eristeu.

Milton utiliza-se dos pigmeus para uma comparação no *Paraíso Perdido*:

Os pigmeus que vivem além da Índia
Ou os Elfos gentis, cujos folguedos
Os camponeses vêem (ou sonham ver)
Nas clareiras da mata e junto às fontes.

OS GRIFOS

Os grifos eram monstros com corpo de leão, cabeça e asas de águia e as costas cobertas de penas. Construíam ninhos, como as aves, mas, em vez de um ovo, punha no ninho uma ágata. Tinham garras de um tamanho tal que os habitantes da Índia, país onde se acreditava viver o grifo, delas faziam taças. Os grifos encontravam ouro nas montanhas e com ele faziam seus ninhos, razão pela qual esses ninhos despertavam grande interesse entre os caçadores e tinham de ser vigiados com atenção. O instinto levava os grifos a saber onde havia tesouros escondidos e eles tudo faziam para manter os saqueadores e ladrões a distância. Os arispianos, entre os quais viviam os grifos, eram um povo da Cítia, de um só olho.

Milton faz uma comparação baseando-se nos grifos, no Livro II do *Paraíso Perdido*:

Como quando na selva um grifo alado
Através de colinas e charnecas,
Persegue o arispiano que seu ouro
Se atreveu a juntar.

---

[3] Uma polegada equivale a 2,54 centímetros. (N. do T.)

CAPÍTULO XVII

O VELOCINO DE OURO
MEDÉIA E ESÃO

O VELOCINO DE OURO

Há muitos e muitos anos, viviam na Tessália um rei e uma rainha chamados Atamas e Nefele, que tinham dois filhos, um menino e uma menina. Depois de um certo tempo, Atamas enfarou da esposa, expulsou-a e casou-se com outra mulher. Nefele, receosa de que os filhos corressem perigo, em vista da influência da madrasta, tratou de livrá-los desse perigo. Mercúrio ajudou-a e deu-lhe um carneiro com velocino de ouro, no qual Nefele colocou as duas crianças, certa de que o carneiro as levaria a um lugar seguro. O carneiro elevou-se no ar com as duas crianças nas costas, tomando o rumo do nascente, até que, ao passar sobre o estreito que separa a Europa da Ásia, a menina, cujo nome era Heles, caiu no mar, que passou a ser chamado Helesponto, hoje Dardanelos. O carneiro continuou a viagem, até chegar ao reino da Cólquida, na costa oriental do Mar Negro, onde depositou são e salvo o menino, Frixo, que foi hospitaleiramente recebido pelo rei do país, Etes. Frixo sacrificou o carneiro a Júpiter e ofereceu a Etes o Velocino de Ouro, que foi posto numa gruta sagrada, sob a guarda de um dragão que não dormia.

Havia na Tessália outro reino, perto do de Atamas, e governado por um parente seu. Cansado com os cuidados do governo, o Rei Esão passou a coroa a seu irmão Pélias, com a condição de que este a mantivesse apenas durante a menoridade de seu filho Jasão. Quando, chegando à idade conveniente, Jasão foi reclamar a coroa a seu tio, este fingiu-se disposto a entregá-la, mas, ao mesmo tempo, sugeriu ao jovem a gloriosa aventura de ir em busca do Velocino de Ouro, que se sabia estar no reino da Cólquida e que, segundo afirmava Pélias, era a legítima propriedade da família. Jasão acolheu a idéia e tratou logo de fazer os preparativos para a expedição. Naquele tempo, a única navegação conhecida pelos gregos era feita em pequenos botes ou canoas, feitos de troncos de árvores, de modo que, quando Jasão incumbiu Argos de construir uma embarcação capaz de transportar cinqüenta homens, o empreendimento foi considerado como gigantesco. Foi realizado, contudo, e o barco tomou o nome de "Argo", em homenagem ao seu construtor. Jasão convidou a participarem da empresa todos os jovens gregos amantes de aventuras, muitos dos quais tornaram-se depois conhecidos entre os heróis e semideuses da Grécia. Entre eles, encontravam-se Hércules, Teseu, Orfeu e Nestor. Os expedicionários foram chamados argonautas, do nome do barco.

O "Argo", com sua tripulação de heróis, deixou a costa da Tessália e, depois de tocar na Ilha de Lemos, fez a travessia para a Mísia e dali passou à Trácia, onde os argonautas encontraram o sábio Frineu e dele receberam instruções sobre o futuro curso. A entrada do Ponto Euxino estava impedida por duas pequenas ilhas rochosas, que flutuavam na superfície do mar e, sacudidas pelas vagas, ajuntavam-se, às vezes, esmagando completamente qualquer objeto que estivesse entre elas. Eram chamadas as Simplegades, ou Ilhas da Colisão. Frineu instruiu os argonautas sobre o modo de atravessar aquele estreito perigoso. Quando os expedicionários chegaram às ilhas, soltaram uma pomba, que passou entre os rochedos sã e salva, perdendo só algumas penas da cauda. Jasão e seus companheiros aproveitaram-se do momento favorável em que as ilhas se afastavam uma da outra, remaram com vigor e passaram a salvo, enquanto as ilhas se colidiam de novo, atingindo a popa do barco. Remaram, então, ao longo do litoral, até chegarem à extremidade oriental do mar, onde desembarcaram no reino da Cólquida.

Jasão transmitiu sua mensagem ao Rei Etes, que concordou em desistir do Velocino de Ouro se Jasão, por sua vez, concordasse em arar a terra com dois touros de patas de bronze que soltavam fogo pela boca e pelas narinas, e semeasse os dentes do dragão que Cadmo matara e dos quais sairia, segundo se sabia, uma safra de guerreiros, que voltariam suas armas contra o semeador. Jasão aceitou as condições e foi marcada a ocasião das provas. Antes, porém, ele conseguiu pleitear sua causa junto de Medéia, filha do rei, a quem prometeu casamento, invocando, por juramento, o testemunho de Hécate, quando se encontravam diante de seu altar. Medéia cedeu e, graças à sua ajuda, pois ela era uma poderosa feiticeira, Jasão conseguiu um encantamento para se livrar da respiração de fogo dos touros e das armas dos guerreiros.

Na ocasião marcada, o povo reuniu-se no Campo de Marte, e o rei sentou-se no trono enquanto a multidão ocupava as elevações próximas. Os touros de patas de bronze surgiram, respirando fogo e queimando as ervas, enquanto passavam, com as chamas que lhes saíam das narinas. O ruído que faziam era semelhante ao de uma fornalha e a fumaça que desprendiam, à provocada pela água lançada sobre a cal viva. Jasão avançou, ousadamente, para enfrentá-los. Seus amigos, os heróis escolhidos da Grécia, tremeram ao contemplá-lo. Não obstante a respiração de fogo dos touros, ele lhes acalmou com a voz, afagou-os no pescoço e destramente colocou-lhes o jugo e obrigou-os a arar a terra. Os habitantes da Cólquida ficaram assombrados; os gregos lançaram gritos de alegria. Logo surgiu a sementeira de homens armados e – maravilha das maravilhas! – mal tinham atingido a superfície da terra, esses homens, brandindo suas

O Velocino de Ouro, H. J. DRAPER, 1904, ÓLEO SOBRE TELA

armas, investiram contra Jasão. Os gregos tremeram de medo por seu herói, e mesmo aquela que lhe fornecera um meio de proteger-se e ensinara-lhe como usá-lo, a própria Medéia, empalideceu de temor. Jasão, durante algum tempo, manteve os atacantes a distância, com a espada e o escudo, mas, vendo que seu número era esmagador, recorreu ao encantamento que Medéia lhe ensinara: pegou uma pedra e atirou-a no meio dos inimigos. Estes, imediatamente, voltaram as armas uns contra os outros, e, dentro em pouco, não havia vivo um só da estirpe do dragão. Os gregos abraçaram seu herói, e Medéia também o teria abraçado, se se atrevesse.

Restava fazer adormecer o dragão que guardava o velocino, e isso foi conseguido lançando-se sobre ele algumas gotas de um preparado que Medéia fornecera. Sentindo-lhe o cheiro, o dragão acalmou-se, ficou imóvel, por um momento, depois fechou os grandes olhos redondos, que, segundo se sabia, nunca fechara antes e, virando-se de lado, adormeceu. Jasão apoderou-se do velocino e, acompanhado dos amigos e de Medéia, apressou-se em dirigir-se ao barco, antes que o Rei Etes impedisse a partida, e voltou à Tessália, onde todos chegaram sãos e salvos, e Jasão entregou o velocino a Pélias e consagrou "Argo" a Netuno. Não sabemos o que foi feito posteriormente do Velocino de Ouro, mas talvez se tenha verificado, à semelhança de muitos outros tesouros, que ele não valera o trabalho da conquista.

O episódio é uma dessas histórias mitológicas, observa um escritor, em que há razão para acreditar na existência de um substrato de verdade, embora perdida entre muita ficção. Trata-se, provavelmente, da primeira expedição marítima importante e, como se dá com as tentativas dessa espécie em qualquer nação, ao que a história nos ensina, deve ter tido, de certo modo, um caráter de pirataria. Se foram colhidos ricos despojos, tal fato seria suficiente para fazer surgir a idéia do velocino de ouro.

Pope, em sua "Ode ao Dia de Santa Cecília", assim celebra o lançamento ao mar do navio "Argo" e o poder da música de Orfeu, a quem chama o Trácio:

Quando a primeira nau, ousadamente,
Desafiou o mar, em sua popa
O Trácio as cordas dedilha da lira,
Enquanto Argos contemplava as árvores,
Até há pouco suas companheiras,
Descer do Pélion para à praia virem.
Os semideuses em silêncio ouviram.
E os homens em heróis se transformaram.

No poema de Deyer, "O Velocino", há uma descrição do "Argo" e sua tripulação, que dá uma boa idéia dessa aventura marítima primitiva:

Reúnem-se os heróis vindos de todo
O litoral do Egeu: Castor e Polux,
Os ilustres irmãos, e Orfeu, o bardo
De lira pura e maviosa, e Zetas
E Calais, tão velozes quanto o vento,
Hércules e outros chefes renomados.
Na branca praia de Iocles eles se apinham,
Com as claras armaduras reluzindo.
A corda de loureiro e a enorme pedra
Ao convés são alçadas. Zarpa a nave
Cuja quilha perfeita mão de Argos
Para a ousada aventura construída.

Hércules deixou a expedição em Mísia, porque Hilas, um jovem amado por ele, tendo desembarcado para buscar água, ficou detido pelas ninfas da fonte, fascinadas por sua beleza, Hércules entrou numa discussão, por causa do jovem, e, durante sua ausência, o "Argo" se fez ao mar, deixando-o. Em uma de suas canções, Moore faz uma bela alusão a esse incidente:

Quando Hilas foi encher o seu cântaro à fonte
Ia alegre, jovial, ao caminhar sozinho,
E o cântaro, a vagar pelos prados e montes,
Largou, para colher as flores do caminho.

***

Hilas e as Ninfas, JOHN WILLIAM WATERHOUSE, 1896, ÓLEO SOBRE TELA

Desdenhei de beber, em minha juventude,
Na fonte do saber da sã filosofia.
Com as flores me ocupei tão-só, enquanto pude,
E a urna que levei deixei ficar vazia.

medéia e esão

Entre o regozijo pela recuperação do Velocino de Ouro, Jasão achou que faltava alguma coisa: a presença de seu pai, Esão, impedido de participar das festividades por estar velho e enfermo.

– Minha esposa – disse ele a Medéia –, poderiam tuas artes, cujo valor comprovei em meu proveito, prestar-me mais um serviço, tirando alguns anos de minha vida para acrescentar à vida de meu pai?

– Isso não será feito a tal custo, mas, se minha arte ajudar-me, a vida de teu pai será aumentada, sem que se abrevie a tua – replicou Medéia.

Na primeira noite de lua cheia, ela saiu sozinha, enquanto todas as criaturas dormiam. Nem o melhor sopro de vento agitava as folhagens, e tudo estava quieto. Ela dirigiu seus encantamentos à lua e às estrelas; a Hécate,[1] a deusa do mundo dos mortos, e a Télus, deusa da terra, cujo poder é capaz de produzir as plantas eficazes para o encantamento. Invocou os deuses dos bosques e das cavernas, das montanhas e dos vales, dos lagos e dos rios, dos ventos e dos vapores. Enquanto falava, as estrelas brilhavam com mais intensidade e, de súbito, um carro desceu pelo espaço, puxado por serpentes voadoras. Medéia nele subiu e, elevando-se, viajou para regiões distantes, onde cresciam

---

[1] Hécate era uma divindade misteriosa, às vezes identificada com Diana e, outras vezes, com Proserpina. Como Diana representa o esplendor da noite de lua cheia, Hécate representa suas trevas e horrores. Era a deusa da bruxaria e do encantamento, e acreditava-se que vagava à noite pela terra, vista somente pelos cães, cujos latidos indicavam sua aproximação.

plantas eficazes, as quais sabia como escolher para o fim visado. Empregou nove noites nessa busca, e, durante esse tempo, não voltou ao interior de seu palácio nem ficou sob qualquer teto, e evitou todo contato com os mortais.

Em seguida, ergueu dois altares, um para Hécate, outro para Hebe, a deusa da juventude, e sacrificou um carneiro negro, espalhando libações de leite e de vinho. Implorou a Plutão e sua raptada esposa que não se apressassem em tirar a vida do velho. Em seguida, fez com que Esão fosse trazido até junto dela e, tendo-o feito dormir profundamente com seus encantamentos, deixou-o estendido num leito de ervas, como um morto. Jasão e os outros foram mantidos afastados do local, a fim de que olhos de profanos não pudessem contemplar os mistérios. Depois, com os cabelos soltos, fez três vezes a volta dos altares, atirando ao sangue achas em chamas e deixou-as queimarem-se ali. Enquanto isso, colocava num caldeirão ervas mágicas, com sementes e flores de suco acre, pedras do longínquo Oriente e areia da praia do oceano que rodeia todas as terras; alva geada colhida ao luar, a cabeça e as asas de uma coruja e as entranhas de um lobo. Ajuntou fragmentos do casco de tartarugas e fígado de veado – animais vivedouros – e a cabeça e o bico de um corvo, que sobrevive nove gerações de homens. Tudo isso, com muitas outras coisas "sem nome", ela cozinhou, mexendo-as com um galho seco de oliveira. E, milagre!, quando retirado, o galho imediatamente tornou-se verde e, dentro em pouco, cobriu-se de folhas e de oliveiras novas. E, enquanto o líquido fervia e borbulhava, a relva, para onde, às vezes, escorria um pouco dele, adquiria um verdor semelhante ao da primavera.

Vendo que tudo estava pronto, Medéia cortou o pescoço do velho, retirou todo o seu sangue e despejou, pela boca e pelo ferimento, o conteúdo do caldeirão. Logo que esse conteúdo o embebeu completamente, os cabelos e a barba de Esão perderam sua brancura e retomaram o negrume da mocidade; a palidez e a magreza desapareceram; suas veias ficaram repletas de sangue e seus membros de vigor e robustez. O próprio Esão sente-se maravilhado, e lembra-se de que tal como está agora era em sua mocidade há quarenta anos.

Nesse caso, Medéia usou suas artes para uma finalidade louvável, mas não em outra circunstância, em que as tornou instrumento da vingança. Pélias, como os leitores devem se lembrar, tio de Jasão, usurpara o trono. Devia, no entanto, ter algumas boas qualidades, pois suas filhas o amavam e, quando viram o que Medéia fizera por Esão, quiseram que fizesse o mesmo para seu pai. Medéia fingiu concordar e preparou o caldeirão, como antes. A seu pedido, foi trazido um velho carneiro e mergulhado no caldeirão. Dentro em pouco, ouviu-se um balido dentro da vasilha e, quando sua tampa foi levantada, saltou de dentro um cordeiro, que se pôs a correr pelo campo. As filhas de Pélias assistiram deleitadas à experiência e marcaram uma ocasião para seu pai ser submetido ao mesmo tratamento. Medéia, contudo, preparara para ele o caldeirão de modo diferente, colocando apenas água e algumas ervas comuns. De noite, ela, em companhia das irmãs, entrou no quarto do velho rei, que, juntamente com seus guardas, dormia profundamente sob a influência de um encantamento da própria Medéia. As filhas ficaram junto do leito, com as armas desembainhadas, mas hesitando em usá-las, até que Medéia censurou sua irresolução. Então, virando o rosto, e desferindo punhaladas ao acaso, as jovens feriram o pai. Este, acordando de súbito, gritou:

– Minhas filhas, o que estão fazendo? Ides matar vosso pai?

As filhas perderam a coragem e atiraram fora suas armas, mas Medéia desferiu-lhe o golpe de misericórdia, fazendo calar Pélias.

Em seguida, o velho foi colocado no caldeirão, e Medéia apressou-se em partir, em seu carro puxado por serpentes, antes que fosse descoberta sua traição, pois a vingança das filhas deveria ser terrível. Conseguiu fugir, mas pouco gozou os frutos de seu crime. Jasão, por quem tanto ela fizera, repudiou-a, para casar-se com Crusa, princesa de Corinto. Furiosa com essa ingratidão, Medéia invocou os deuses, pedindo vingança, mandou um vestido envenenado à noiva como presente de casamento, e depois de ter matado os próprios filhos e incendiado o palácio, subiu ao carro puxado por serpentes e fugiu para Atenas, onde se casou com o Rei Egeu, pai de Teseu. Teremos de novo notícias dela, quando tratarmos das aventuras daquele herói.

Os encantamentos de Medéia farão o leitor recordar-se das feiticeiras de *Macbeth*. Os versos seguintes são os que parecem relembrar mais vivamente o velho modelo:

Em torno ao caldeirão rodai, rodai,
Peçonhentas entranhas atirai.

....

Uma posta de carne de serpente
Fervei, cozei, no caldeirão bem quente.

Olho de salamandra e pé de sapo,
Língua de cão e pêlo de morcego,
Dente de cobra venenosa e suja,
Pé de lagarto e asa de coruja.
MACBETH ATO IV CENA I

E ainda:

Macbeth – Que fazeis?
Feiticeiras – Ação que não tem nome.

Há ainda outra versão sobre Medéia, revoltante demais mesmo para se referir a uma feiticeira, classe de gente a quem os poetas, tanto antigos como modernos, acostumaram-se a atribuir a maior malvadez. Em sua fuga da Cólquida, ela havia levado consigo seu jovem irmão Absirto. Ao perceber que os navios de Etes que perseguiam os argonautas os estavam quase alcançando, Medéia mandou esquartejar o irmão e atirar seus membros ao mar. Etes, ao chegar ao local, encontrou os dolorosos restos do filho assassinado; mas, enquanto parava para recolhê-los e dar-lhes um destino honroso, os argonautas puderam escapar.

capítulo xviii
meléagro e atalanta

Um dos heróis da expedição dos argonautas foi Meléagro, filho de Eneus e Altéia, rei e rainha de Cálidon. Quando seu filho nasceu, Altéia viu as três Parcas, que, enquanto teciam o fio fatal, previram que a vida da criança não duraria mais que uma acha de lenha que estava sendo queimada no fogão. Altéia pegou a acha, apagou-a e conservou-a, cuidadosamente, durante anos, enquanto Meléagro atravessava a infância, a adolescência e a virilidade. Ora, aconteceu, então, que Eneus, ao oferecer sacrifícios aos deuses, esqueceu-se de prestar as honras devidas a Diana, e esta, indignada, mandou um enorme javali flagelar os campos de Cálidon. Os olhos do animal lançavam chispas de fogo, suas cerdas pareciam chuços pontiagudos e seus dentes eram como as presas dos elefantes da Índia. O javali devastou os trigais, as vinhas e as oliveiras, e, com suas matanças, dispersou e confundiu os rebanhos. Todos os recursos comuns foram inúteis, mas Meléagro convocou os heróis da Grécia para caçarem, juntos, o malfazejo monstro. Teseu e seu amigo Píritos; Jasão, Peleu, que seria mais tarde pai de Aquiles; Télamon, pai de Ajax; Nestor, então jovem, mas que,

Paisagem com Meléagro e Atalanta, GIAN BATISTA VIOLA, C. 1613, ÓLEO SOBRE MADEIRA

depois de velho, lutaria ao lado de Aquiles e Ajax, na Guerra de Tróia, estavam entre os muitos que participaram da expedição. Com eles encontrava-se Atalanta, filha de Iásio, rei da Arcádia. Uma fivela de ouro polido prendia-lhe a veste, uma aljava de marfim pendia-lhe do ombro esquerdo e com a mão esquerda carregava o arco. Em seu rosto, a beleza feminina combinava-se com as graças da juventude marcial. Ao vê-la, Meléagro amou-a.

Os jovens heróis já se encontravam, porém, perto do covil do monstro. Estenderam redes de árvore em árvore, soltaram os cães e procuraram encontrar na relva as pegadas da fera. Havia um bosque que descia até um terreno pantanoso. Ali o javali, escondido entre os juncos, ouviu os gritos de seus perseguidores e investiu contra eles. Um ou outro foi derrubado e morto. Jasão lançou seu dardo, dirigindo uma prece a Diana, para ser bem-sucedido; a deusa permitiu que a arma tocasse o animal, mas não o matasse, afastando a ponta de ferro do dardo enquanto este cortava o ar. Nestor, atacado pela fera, procura e encontra salvação nos galhos de uma árvore. Télamon investe, mas, tropeçando numa raiz saliente, cai de bruços. Finalmente, porém, uma seta desfechada por Atalanta derrama, pela primeira vez, o sangue do monstro. É um ferimento leve, mas Meléagro o vê e o anuncia, alegremente. Anceu, invejoso do louvor feito a uma mulher, proclama em voz alta o próprio valor e desafia, ao mesmo tempo, o javali e a deusa que o enviara; ao avançar, porém, a fera enfurecida derrubou-o, mortalmente ferido. Teseu atira sua lança, que é desviada, porém, por um galho de árvore. O dardo de Jasão erra o alvo e, em vez do javali, mata um de seus próprios cães. Meléagro, contudo, depois de golpes infrutíferos, crava a lança no flanco do monstro e o acaba matando, com repetidas cutiladas.

Gritos de aclamação erguem-se em torno; todos congratulam-se com o autor da façanha, rodeando-o para cumprimentá-lo. Ele, pondo o pé sobre o javali, volta-se para Atalanta e oferece-lhe a cabeça e a pele do animal, que eram os troféus do seu sucesso. A inveja, no entanto, levou o resto dos caçadores à luta. Pléxipo e Toxeu, irmãos da mãe de Meléagro, além dos demais, opõem-se ao presente e arrebatam das mãos da donzela o troféu que ela havia recebido. Meléagro, furioso com o que lhe haviam feito, e mais ainda com a ofensa feita àquela que amava, esquece-se dos deveres de parentesco e crava a espada no coração de ambos os ofensores.

Quando Altéia conduzia aos templos oferendas de agradecimento pela vitória do filho, vê os corpos dos irmãos assassinados. Tremendo, esmurra o peito e corre a mudar as vestes de regozijo pelas de luto. Vindo, porém, a saber quem foi o autor do feito, a dor cede lugar a um duro desejo de vingança contra o próprio filho. Pega a acha de lenha que outrora retirara das chamas, e à qual estava presa a vida de Meléagro, e ordena que se acenda um fogo. Então, por quatro vezes tenta colocar a acha na fogueira, e quatro vezes recua, estremecendo à idéia de provocar a morte do próprio filho. Os sentimentos de mãe e de irmã lutam dentro dela. Ora empalidece com a idéia do que poderia ocorrer, ora seu rosto se congestiona, enraivecida com o que fizera o filho. Como um barco empurrado numa direção pelo vento e noutra direção pelas ondas, o espírito de Altéia é presa da dúvida. Agora, porém, a irmã prevalece sobre a mãe e ela exclama, segurando a acha fatal:

– Voltai-vos, Fúrias, deusas do castigo! Voltai-vos, para contemplardes o sacrifício que faço! O crime clama por crime. Deverá Eneus regozijar-se com seu filho vitorioso, enquanto a casa de Testius está desolada? Mas, ah! A que ação sou levada? Irmãos, perdoai a fraqueza de uma mãe. Minhas mãos traem-me. Ele merece a morte, mas não que eu o mate. Deverá, contudo, viver, triunfar e reinar sobre Cálidon, enquanto vós, meus irmãos, vagareis entre as sombras, não vingados? Não! Viveste graças a mim. Morre, agora, por teu próprio crime!

Devolve a vida que duas vezes te dei, primeiro pelo nascimento, depois quando retirei esta acha de lenha do fogo. Ah! Triste vitória é esta que conquistais, meus irmãos, mas conquistai-a!

E, virando o rosto, atirou a madeira fatal às chamas crepitantes. Estas deram, ou pareceram dar, um gemido profundo.

Meléagro, ausente, sem conhecer a causa, sentiu uma dor repentina. Sente queimar-se e apenas graças à sua coragem consegue vencer a dor que o destrói. Lamenta apenas perecer de uma morte incruenta e sem honra. Com o último suspiro, chama seu velho pai, seu irmão, suas queridas irmãs, sua amada Atalanta e sua mãe, a causa desconhecida de sua morte. As chamas aumentam e, com elas, o sofrimento do herói. Depois, ambos diminuem e desaparecem. A madeira transforma-se em cinzas e a vida de Meléagro perde-se entre os ventos.

Consumado o ato, Altéia voltou contra si mesma as mãos violentas. As irmãs de Meléagro choraram o irmão desesperadamente, até que Diana, apiedando-se da casa a que levara tantos dissabores, transformou-as em aves.

Atalanta

A causa inocente de tantos pesares era uma jovem cujo rosto poder-se-ia dizer, com segurança, que era muito masculino para uma mulher e, ao mesmo tempo, muito feminino para um homem. Seu destino fora revelado e era neste sentido: "Não te cases, Atalanta; o casamento será tua ruína." Atemorizada com esse oráculo, a jovem fugiu da companhia dos homens e dedicou-se aos exercícios corporais e à caça. A todos os pretendentes (pois tinha muitos) impunha uma condição que, em geral, a livrava da perseguição:

– Darei o prêmio àquele que vencer-me numa corrida, mas a morte será o castigo do que tentar e falhar.

A despeito dessa séria condição, alguns se arriscaram. Hipômenes deveria ser o juiz da corrida.

– Será possível que alguém seja tão louco a ponto de se arriscar desse modo para conquistar uma esposa? – disse ele.

Mas, quando viu Atalanta tirar as vestes para a corrida, mudou de opinião, e exclamou:

– Perdoai-me, jovens. Não sabia qual era o prêmio que iríeis disputar.

E, ao contemplá-los, desejava que todos fossem derrotados e enchia-se de inveja daqueles que pareciam capazes de vencer. Enquanto se entregava a tais pensamentos, a virgem começou a correr e, correndo, era ainda mais bela do que sempre. A brisa parecia dar-lhe asas aos pés; os cabelos agitavam-se sobre os ombros e a vistosa fímbria de suas vestes flutuava atrás dela. Um rubor coloria-lhe a alvura da cútis, como a sombra de uma cortina carmesim sobre uma parede de mármore.

Todos os concorrentes ficaram distanciados e foram mortos impiedosamente. Hipômenes, sem assustar-se com esse resultado, disse, fixando os olhos na virgem:

– Por que te vanglorias de vencer esses lerdos? Ofereço-me para a disputa.

Atalanta olhou-o com piedade, sem saber se deveria vencer a corrida ou não.

"Que deus pode tentar um homem tão jovem e tão belo a se arriscar tanto?" – pensou. "Tenho pena dele, não por causa de sua beleza (embora ele seja belo), mas por causa de sua mocidade. Quisera que ele desistisse da corrida, ou, se for tão louco para insistir, que me vencesse."

Enquanto hesita, entregue a esses pensamentos, os espectadores se impacientam e seu pai a convida a preparar-se. Hipômenes, então, dirige uma prece a Vênus:

– Ajuda-me, Vênus, pois foste tu que me impeliste.

Vênus ouviu a prece e mostrou-se benevolente.

No jardim de seu templo, na Ilha de Chipre, há uma árvore de folhas e ramos amarelos, e frutos de ouro. Ali ela colheu três frutos e, sem ser vista por qualquer outra pessoa, entregou-os a Hipômenes e ensinou-lhe como usá-los. O sinal foi dado. Os dois corredores partem, avançando sobre a areia. Avançavam com tanta leveza que se diria que corriam sobre a superfície de um rio ou sobre as ondas, sem se afundarem. Os gritos dos espectadores animavam Hipômenes:

– Sus, sus! Ânimo! Avança, avança! Tu a vencerás! Não descanses! Mais um esforço!

Não se podia saber se era o jovem ou a donzela que ouvia estas palavras com maior prazer. Hipômenes, contudo, começou a respirar com dificuldade; sentia a garganta seca e a meta ainda estava longe. Naquele momento, ele largou uma das maçãs de ouro. A virgem, admirada, parou para apanhá-la. Hipômenes ganhou a dianteira. Ouviram-se gritos de todos os lados. Atalanta redobrou os esforços e, dentro em pouco, alcançou o

A Corrida de Atalanta, SIR EDWARD JOHN POYNTER

adversário. De novo ele largou uma maçã; a donzela tornou a parar, porém mais uma vez alcançou Hipômenes. A meta estava próxima; restava apenas uma oportunidade.

– Faze frutificar tua dádiva, ó deusa! – exclamou o jovem, atirando para um lado a última maçã.

Atalanta olhou indecisa; Vênus impeliu-a a olhar para o lado. Ela assim fez, e foi vencida. Hipômenes conquistou o prêmio.

Os amantes, contudo, ficaram tão preocupados com a própria felicidade que se esqueceram de render a Vênus as devidas homenagens, e a deusa irritou-se com sua ingratidão. Levou-os, então, a ofender Cibele. Essa deusa poderosa não era ofendida impunemente. Tirou dos dois a forma humana, transformando-os em animais de hábitos semelhantes aos seus próprios: a caçadora-heroína, que triunfava graças ao sangue de seus amantes, foi transformada em leoa, e seu amante transformado em leão, e ambos foram atrelados ao carro da deusa, onde ainda podem ser vistos em todas as suas representações, na escultura e na pintura.

Cibele era o nome latino da deusa chamada pelos gregos de Réia ou Ops. Era esposa de Cronos e mãe de Zeus. Nas obras de arte, apresenta um ar de matrona, que a distingue de Juno e Ceres. Às vezes, apresenta-se coberta com um véu, sentada num trono, com leões ao seu lado, outras vezes, guiando um carro puxado por leões. Usa uma coroa, cuja orla é recortada em forma de torres e ameias. Seus sacerdotes eram chamados coribantes.

Descrevendo a cidade de Veneza, construída numa ilha rasa do Adriático, Byron faz uma comparação com Cibele:

Qual Cibele marinha, do oceano
Se ergue, pela tiara coroada
Das torres majestosas, imponentes.

Moore, referindo-se à paisagem alpina, faz alusão ao episódio de Atalanta e Hipômenes:

Mesmo aqui, nesta cena portentosa
Muito na frente da Verdade avança
A Fantasia, ou bem, como Hipômenes,
Esta aquela distrai, desorienta,
Com as ilusões douradas que alimenta.

CAPÍTULO XIX
HÉRCULES
HEBE e GANIMEDES

HÉRCULES

Hércules era filho de Júpiter e Alcmena. Como Juno era sempre hostil aos filhos de seu marido com mulheres mortais, declarou guerra a Hércules desde o seu nascimento. Mandou duas serpentes matá-lo em seu berço, mas a precoce criança estrangulou-as com suas próprias mãos. Pelas artes de Juno, contudo, ele ficou sujeito a Euristeus e obrigado a executar todas as suas ordens. Euristeus impôs-lhe a realização de façanhas perigosíssimas, que ficaram conhecidas como "Os Doze Trabalhos de Hércules". A primeira foi a luta contra o leão de Neméia. A fera causava devastações no vale daquele nome e Euristeus ordenou a Hércules que lhe trouxesse a pele do monstro. Depois de se utilizar, em vão, de sua clava e de setas contra o leão, Hércules estrangulou-o com as próprias mãos. Voltou levando nos ombros o leão morto, mas Euristeus ficou tão amedrontado à vista daqueles despojos, e da prova da força prodigiosa do herói, que lhe ordenou que, dali em diante, prestasse conta de suas façanhas fora da cidade.

O trabalho seguinte foi a matança da hidra de Lerna. Esse monstro devastava a região de Argos e habitava um pântano perto do povo de Amione. Esse poço fora descoberto por Amione, quando a seca devastava a região e Netuno, que a amava, deixara-a tocar na rocha com seu tridente e três nascentes surgiram dali. A hidra escolheu para moradia aquele local e Hércules foi mandado matá-la. O monstro tinha nove cabeças, sendo a do meio imortal. Hércules esmagava essas cabeças com sua clava, mas, em lugar da cabeça destruída, nasciam duas outras de cada vez. Afinal, com a ajuda de seu fiel servo Iolaus, o semideus queimou as cabeças da hidra e enterrou a nona, a imortal, sob um enorme rochedo.

Outro trabalho de Hércules foi a limpeza das cavalariças de Áugias, rei da Élida, que possuía um rebanho de três mil bois, havendo trinta anos que não eram limpos os estábulos. Hércules desviou os cursos dos rios Alfeu e Peneu, para atravessá-los, fazendo a limpeza em um dia.

O trabalho seguinte foi de natureza mais delicada. Admeta, filha de Euristeus, desejava ardentemente possuir o cinto da rainha das Amazonas, e Euristeus ordenou a Hércules que o fosse buscar. As amazonas constituíam uma nação de mulheres muito belicosas, que possuíam diversas cidades florescentes. Tinham o costume de criar apenas as crianças do sexo feminino; os meninos eram mandados para os países vizinhos, ou mortos. Hércules partiu acompanhado por um certo número de voluntários e, depois de várias aventuras, chegou ao país das Amazonas. Hipólita, a rainha, acolheu-o benevolentemente e concordou em entregar-lhe o cinto, mas Juno, tomando a forma de uma amazona, convenceu as demais que os estrangeiros estavam raptando sua rainha. Elas armaram-se imediatamente e atacaram o navio. Hércules, julgando que Hipólita tivesse agido traiçoeiramente, matou-a e, levando o cinto, fez a viagem de volta.

Outra tarefa de que Hércules foi incumbido foi a de levar a Euristeus os bois de Gerião, monstro de três corpos que vivia na Ilha de Eritéia (a vermelha), assim chamada porque ficava situada a oeste, sob os raios do sol poente. Acredita-se que se tratava da Espanha. Gerião era o rei do país. Depois de atravessar vários países, Hércules chegou, afinal, à fronteira da Líbia e Europa, onde ergueu as duas montanhas de Calpe e Ábila, como lembrança de sua passagem, ou, de acordo com outra versão, abriu uma montanha pelo meio, formando entre elas o Estreito de Gibraltar. As duas montanhas foram denominadas Colunas de Hércules. Os bois estavam guardados pelo gigante Eurítion e seu cão de duas cabeças, mas Hércules matou o gigante e o cão, e levou os bois para Euristeus.

O trabalho mais difícil foi o de colher os pomos de ouro das Hespérides, pois Hércules não sabia onde encontrá-los. Eram as maçãs que Juno recebera, por ocasião de seu casamento, das deusas da terra e que confiara à guarda das filhas de Héspero, ajudadas por um vigilante dragão. Depois de várias aventuras, Hércules chegou aos Montes Atlas, na África. Atlas era um dos titãs que fizera guerra aos deuses e, depois da derrota, fora condenado a sustentar nos ombros o peso do céu. Era o pai das Hespérides, e Hércules pensou que se alguém estava em condições de encontrar as maçãs, seria ele. Como poderia, porém, afastá-lo de seu posto ou sustentar o peso do céu, durante sua ausência? Hércules sustentou o firmamento nos próprios ombros e mandou Atlas procurar as maçãs. O titã voltou com os frutos de ouro e, embora com alguma relutância, reassumiu seu posto e deixou Hércules voltar para fazer a entrega dos pomos de ouro a Euristeus.

Milton, no "Comus", refere-se às Hespérides como filhas de Héspero e sobrinhas de Atlas:

... em meio dos jardins formosos
De Héspero e suas três formosas filhas,
Que cantam junto à árvore de ouro.

Os poetas, levados pela analogia do lindo aspecto do céu no oeste, ao sol poente, no crepúsculo, imaginavam o Ocidente como uma região de brilho e beleza, ali colocando as Ilhas Afortunadas, a vermelha Ilha Eritéia, na qual pastavam os bois de Gerião, e a Ilha das Hespérides. Supõe-se que as maçãs douradas eram as laranjas da Espanha, sobre as quais os gregos teriam informações incompletas.

Uma celebrada façanha de Hércules foi sua vitória sobre Anteu, filho da Terra, poderoso gigante e lutador, cuja força era invencível, enquanto estivesse em contato com a Terra, sua mãe. Anteu obrigava todos os estrangeiros que apareciam em seu país a lutar com ele, com a condição de que, se fossem vencidos (como sempre eram), seriam mortos.

O Jardim das Hespérides, EDWARD BURNE-JONES, 1870-1877, GOUACHE

Hércules enfrentou-o e, verificando que não adiantava lançá-lo ao solo, pois ele sempre se levantava com redobrado vigor, depois de cada queda, ergueu-o no ar e estrangulou-o.

Caco era um enorme gigante, que habitava uma caverna do Monte Aventino e devastava a região vizinha. Quando Hércules levava de volta os bois de Gerião, Caco furtou uma parte do gado, enquanto o herói dormia. A fim de que as pegadas dos animais não pudessem revelar para onde eles haviam sido levados, Caco os arrastou pela cauda para sua caverna, de sorte que as pegadas davam a impressão de que os bois haviam seguido na direção oposta. Hércules teria sido iludido por esse estratagema, se não tivesse passado, com o resto do rebanho, diante da caverna onde os animais furtados estavam escondidos. Os bois puseram-se a mugir e foram descobertos. Caco foi morto por Hércules.

A última façanha de Hércules que mencionaremo[1] foi a de ter trazido Cérbero do mundo dos mortos para a terra. Hércules desceu ao Hades, acompanhado de Mercúrio e Minerva, e obteve licença de Plutão para levar Cérbero ao mundo superior, contanto que conseguisse fazê-lo sem se valer de armas. A despeito da resistência do monstro,

---

[1] Os doze trabalhos realizados por Hércules referem-se a: 1 – Leão de Neméia; 2 – Hidra de Lerna; 3 – Corça dos pés de bronze; 4 – Javali de Erimanto; 5 – Cavalariças de Áugias; 6 – Aves do Lago Erimanto; 7 – Touro de Creta; 8 – Cavalos de Diomedes; 9 – Cinto de Hipólita; 10 – Bois de Gerião; 11 – Pomos das Hespérides; 12 – Cérbero.

Hércules agarrou-o, subjugou-o e levou-o até Euristeus, conduzindo-o de volta em seguida. No Hades, obteve a libertação de Teseu, seu admirador e imitador, que fora aprisionado durante uma tentativa malsucedida de raptar Prosérpina.

Num ímpeto de loucura, Hércules matou seu amigo Ifitus e foi condenado, por esse delito, a tornar-se escravo da Rainha Onfale, durante três anos. Durante esse tempo, a natureza do herói modificou-se. Ele tornou-se efeminado, usando, às vezes, vestes femininas e tecendo lã com as servas de Onfale, enquanto a rainha usava sua pele de leão. Terminada a pena, Hércules desposou Dejanira, com a qual viveu em paz durante três anos. Numa certa ocasião em que viajava em companhia da esposa, os dois chegaram a um rio, através do qual o centauro Néssus transportava os viajantes, mediante pagamento. Hércules vadeou o rio, mas encarregou Néssus de transportar Dejanira. O centauro tentou fugir com ela, mas Hércules, ouvindo seus gritos, lançou uma seta no coração de Néssus. Moribundo, o centauro disse a Dejanira para recolher uma porção de seu sangue e guardá-la, pois serviria de feitiço para conservar o amor do marido.

Dejanira assim o fez, e não passou muito tempo antes de ter idéia de se utilizar e antes que se passasse muito tempo chegou uma ocasião de se utilizar do recurso. Em uma de suas expedições vitoriosas, Hércules aprisionara uma linda donzela, chamada Iole, por quem parecia estar muito mais interessado do que Dejanira achava razoável. Quando ia oferecer sacrifícios aos deuses, em honra de sua vitória, Hércules mandou pedir à esposa uma túnica branca, para usar na cerimônia. Dejanira, achando a ocasião oportuna para experimentar o feitiço, embebeu a túnica no sangue de Néssus. Naturalmente, teve o cuidado de eliminar os sinais de sangue, mas o poder mágico permaneceu e, logo que a túnica se aqueceu ao contato de Hércules, o veneno penetrou em seu corpo, provocando-lhe terríveis dores. Frenético, Hércules agarrou Licas, que levara a túnica fatal, e atirou-o ao mar. Ao mesmo tempo, procurava arrancar do corpo a túnica envenenada, mas esta saía com pedaços de sua carne, em que se colara. Nesse estado, ele foi levado para casa num barco. Ao ver o que fizera involuntariamente, Dejanira enforcou-se. Preparando-se para morrer, Hércules subiu ao Monte Eta, onde construiu uma pira funerária de árvores, deu o arco e as setas a Filoctetes e deitou-se na pira, apoiando a cabeça na clava e cobrindo-se com a pele do leão. Com a fisionomia tão serena, como se estivesse à mesa de um festim, mandou que Filoctetes aplicasse a tocha à pira. As chamas espalharam-se e, em pouco, envolveram tudo.

Milton assim alude ao desespero de Hércules:
Foi assim, quando Alcides[2] *vitorioso,*

---

[2] Alcides, um dos nomes de Hércules.

Da venenosa túnica, no corpo,
Os efeitos sentindo, desvairado,
Os pinheiros tessálios arrancou
Pelas raízes e, do cume do Etna,
Licas tirou para lançá-lo ao mar.

Os próprios deuses sentiram-se perturbados ao verem o fim do herói terrestre, mas Júpiter, com fisionomia jovial, assim se dirigiu a eles:

– Sinto-me satisfeito ao ver vossas fisionomias, meus príncipes, e feliz ao perceber que sou rei de súditos leais e que meu filho goza de vossa simpatia. Se bem que vosso interesse por ele provenha de seus nobres feitos, isto não é menos grato para mim. Posso vos dizer, porém, que não há motivos para temor. Aquele que venceu tudo mais não será vencido por aquelas chamas que vedes crepitar no Monte Eta. Apenas pode perecer sua parte materna; o que ele recebeu de mim é imortal. Eu o trarei morto para a terra, até às praias celestes, e peço-vos que o recebais com benevolência. Se algum de vós se sente ofendido pelo fato de ele haver alcançado essa honra, ninguém poderá, porém, negar que ele a merece.

Os deuses deram o seu consentimento. Juno ouviu com certa contrariedade as últimas palavras, que lhe eram dirigidas em particular, mas não bastante para lamentar a resolução do marido. Assim, quando as chamas consumiram a parte materna de Hércules, a parte divina, em vez de ser afetada, pareceu receber maior vigor, assumir um porte mais altivo e maior dignidade. Júpiter envolveu-o numa nuvem e levou-o num carro puxado por quatro cavalos para morar entre as estrelas. E, quando Hércules tomou seu lugar no céu, Atlas sentiu aumentar o peso do firmamento.

Juno, reconciliada com ele, deu-lhe sua filha Hebe em casamento.

HEBE E GANIMEDES

Hebe, filha de Juno e deusa da juventude, era copeira dos deuses, a quem servia o néctar. De acordo com a versão mais comum, deixou tal serviço quando se tornou esposa de Hércules. Há uma outra versão, contudo, seguida pelo escultor norte-americano Crawford, em seu grupo de Hebe e Ganimedes, de acordo com a qual Hebe foi afastada de suas funções em conseqüência de uma queda que deu um dia, quando servia aos deuses. Seu sucessor foi Ganimedes, jovem troiano que Júpiter, sob o disfarce de uma águia, raptou enquanto se achava no meio de seus companheiros de folguedo, no Monte Ida, e levou ao céu, colocando-o no lugar vago.

Tennyson, em seu "Palácio da Arte", descreve, entre as decorações das paredes, um quadro representando essa lenda:

A elevação de Ganimedes, El Corrège

De Ganimedes o rosado vulto,
Pelas asas da águia mais oculto,
Sobre o espaço solitário vinha,
Qual estrela no céu clara e sozinha.

E, no "Prometeu" de Shelley, Júpiter assim se dirige ao seu copeiro:

Serve o vinho celeste, Ganimedes,
E deixa-o encher as taças como o fogo.

capítulo xx

Teseu – Dédalo
castor e Pólux

Teseu

Teseu era filho de Egeu, rei de Atenas, e de Etra, filha do rei de Trézen, por quem foi criado. Depois de homem, foi mandado a Atenas e entregue a seu pai. Egeu, separando-se de Etra, antes do nascimento do filho, colocou a espada e as sandálias sob uma grande pedra e determinou à esposa que lhe mandasse o filho quando este fosse bastante forte para levantar a pedra. Chegada a ocasião, a mãe de Teseu executou a incumbência e o jovem removeu a pedra com facilidade e se apoderou da espada e das sandálias. Como as estradas estavam infestadas de bandidos, o avô de Teseu aconselhou-o a seguir o caminho mais seguro e mais curto para o país de seu pai: por mar. O jovem, contudo, sentindo em si o espírito e a alma de um herói, e desejoso de se destacar como Hércules, cuja fama corria, então, por toda a Grécia, pelo fato de destruir os malfeitores e os monstros que flagelavam o país, resolveu fazer a viagem mais perigosa e aventurosa por terra.

No primeiro dia de viagem, chegou a Epidauro, onde vivia um filho de Vulcano, Perifetes, selvagem feroz, sempre armado com uma clava de ferro, que atemorizava os viajantes com seus atos de violência. Ao ver aproximar-se Teseu, ele o atacou, mas foi logo vencido pelo jovem herói que se apoderou de sua clava e trouxe-a sempre consigo, depois disso, como lembrança de sua primeira vitória.

Seguiram-se várias lutas semelhantes contra tiranetes e bandidos, e em todas Teseu saiu vitorioso. Um dos malfeitores chamava-se Procusto e tinha um leito de ferro, no qual costumava amarrar todos os viajantes que lhe caíam nas mãos. Se eram menores que o leito, ele lhes espichava as pernas, e se fossem maiores, cortava a parte que sobrava. Teseu castigou-o, fazendo com ele o que ele fazia com os outros.

Tendo vencido todos os perigos da viagem, Teseu finalmente chegou a Atenas, onde novas ameaças o aguardavam. Medéia, a feiticeira, que fugira de Corinto depois de separar-se de Jasão, tornara-se esposa de Egeu, pai de Teseu. Sabendo, graças às suas artes, quem ele era, e receando perder a influência sobre o marido, se Teseu fosse reconhecido como seu filho, induziu mil suspeitas no espírito de Egeu e aconselhou-o a fazer o jovem estrangeiro beber uma taça de veneno. No entanto, quando Teseu avançava para receber a taça, seu pai, reconhecendo a espada que ele trazia, viu quem ele era e não deixou que tomasse o veneno. Medéia, desmascarada, fugiu mais uma vez ao merecido castigo indo para a Ásia, onde deu nome ao país posteriormente chamado Média. Teseu foi reconhecido pelo pai e declarado seu sucessor.

Os atenienses encontravam-se, naquela época, em estado de grande aflição, devido ao tributo que eram obrigados a pagar a Minos, rei de Tebas. Esse tributo consistia em sete jovens e sete donzelas, que eram entregues todos os anos, a fim de serem devorados pelo Minotauro, monstro com corpo de homem e cabeça de touro, forte e feroz, que era mantido num labirinto construído por Dédalo, e tão habilmente projetado que quem se visse ali encerrado não conseguiria sair, sem ajuda.

Teseu resolveu livrar seus patrícios dessa calamidade, ou morrer na tentativa. Assim, quando chegou a ocasião de enviar o tributo e os jovens foram sorteados, de acordo com o costume, ele se ofereceu para ser uma das vítimas, a despeito dos rogos de seu pai. O navio partiu, como era de hábito, com velas negras, que Teseu prometeu ao pai mudar para brancas, no caso de regressar vitorioso. Chegando a Creta, os jovens e donzelas foram todos exibidos diante de Minos, e Ariadne, filha do rei, que estava presente, apaixonou-se por Teseu, e este amor foi correspondido. A jovem deu-lhe, então, uma espada, para enfrentar o Minotauro, e um novelo de linha, graças ao qual poderia encontrar o caminho. Teseu foi bem-sucedido, matando o Minotauro e saindo do labirinto. Levando, então, Ariadne, ele regressou a Atenas, juntamente com os companheiros salvos do monstro. Durante a viagem, pararam na Ilha de Naxos, onde Teseu abandonou Ariadne, deixando-a adormecida.[1] A desculpa que deu para tratar com tanta ingratidão sua benfeitora foi que Minerva lhe apareceu num sonho ordenando-lhe que assim o fizesse.

Ao aproximar-se do litoral da Ática, Teseu esqueceu-se da combinação que fizera com o pai e não mandou alçar as velas brancas. O velho rei, julgando que o filho tivesse morrido, suicidou-se. Teseu tornou-se, então, rei de Atenas.

---

[1] Uma das mais belas esculturas da Itália, a Ariadne deitada do Vaticano, representa esse episódio.

História de Teseu, CASSONI CAMPANA, SÉC. XVI

Uma das mais célebres aventuras de Teseu foi a expedição contra as amazonas. Ata-
cou-as antes que elas se tivessem refeito da derrota infligida por Hércules, e aprisionou
sua rainha, Antíope. As amazonas, por sua vez, invadiram o reino de Atenas, penetrando na própria cidade, onde se travou a batalha final, em que Teseu as derrotou. Essa
batalha foi um dos assuntos favoritos dos escultores da Antiguidade e ainda existem
várias obras de arte que a representam.

A amizade entre Teseu e Pírito, embora íntima, originou-se em combate. Pírito in-
vadiu a planície de Maratona e roubou os rebanhos do rei de Atenas. Teseu foi repelir os
invasores. No momento em que o viu, Pírito foi tomado de admiração; estendeu a mão,
como sinal de paz, e gritou:

– Sê juiz tu mesmo. Que satisfação exiges?

– Tua amizade – respondeu o ateniense.

E os dois juraram inviolável fidelidade. Suas façanhas correspondiam a seus votos
e eles se mantiveram sempre verdadeiros irmãos de armas. Ambos aspiravam desposar
uma filha de Júpiter. Teseu escolheu Helena, ainda criança e mais tarde tão célebre por
causa da Guerra de Tróia, e, com ajuda do amigo, raptou-a. Pírito aspirava conquistar a
esposa do monarca de Érebo, e Teseu, embora consciente do perigo, acompanhou o ambi-
cioso amante, na descida ao mundo subterrâneo. Plutão, porém, aprisionou-os e prendeu-
os numa rocha encantada na porta de seu palácio, onde ficaram até que Hércules chegou
e libertou Teseu, deixando Pírito entregue ao seu destino.

Depois da morte de Antíope, Teseu desposou Fedra, filha de Minos, rei de Tebas. Fedra viu em Hipólito, filho de Teseu, um jovem dotado de todas as qualidades e virtudes
do pai, e de idade correspondendo à sua própria. Amou-o, mas ele a repeliu e o amor

transformou-se em ódio. Fedra lançou mão do apaixonado marido para torná-lo ciumento do filho, e Teseu invocou contra ele a vingança de Netuno. Quando Hipólito, certo dia, dirigia seu carro junto à praia, um monstro marinho surgiu das águas e espantou os cavalos, que dispararam, despedaçando o carro. Hipólito morreu, mas, com a ajuda de Esculápio, Diana ressuscitou-o e afastou-o do iludido pai e da traiçoeira madrasta, deixando-o na Itália, sob a proteção da ninfa Egéria.

Finalmente, Teseu, privado da simpatia de seu povo, retirou-se para a corte de Licômedes, rei dos Ciros, que, a princípio, o tratou com bondade, porém, mais tarde, matou-o traiçoeiramente. Em época posterior, o general ateniense Címon descobriu o lugar onde jaziam seus restos, que foram traslados para Atenas e depositados num templo chamado Teseum, erguido em honra do herói.

A rainha das Amazonas que Teseu desposou é chamada por alguns de Hipólita. Este é o nome que aparece no *Sonho de uma Noite de Verão,* de Shakespeare, cujo enredo são as festividades que precederam as núpcias de Teseu e Hipólita.

Teseu é um personagem semi-histórico, que unificou as diversas tribos que habitavam o território da Ática, do qual Atenas se tornou a capital. Comemorando esse importante acontecimento, foi instituída a festividade chamada Panatenéias, em honra de Minerva, padroeira de Atenas. Essa festividade diferenciava-se das outras festividades gregas, principalmente em duas coisas: era peculiar aos atenienses e sua característica principal consistia numa procissão solene, em que o Péplus, ou túnica sagrada de Minerva, era levado para o Partenon e colocado diante da estátua da deusa. O Péplus era coberto de bordados, executados por virgens escolhidas entre as mais nobres famílias de Atenas. Da procissão participavam pessoas de todas as idades e de ambos os sexos. Os velhos traziam nas mãos ramos de oliveira e os moços, armas, ao passo que as moças levavam na cabeça cestos com os utensílios sagrados, bolos e tudo mais necessário aos sacrifícios. Essa procissão constituiu o motivo dos baixos-relevos que ornamentavam a parte externa do Partenon, e grande parte dos quais se encontra, atualmente, no Museu Britânico, sendo conhecida como "mármores de Elgin".[2]

AS OLIMPÍADAS E OUTROS JOGOS

Não parece fora de propósito mencionar aqui os outros jogos nacionais que eram realizados na Grécia. Em primeiro lugar, havia os Jogos Olímpicos ou Olimpíadas, estabelecidas, segundo a tradição, pelo próprio Júpiter, e se realizavam em Olímpia, na Élida. Acorriam inúmeros espectadores, de todas as partes da Grécia, bem como da

---

[2] Lord Elgin (1766-1841), embaixador da Inglatera junto à Corte do Sultão, senhor da Grécia na época, obteve licença, em 1801, de retirar as estátuas do frontão do Partenon, e levou-as para Londres a fim de "protegê-las". Atualmente, parte do friso se encontra também no Museu Britânico.

Ásia, África e Sicília. Os jogos realizavam-se no verão, de cinco em cinco anos, e dura-vam cinco dias. As Olimpíadas serviam, ainda, para marcar o tempo no calendário. A primeira Olimpíada realizou-se, segundo se acredita, no ano 776 a.C.

Os Jogos Píticos eram realizados nas vizinhanças de Delfos; os Jogos Ístmicos, no Istmo de Corinto; e os Nemeus, em Neméia, cidade da Argólida.

Havia cinco espécies de exercícios nesses jogos: corrida, saltos, luta, lançamento de disco e lançamento de dardo. Além dos exercícios para mostrar agilidade e força corporal, havia concurso de música, poesia e eloqüência. Desse modo, os jogos ofereciam aos poe-tas, músicos e escritores a melhor oportunidade de apresentar suas produções ao público, e a fama dos vencedores espalhava-se amplamente.

DÉDALO

O labirinto do qual Teseu escapou, graças ao fio de Ariadne, fora construído por Dédalo, um artífice habilidosíssimo. Era um edifício com inúmeros corredores tortu-osos que davam uns para os outros e que pareciam não ter começo nem fim, como o Rio Meandro, que volta sobre si mesmo e ora segue para adiante, ora para trás, em seu curso para o mar. Dédalo construiu o labirinto para Minos, mas, depois, caiu no desagrado do rei e foi aprisionado em uma torre. Conseguiu fugir da prisão, mas não podia sair da ilha por mar, pois o rei mantinha seve-ra vigilância sobre todos os barcos que partiam e não permitia que ne-nhuma embarcação zarpasse an-tes de rigorosamente revistada.

"Minos pode vigiar a terra e o mar, mas não o ar" – disse Dédalo. "Tentarei esse caminho."

Pôs-se, então, a fabricar asas para si mesmo e para seu jovem filho, Ícaro. Uniu as penas, come-çando das menores e acrescentan-do as maiores, de modo a formar uma superfície crescente. Prendeu

MUSEU NACIONAL DE ARTE MODERNA, CENTRO GEORGES POMPIDOU, PARIS

A queda de Ícaro, MARC CHAGALL, 1975, ÓLEO SOBRE TELA

as penas maiores com fios e as menores com cera, e deu ao conjunto uma curvatura delicada, como as asas das aves. O menino Ícaro, de pé, ao seu lado, contemplava o trabalho, ora correndo para ir apanhar as penas que o vento levava, ora modelando a cera com os dedos e prejudicando, com seus folguedos, o trabalho do pai. Quando, afinal, o trabalho foi terminado, o artista, agitando as asas, viu-se flutuando e equilibrando-se no ar. Em seguida, equipou o filho da mesma maneira e ensinou-o a voar, como a ave ensina ao filhote, lançando-o ao ar, do elevado ninho.

– Ícaro, meu filho – disse, quando tudo ficou pronto para o vôo –, recomendo-te que voes a uma altura moderada, pois, se voares muito baixo, a umidade emperrará tuas asas, e se voares muito alto, o calor as derreterá. Conserva-te perto de mim e estarás em segurança.

Enquanto dava essas instruções e ajustava as asas aos ombros do filho, Dédalo tinha o rosto coberto de lágrimas e suas mãos tremiam. Beijou o menino, sem saber que era pela última vez, depois, elevando-se em suas asas, voou, encorajando o filho a fazer o mesmo e olhando para trás, a fim de ver como o menino manejava as asas. Ao ver os dois voarem, o lavrador parava o trabalho para contemplá-los e o pastor apoiava-se no cajado, voltando os olhos para o ar, atônitos ante o que viam, e julgando que eram deuses aqueles que conseguiam cortar o ar de tal modo.

Os dois haviam deixado Samos e Delos à esquerda e Lebintos à direita, quando o rapazinho, exultante com o vôo, começou a abandonar a direção do companheiro e a elevar-se para alcançar o céu. A proximidade do ardente sol amoleceu a cera que prendia as penas e estas desprenderam-se. O jovem agitava os braços, mas já não havia penas para sustentá-lo no ar. Lançando gritos dirigidos ao pai, mergulhou nas águas azuis do mar que, daquele dia em diante, recebeu o seu nome.

– Ícaro, Ícaro, onde estás? – gritou o pai.

Afinal, viu as penas flutuando na água e, amargamente, lamentando a própria arte, enterrou o corpo e denominou a região Icária, em memória do filho. Dédalo chegou são e salvo à Sicília, onde ergueu um templo a Apolo, lá depositando as asas, que ofereceu ao deus.

Dédalo tinha tanta vaidade com suas realizações que não tolerava a idéia de um rival. Sua irmã entregou aos seus cuidados um filho, Pérdix, a fim de aprender as artes mecânicas. O jovem era um bom aluno e deu provas de notável habilidade. Caminhando, certa vez, na praia, encontrou uma espinha de peixe. Imitou-a com um pedaço de ferro, que chanfrou na borda, inventando, assim, a serra. Uniu dois pedaços de ferro, prendendo-os na extremidade com um rebite e aguçando as duas outras extremidades, e construiu um compasso. Dédalo teve tanta inveja das invenções do sobrinho que, quando os dois se encontravam juntos, certo dia, no alto de uma torre muito elevada, atirou-o para fora. Minerva, que protege a habilidade, viu-o cair e evitou sua morte, transformando-o numa ave, que recebeu seu nome, a perdiz. Essa ave não constrói seu ninho nas árvores nem voa alto, acomodando-se nas sebes e, lembrando-se da queda, evita os lugares elevados.

castor e pólux

Castor e Pólux eram filhos de Leda e do cisne sob cujo disfarce Júpiter se escondeu. Leda deu nascimento a um ovo, que produziu os dois gêmeos. Helena, tão famosa devido à Guerra de Tróia, era sua irmã.

Quando Teseu e seu amigo Pírito raptaram Helena, em Esparta, os jovens heróis Castor e Pólux saíram, imediatamente, com seus sequazes para libertá-la. Teseu não se encontrava na Ática e os gêmeos recuperaram a irmã.

Castor era famoso como domador de cavalos e cavaleiro, e Pólux, como lutador. Eram unidos por ardente afeição e inseparáveis em todos os seus feitos. Acompanharam a expedição dos Argonautas. Durante a viagem, irrompeu uma tempestade, e Orfeu invocou os deuses da Samotrácia, tocando sua harpa.

A tempestade cessou, então, e apareceram estrelas sobre a cabeça dos gêmeos. Devido a isso, Castor e Pólux passaram depois a ser considerados as divindades protetoras dos marinheiros e viajantes, e as chamas que, conforme o estado da atmosfera, costumam aparecer em torno das velas e dos mastros das embarcações receberam seus nomes.

Depois da expedição dos Argonautas, encontramos Castor e Pólux empenhados numa guerra com Idas e Linceus. Castor foi morto e Pólux, inconsolável com a perda do irmão, pediu a Júpiter que lhe permitisse oferecer a sua própria vida pela do outro. Júpiter consentiu que os dois irmãos vivessem alternadamente, passando um dia na terra e outro na morada celestial. Segundo outra versão, Júpiter recompensou a afeição dos irmãos colocando-os entre as estrelas, como Gemini, os Gêmeos.

Os dois receberam honras divinas sob o nome de Dioscuros (filhos de Jove). Acreditava-se que apareciam, às vezes mais tarde, participando de combates, de um ou outro lado, cavalgando magníficos cavalos brancos. Na história dos primeiros tempos de Roma, por exemplo, dizia-se que eles ajudaram os romanos na batalha do Lago Regilo, e, depois da vitória, foi erguido um templo em sua honra, no local onde apareceram.

Macaulay, em seus "Cantos da Roma Antiga", assim se refere à lenda:

Tão semelhantes eram, que os mortais
Um do outro jamais distinguiriam.
Tinham armaduras brancas como a neve
E brancos como a neve os seus corcéis.

Jamais forjas terrenas fabricaram
Tão brilhante armadura, ou em terrena
Fonte a sede matou corcel tão belo.
Volta em triunfo o chefe, que nas provas
Incertas do combate sempre vira
O calor dos irmãos inseparáveis.
Volta o navio ao porto, em segurança,
Desafiando o mar e as tempestades
Que a bordo estavam os poderosos gêmeos.

CAPÍTULO XXI

Baco

Ariadne

Baco

Baco era filho de Júpiter e Sêmele. Querendo vingar-se de Sêmele, Juno assumiu a forma da velha ama daquela, Béroe, e insinuou-lhe dúvidas no espírito, quanto ao fato de ser o próprio Jove o seu amante. Dando um suspiro, disse:

– Espero que seja mesmo, mas não posso deixar de duvidar. Nem sempre as pessoas são quem dizem ser. Se ele é, na verdade, Jove, faze-o dar uma prova disso. Pede-lhe para vir vestido com todo o seu esplendor, tal como anda no céu. Assim, acabará qualquer dúvida.

Sêmele deixou-se persuadir. Pediu um favor a Jove, sem dizer qual era e o deus prometeu satisfazê-lo, jurando pelo Rio Estige, juramento que os próprios deuses jamais se atreveriam a violar. Sêmele fez, então, o pedido. O deus queria impedi-la de terminar, mas ela falava muito depressa. As palavras saíram, e Júpiter não poderia deixar de cumprir a promessa. Profundamente abatido, deixou Sêmele e voltou às regiões celestiais. Ali envergou as vestes esplendorosas, não aquelas que

Baco e Ariadne, TIZIANO, 1523-1524, ÓLEO SOBRE TELA

ostentavam todos os horrores, como as que usara para enfrentar os gigantes, mas as que são conhecidas entre os deuses por vestes menores. Assim vestido, entrou nos aposentos de Sêmele. O corpo mortal da jovem não pôde enfrentar os esplendores da radiação imortal. Ela transformou-se em cinzas.

Jove entregou Baco às ninfas niseanas, que dele cuidaram durante a infância e foram recompensadas pelo deus, que as colocou entre as estrelas como as Híades. Quando se tornou homem, Baco descobriu a cultura da vinha e o meio de extrair da fruta o precioso suco; Juno, porém, tornou-o louco e fez com que ele vagasse por várias partes da Terra. Na Frígia, a deusa Réia curou-o e instruiu-o em seus ritos religiosos, e ele atravessou a Ásia, ensinando os povos a cultivar a vinha. O episódio mais famoso de suas viagens foi a expedição à Índia, onde ficou durante vários anos. Voltando triunfalmente, tratou de introduzir seu próprio culto na Grécia, mas contou com a oposição de alguns príncipes, receosos da desordem e loucura que o mesmo provocava.

Ao aproximar-se de sua terra natal, Tebas, o Rei Penteu, que não respeitava o novo culto, proibiu a execução de seus rituais. Quando se soube, porém, que Baco se aproximava, homens e mulheres, principalmente as últimas, velhos e jovens, correram a recebê-lo e participar da marcha triunfal.

Em sua "Canção de Brinde", Longfellow assim descreve a marcha de Baco:

Dos faunos o cortejo alegre e rude
Rodeia Baco, cuja fronte a hera
Cinge, como a Apolo, e a quem espera,
Como a Apolo, a eterna juventude.
Em torno ao jovem deus, lindas bacantes,
Címbalos, tirsos, plantas carregando,
Da embriaguez se mostram presa, quando
Bem alto entoam versos delirantes.

Foi em vão que Penteu censurou, ordenou e ameaçou.

– Ide procurar o chefe dessa desordem, esse vagabundo, e trazei-o até aqui – ordenou ele a seus servos. – Não hei de tardar a fazê-lo confessar a falsidade de sua pretensão de ter origem divina e a obrigá-lo a renunciar a seu falso culto.

Foi em vão que seus amigos mais íntimos e conselheiros mais sensatos procuraram impedi-lo de contrariar o deus. Suas censuras apenas serviram para torná-lo mais violento.

Já haviam voltado, porém, os servos que mandara aprisionar Baco. Haviam sido rechaçados por seus companheiros, mas conseguido fazer prisioneiro um deles, que, com as mãos amarradas atrás das costas, foi apresentado ao rei.

– Serás morto sem demora, para que teu destino sirva de advertência aos outros! – exclamou Penteu, encarando-o furioso. – Embora me repugne adiar tua morte, porém, fala, dize-nos quem és e em que consistem esses novos ritos que pretendeis celebrar.

– Chamo-me Acetes e sou natural de Meônia – replicou o prisioneiro, sem se atemorizar. – Meus pais eram pobres, não tinham terras ou rebanhos para deixar-me como herança, mas deixaram seus caniços e redes e sua profissão de pescador. Trabalhei nela durante algum tempo, até que, enfadado de viver no mesmo lugar, aprendi a arte da pilotagem e como guiar o curso pelas estrelas. Aconteceu que, velejando para Delos, tocamos na Ilha de Dia, e lá desembarcamos. Na manhã seguinte, mandei os marinheiros buscarem água de novo, enquanto eu su-

© GALLERIA DEGLI UFFIZI, FLORENÇA

O jovem Baco, CARAVAGGIO, C. 1591-1593, ÓLEO SOBRE TELA

bia ao morro, a fim de observar o vento. Ao regressarem, os marinheiros trouxeram um menino de aparência delicada, que haviam encontrado adormecido. Julgaram-no um jovem nobre, talvez filho de um rei, e imaginaram que poderiam obter, por seu resgate, uma quantia apreciável. Observei suas vestes, seu rosto, seu modo de andar e percebi que havia neles algo superior aos mortais. "Não sei que deus está escondido sob estas formas, mas sem dúvida é um deus" – disse eu a meus homens. "Perdoa-nos, gentil divindade, a violência que lhe fizemos, e faze com que nossa empresa tenha êxito." Dicto, um dos meus melhores marinheiros para subir aos mastros e descer pelas cordas; Melanto, meu timoneiro, e Epopeu, o chefe da tripulação, exclamaram ao mesmo tempo: "Guarda para nós tuas preces!". Tão cega é a sede de lucro! Quando quiseram levar o rapazinho para bordo, eu me opus. "Este navio não será profanado por tal impiedade", disse eu. "Tenho nele maior parte que qualquer de vós." Mas Lícabas, um indivíduo turbulento, agarrou-me pelo pescoço, tentando atirar-me fora do barco e mal consegui salvar-me subindo pelos cabos. O resto da tripulação aprovou a resolução.

Então, Baco (pois era realmente ele), como que pondo de lado o torpor, exclamou: "O que estais fazendo comigo? Que quer dizer esta luta? Para onde me levais?". Um dos

homens respondeu: "Não receies coisa alguma; dize-nos onde queres ir e nós te condu-
ziremos para lá." "Naxos é minha terra natal – respondeu Baco. – Levai-me para lá, e se-
reis bem recompensados." Os homens prometeram fazer isso e disseram-me para levar
o barco rumo a Naxos. Naxos fica à direita e eu estava manobrando velas para tomar-
mos aquela direção, quando alguns dos homens por sinais e outros por palavras sus-
surradas deram-me a entender que eu deveria tomar a direção oposta e levar o menino
para o Egito, a fim de vendê-lo como escravo. Irritado, exclamei: "Que o outro conduza
o navio." E afastei-me, para não tomar parte naquele ato de baixeza. Os marinheiros in-
sultaram-me, e um deles exclamou: "Não te vanglories, pois dependes de nós para tua
segurança." E, tomando o lugar de piloto, afastou-se de Naxos.

O Bacanal, TICIANO

Então o deus, fingindo que acabara de
tomar conhecimento da traição, olhou o
mar e disse, com voz de choro:

– Marinheiros, estas praias não são aquelas aonde prometestes levar-me; aquela ilha
não é a minha pátria. Que fiz eu para merecer de vossa parte tal tratamento? Será uma
glória mesquinha essa que conquistareis,
iludindo um pobre menino.

Chorei ao ouvi-lo, mas os marinheiros
riram-se de nós ambos e impeliram o navio
sobre o mar. De repente (por mais estranho
que possa parecer, é verdade), a nau parou
no meio do mar como se tivesse ficado presa ao solo. Atônitos, os homens impeliram
seus remos e soltaram mais as velas, tentando avançar com a ajuda de ambos, mas tudo
em vão. Uma hera enroscou-se nos remos, impedindo seu movimento, e agarrou-se às
velas, com pesados cachos de suas frutas. Uma vinha, carregada de uvas, subiu pelo
mastro e ao longo do casco do navio. Ouviu-se um som de flautas, e o cheiro agradável
de vinho espalhou-se em torno. O próprio deus trazia à cabeça uma coroa de folhas de
parra e empunhava uma lança enfeitada de hera. Tigres deitavam-se aos seus pés e as
formas ágeis de linces e panteras brincavam em torno dele. Os homens foram tomados
de terror ou loucura; alguns se atiraram para fora do barco; outros, ao se prepararem
para fazer o mesmo, viram os companheiros transformarem-se ao atingir a água: seus
corpos achatavam-se e terminavam numa cauda retorcida.

– Que milagre é este? – exclamou um deles.

E, enquanto falava, sua boca alargou-se, as narinas dilataram-se e escamas co-briram-lhe todo o corpo.

Outro, tentando empurrar o remo, sentiu as mãos encolherem e tornarem-se, de sú-bito, nadadeiras. Um terceiro, ao erguer os braços para agarrar uma corda, percebeu que já não tinha braços e, recurvando o corpo mutilado, atirou-se ao mar. O que fora suas pernas transformou-se nas duas extremidades de uma cauda em forma de crescente.

"Toda tripulação metamorfoseou-se em golfinhos e ficou nadando ao redor do navio, ora à superfície, ora embaixo dele, atirando jatos de água através das grandes narinas. Dos vinte homens, apenas eu restava, trêmulo de medo. O deus animou-me:

– Nada receies – disse. Navega em direção a Naxos.

Obedeci e, quando ali cheguei, dirigi-me aos altares e celebrei os sagrados ritos de Baco."

– Já perdemos bastante tempo com esta história tola! – exclamou Penteu, interrom-pendo a narrativa. – Levai-o e executai-o, sem demora.

Acetes foi levado pelos servos e encerrado na prisão. Quando, porém, eram prepa-rados os instrumentos da execução, as portas da prisão abriram-se sozinhas, caíram as cadeias que prendiam os membros de Acetes e, quando o procuraram, ele não mais foi encontrado em parte alguma. Penteu não se deu por vencido, mas, em vez de mandar outros, resolveu ir em pessoa à cena das solenidades. O Monte Citéron estava repleto de adoradores do deus e os gritos da bacanal ressoavam por todos os lados. O ruído provo-cou a ira de Penteu como o som de uma trombeta torna fogoso um cavalo de guerra, um corcel de combate. Penetrando no bosque, o rei chegou a uma clareira, onde viu diante dos olhos a cena principal das orgias. As mulheres viram-no ao mesmo tempo, e desta-cava-se entre elas sua própria mãe, Agave, cegada pelo deus e que gritou:

– Ali está o javali, o maior monstro que anda por estes bosques! Vamos, irmãs! Serei a primeira a ferir o javali.

O bando inteiro avançou contra Penteu e ele, mostrando-se menos arrogante, ora se desculpa, ora confessa o crime e implora perdão, é acossado e ferido. Em vão implora aos gritos às tias que o protejam contra sua mãe. Autônoe agarra-o por um braço, Ino pelo outro e, entre as duas, ele é despedaçado enquanto a mãe gritava:

– Vitória! Vencemos, a glória é nossa!

Assim foi estabelecido, na Grécia, o culto de Baco.

Há uma alusão ao episódio de Baco e dos marinheiros no poema "Comus" de Mil-ton. A história de Circe será encontrada no Capítulo XXIX.

Baco, o primeiro das rubras bagas
Soube extrair o sedutor veneno,

Pelos nautas toscanos conduzido,
De Circe à ilha foi levado (Circe
Filha do sul, quem há que não conheça?
Circe que transformava os que bebiam
Por sua taça em porcos repelentes).

Ariadne

Vimos, na história de Teseu, como Ariadne, filha do Rei Minos, depois de ajudar o herói a fugir do labirinto, foi por ele levada à Ilha de Naxos e ali abandonada, enquanto dormia, pelo ingrato Teseu, que voltou à sua pátria sem ela. Despertando e vendo-se sozinha, Ariadne entregou-se ao desespero. Vênus, porém, apiedou-se dela e consolou-a com a promessa de que teria um amante imortal, em lugar do mortal que tivera.

A ilha onde Ariadne fora deixada era a ilha favorita de Baco, a mesma para onde queria que os marinheiros tirrenos o levassem, quando tão traiçoeiramente tentaram apoderar-se dele. Enquanto Ariadne lamentava seu destino, Baco encontrou-a, consolou-a e desposou-a. Como presente de casamento, deu-lhe uma coroa de ouro, cravejada de pedras preciosas que atirou ao céu quando Ariadne morreu. À medida que a coroa subia no espaço, as pedras preciosas foram se tornando mais brilhantes até se transformarem em estrelas, e, conservando sua forma, a coroa Ariadne permaneceu fixada no céu como uma constelação, entre Hércules ajoelhado e o homem que segura a serpente.

CAPÍTULO XXII
AS DIVINDADES RURAIS
ERISÍCHTON – RECO
AS DIVINDADES AQUÁTICAS
AS CAMENAS – OS VENTOS

AS DIVINDADES RURAIS

Pã, o deus dos bosques e dos campos, dos rebanhos e dos pastores, morava em grutas, vagava pelas montanhas e pelos vales e divertia-se caçando ou dirigindo as danças das ninfas. Era amante da música e, como vimos, o inventor da sirinx, ou avena, e que tocava magistralmente. Pã, como os outros deuses que habitavam as florestas, era temido por aqueles cujas ocupações os obrigavam a atravessar as matas durante a noite, pois as trevas e a solidão que reinavam em tais lugares predispunham os espíritos aos temores supersticiosos. Por isso, os pavores súbitos, desprovidos de qualquer causa aparente, eram atribuídos a Pã e chamados de terror-pânico ou simplesmente de pânico.

Como o nome do deus significa *tudo*, Pã passou a ser considerado símbolo do universo e personificação da natureza, e mais tarde, enfim, foi olhado como representante de todos os deuses e do próprio paganismo.

Silvano e Fauno eram divindades latinas, cujas características são a tal ponto semelhantes às de Pã, que podem ser consideradas como a mesma personagem, sob nomes diferentes.

As ninfas dos bosques, companheiras de Pã nas danças, constituíam apenas uma das classes das ninfas. Havia, além delas, as Náiades, que governavam os regatos e as fontes; as

O Triunfo de Pã, NICOLAS POUSSIN, 1636, ÓLEO SOBRE TELA

Oréades, ninfas das montanhas e grutas, e as Nereidas, ninfas do mar. As três últimas eram imortais, mas as ninfas dos bosques, chamadas Dríades ou Hamadríades, morriam, segundo se acreditava, com as árvores que lhes serviam de morada e juntamente com as quais nasciam. Constituía, portanto, uma impiedade destruir uma árvore e, em alguns casos graves, tal ato era severamente punido, como se deu no caso de Erisíchton, que relembraremos daqui a pouco.

Milton, em sua bela descrição dos primórdios da criação, assim se refere a Pã, como personificação da natureza:

> ... *o Pã universal,*
> *Dançando junto às Graças e às Horas,*
> *Comanda a sempiterna primavera.*

E descrevendo a morada de Eva:

> *Em mais sombreado e protegido abrigo*
> *Pã ou Silvano não dormiram, e as ninfas*
> *E os faunos outro igual não visitaram.*
> PARAÍSO PERDIDO, LIVRO IV

Um aspecto sedutor do paganismo era o de creditar à iniciativa de uma divindade cada fenômeno da natureza. A imaginação dos gregos povoava todas as regiões da terra e do mar de divindades, a cuja diligência atribuíam os fenômenos que nossa filosofia considera como conseqüência das leis naturais. Às vezes, em nossos momentos de poesia, sentimo-nos inclinados a lamentar a mudança ocorrida e a achar que, com a substituição, o coração perdeu tanto quanto o cérebro ganhou. O poeta Wordsworth manifesta, de maneira bem enérgica, tal sentimento.

> *Oxalá um pagão ainda eu fosse,*
> *Por velhas ilusões acalentado.*

A paisagem seria bem mais doce
E o mundo muito menos desolado.

Schiller, no poema "Die Götter Griechenlands", manifesta seu pesar pelo desaparecimento da bela mitologia dos velhos tempos, o que provocou uma resposta da poetisa cristã E. Barrett Browning, no poema "Pã é Morto", do qual fazem parte as duas seguintes estrofes:

Pela tua beleza que se curva
Ante maior Beleza que te vence,
Pelo nosso valor adivinhando
Entre tuas mentiras a Verdade,
Não te choramos! Dar-nos-á o mundo,
Depois do velho reino, outro reinado.
Pã é morto!

O mundo deixa além as fantasias
Que, em sua juventude, o embalaram
E as fábulas mais belas e mais vivas
Tolas parecem em face da verdade.
De Febo o carro terminou o curso!
Olhai de frente o sol, olhai, poetas!
E Pã, e Pã é morto.

Estes versos baseiam-se numa velha tradição cristã, segundo a qual, quando o anjo avisou os pastores de Belém do nascimento de Cristo, um gemido profundo, ouvido através de toda a Grécia, anunciou que o grande Pã morrera e toda a realeza do Olimpo fora destronada, passando as divindades a vagar no frio e nas trevas. É o que Milton conta no "Hino à Natividade":

Pelas praias, além, pelas montanhas,
Triste como um gemido, ecoa um grito.
Por vales verdejantes, entre as folhas,
O gênio antigo suspirando foge,
Choram as ninfas nos bosques desoladas.

ERISÍCHTON

Erisíchton era um homem grosseiro, que desprezava os deuses. Certa ocasião, resolveu profanar com o machado um bosque consagrado a Ceres. Ali erguia-se um venerável carvalho, tão grande que ele sozinho dava a impressão de uma floresta inteira. Em seu velho tronco, que dominava as outras árvores, freqüentemente eram colocadas guirlandas votivas e entalhadas inscrições manifestando gratidão à ninfa da árvore. Muitas vezes tinham as dríades dançado de mãos dadas em torno do carvalho. Seu tronco media quinze côvados de circunferência[1] e sobrepujava as outras árvores como estas sobrepujavam os arbustos. Erisíchton, contudo, não viu motivos para poupá-lo e ordenou a seus servos que o cortassem. Ao vê-los hesitantes, arrebatou o machado das mãos de um deles e exclamou, impiedosamente:

– Não quero saber se esta árvore é ou não amada pela deusa. Fosse ela própria uma deusa e eu a abateria se se interpusesse em meu caminho.

Assim dizendo, ergueu o machado e o carvalho pareceu estremecer e dar um gemido. Quando a primeira machadada o atingiu, o tronco começou a deitar sangue pela ferida. Todos os circunstantes ficaram horrorizados e um deles aventurou-se a censurar e segurar o machado fatal. Com olhar de desprezo, Erisíchton disse-lhe:

– Recebe a recompensa de tua piedade!

E voltou contra ele a arma que afastara da árvore, crivou-lhe o corpo de ferimentos e cortou-lhe a cabeça.

Do meio do carvalho, veio então uma voz:

– Eu que moro nesta árvore sou uma ninfa amada de Ceres e, morrendo por tuas mãos, predigo que o castigo te aguarda.

Erisíchton não desistiu de seu crime e afinal a árvore, atingida por repetidos golpes e puxada por cordas, caiu com estrondo e esmagou sob o seu peso grande parte do bosque.

As dríades, muito tristes com a morte de sua companheira e sentindo ultrajado o orgulho da floresta, dirigiram-se a Ceres, vestidas de luto, e pediram que Erisíchton fosse castigado. A deusa acedeu ao pedido e, ao curvar a cabeça, também se inclinaram todas as espigas maduras para a colheita. Imaginou um castigo tão cruel que despertaria piedade, se acaso tal malva-

Netuno e Afrodite, SEBASTIANO RICCI, C. 1691-1694, ÓLEO SOBRE TELA

THYSSEN – BORNEMISZA MUSEUM, MADRI

---

[1]Antiga medida de comprimento, correspondendo a 66 centímetros. (N. do T.)

do merecesse piedade: entregá-lo à Fome. Como a própria Ceres não podia aproximar-se da Fome, pois as Parcas haviam ordenado que essas duas deusas jamais se encontrassem, chamou uma Oréade da montanha e assim lhe falou:

– Há, na parte mais longínqua da gelada Cítia, uma região triste e estéril, sem árvores e sem campos cultivados. Ali moram o Frio, o Medo, o Tremor e a Fome. Vai àquela região e dize à última para tomar posse das entranhas de Erisíchton. Que a abundância não a vença, nem o poder de meus dons a afaste. Não te assustes com a distância (pois a Fome mora muito longe de Ceres), mas toma meu carro; os dragões estão atrelados e são obedientes, e levar-te-ão através dos ares, em pouco tempo.

Assim, a ninfa partiu e em breve atingiu a Cítia. Chegando ao Monte Cáucaso, parou os dragões e encontrou a Fome num campo pedregoso, arrancando a escassa erva com os dentes e as garras. Tinha os cabelos hirsutos, os olhos fundos, as faces pálidas, os lábios descorados, a boca coberta de poeira e a pele distendida, mostrando todos os ossos. Olhando-a de longe (pois não se atrevia a aproximar-se), a Oréade transmitiu as ordens de Ceres. E embora se tivesse detido o menor tempo possível e se mantido à maior distância que pôde, começou a sentir fome, e voltou à Tessália.

A Fome obedeceu às ordens de Ceres e, avançando velozmente pelos ares até à morada de Erisíchton, entrou no quarto do criminoso, que encontrou adormecido. Envolveu-o com suas asas e penetrou ela própria pela sua respiração, destilando veneno por suas veias. Tendo executado sua missão, apressou-se em deixar a terra da fartura e voltou à sua costumeira desolação. Erisíchton ainda dormia, e em seus sonhos ansiava por alimentos e movia a mandíbula, como se estivesse comendo. Ao acordar, a fome o devorava. A todo momento queria ter diante de si iguarias de qualquer espécie que produzissem a terra, o mar ou o ar, e queixava-se de fome, mesmo enquanto comia. Não lhe era suficiente o que teria sido bastante para uma cidade ou uma nação. Quanto mais comia, maior era sua fome. Era uma fome semelhante ao mar, que recebe todos os rios e, no entanto, não se enche, ou como o fogo que consome todo o combustível que tem junto de si e continua pronto a destruir outros. Seus bens diminuíram rapidamente em face das incessantes exigências de seu apetite, mas a fome continuava insaciada. Afinal, gastou tudo o que tinha e restou-lhe apenas uma filha, uma filha que merecia um pai melhor. Vendeu-a também. Desesperada de ser escrava do comprador, a jovem, de pé junto ao mar, ergueu os braços numa prece a Netuno. O deus ouviu suas súplicas e, embora seu novo senhor não estivesse longe e a visse um momento antes, mudou-lhe a forma e fê-la assumir a de um pescador entregue à sua ocupação. Procurando-a, e vendo-a sob aquela nova forma, seu dono perguntou-lhe:

– Bom pescador, aonde foi a donzela que vi agora mesmo, com os cabelos despenteados e pobremente vestida, de pé junto deste lugar onde estás? Dize-me a verdade e tua sorte será boa e nenhum peixe morderá hoje a isca e fugirá.

A jovem percebeu que sua prece fora atendida e regozijou-se, intimamente, ao ver-se interrogada a respeito de si mesma.

– Perdoa-me estrangeiro – respondeu –, mas estava tão ocupado com meu caniço e minha linha que nada vi. Possa eu contudo jamais pescar outro peixe se acredito que esteve por aqui, ainda há pouco, alguma mulher ou outra pessoa qualquer.

O homem iludiu-se e continuou seu caminho, pensando que sua escrava fugira. Ela, então, reassumiu a forma. Seu pai ficou satisfeitíssimo ao vê-la ainda consigo, juntamente com o dinheiro resultante de sua venda, e tratou de vendê-la outra vez. A jovem, contudo, graças a Netuno, transformou-se tantas vezes quanto as que fora vendida; ora em um cavalo, ora em uma ave, ora em um boi, ora em um cervo. Assim, livrava-se dos compradores e voltava para casa. Por esse meio, o faminto pai conseguia alimento, mas não o suficiente para as suas necessidades, e, afinal, a fome o obrigou a devorar seus próprios membros e procurou destruir o corpo para alimentar esse mesmo corpo, até que a morte o libertou da vingança de Ceres.

Reco

As Hamadríades sabiam apreciar os serviços que lhes eram prestados tão bem quanto castigar as injúrias. A história de Reco é uma prova disto. Vendo um dia um carvalho que estava prestes a cair, Reco ordenou aos seus servos que o escorassem. A ninfa, que estava na iminência de morrer com a árvore, apareceu a Reco, exprimindo sua gratidão por ele ter lhe salvo a vida e pedindo-lhe para dizer que recompensa desejava. Ousadamente, Reco pediu seu amor, e a ninfa curvou-se ao seu desejo. Ao mesmo tempo, aconselhou-o a ser fiel e lhe disse que lhe enviaria uma abelha como mensageira, sempre que o admitisse em sua companhia. Certa vez, a abelha foi procurar Reco quando este estava jogando dados e, descuidadamente, ele afugentou o inseto. A ninfa irritou-se tanto que nunca mais permitiu que ele a visse.

As Divindades Aquáticas

Oceano e Tétis eram os titãs que governavam os elementos líquidos. Quando Jove e seus irmãos derrotaram os titãs e assumiram seu poder, Netuno e Anfitrite sucederam-se a Oceano e Tétis no domínio das águas.

Netuno

Netuno era a principal das divindades da água. O símbolo do seu poder era o tridente, ou lança de três pontas, que usava para abalar os rochedos, desencadear ou amainar as tempestades, sacudir as costas e outras coisas semelhantes. Criou o cavalo e era o padroeiro das corridas eqüestres. Seus próprios cavalos tinham patas de bronze e crinas de ouro. Puxavam seu carro sobre o mar, que se acalmava diante do deus, enquanto os monstros das profundidades brincavam em seu caminho.

ANFITRITE

Anfitrite era esposa de Netuno, filha de Nereu e Dóris e mãe de Tritão. Para fazer a corte a Anfitrite, Netuno cavalgava um delfim, que foi colocado pelo deus entre as estrelas, quando conquistou o amor da deusa.

NEREU E DÓRIS

Nereu e Dóris eram os pais das Nereidas, as mais celebradas das quais foram Anfitrite, Tétis, mãe de Aquiles, e Galatéia, que foi amada pelo ciclope Polifemo. Nereu distinguia-se por sua sabedoria e por seu amor pela verdade e pela justiça, pelo que era chamado sábio. Também possuía o dom da profecia.

TRITÃO E PROTEU

Tritão era filho de Netuno e Anfitrite, e os poetas o apresentavam como trombeteiro de seu pai. Também Proteu era filho de Netuno. Como Nereu, era considerado um sábio do mar por sua sabedoria e conhecimento dos acontecimentos futuros. Tinha o poder peculiar de mudar à vontade sua forma.

TÉTIS

Tétis, filha de Nereu e Dóris, era tão bela que o próprio Júpiter desejou desposá-la; tendo porém sabido pelo titã Prometeu que Tétis teria um filho maior que seu pai, Júpiter desistiu da idéia e determinou que Tétis fosse esposa de um mortal. Com a ajuda do centauro Quíron, Peleu conseguiu desposar a deusa e seu filho foi o renomado Aquiles. No capítulo em que tratarmos da Guerra de Tróia veremos que Tétis foi mãe dedicada, ajudando o filho em todas as suas dificuldades e velando por todos os seus interesses.

LEUCOTÉIA E PALÊMON

Ino, filha de Cadmo e esposa de Atamas, fugindo de seu furioso marido, com o filhinho Melicertes nos braços, caiu de um rochedo no mar. Os deuses, compadecidos, transformaram-na numa deusa marinha, com o nome de Leucotéia, e ao filho em um deus, com o nome de Palêmon. Ambos tinham o poder de salvar os homens de naufrágios e eram invocados pelos marinheiros. Palêmon geralmente era representado cavalgando um golfinho. Os Jogos Ístmicos eram celebrados em sua honra. Era chamado Portuno pelos romanos, e acreditava-se que governava os portos e as costas.

Milton faz alusão a essas divindades, na última canção do "Comus":

Atende, ninfa, o ardor que me consome.
Escuta e surge, do Oceano em nome.
Peço-te, ninfa, em nome de Nereu
Taciturno e de Tétis majestosa
E em nome das malícias de Proteu.
De Tritão pela concha sinuosa,
De Glauco pelas suas profecias,
De Leucotéia pelas mãos macias etc.

Armstrong, o poeta da "Arte de Conservar a Saúde", sob a inspiração de Higéia, deusa da Saúde, assim celebra as náiades:

A caminho da fonte vinde, Náiades!
Donzelas venturosas! Vossas prendas
Exaltar e cantar cumpre-me agora
(Assim Péon ordena, assim ordenam
Da saúde os princípios poderosos)
Exaltar vossas águas cristalinas,
Ó regatos gentis! Em vosso seio
Vida nova se bebe, quando matam
A sede as mãos em concha e os lábios secos.

Péon é um nome pelo qual são chamados tanto Apolo como Esculápio.

As camenas

Por este nome os latinos chamavam as Musas, mas incluindo, também, outras divindades, principalmente ninfas dos montes. Egéria era uma delas, e sua fonte e sua gruta ainda são mostradas até hoje. Conta-se que Numa, segundo rei de Roma, era favorecido por essa ninfa com encontros secretos, durante os quais ela lhe dava lições de sabedoria e direito, que foram concretizadas nas instituições da jovem nação. Depois da morte de Numa, a ninfa definhou de pesar e transformou-se numa fonte.

Os ventos

Quando tantas forças menos ativas da natureza eram personificadas, não é de se admirar que os ventos o fossem. Eram: o Bóreas ou Aquilão, o vento norte; Zéfiro ou

Favônio, o vento oeste; Nótus ou Áuster, o vento sul, e Euro, o vento leste. Os dois primeiros, principalmente, têm sido celebrados pelos poetas: o Aquilão pela sua rudeza e o Zéfiro pela sua doçura. Bóreas amava a ninfa Orítia, mas não conseguiu grande êxito como amante. Era-lhe difícil respirar delicadamente e suspirar estava, para ele, fora de cogitação. Cansado de tentativas inúteis, mostrou seu verdadeiro caráter, raptando a donzela. Foram seus filhos Zetes e Calais, guerreiros alados, que acompanharam a expedição dos argonautas e prestaram bons serviços, no encontro com as aves monstruosas, as harpias.

Zéfiro era amante de Flora. Milton faz alusão aos dois no *Paraíso Perdido*, quando descreve Adão, desperto, contemplando Eva, ainda adormecida:

> *... Erguendo-se de lado,*
> *Inclinando-se um pouco, contemplou-a:*
> *Desperta ou adormecida, a companheira*
> *Pela sua beleza o dominava.*
> *E chamou-a, então, com voz suave,*
> *Como a de Zéfiro, quando Flora chama.*
> *Tocando-lhe de leve, diz: "Acorda,*
> *Minha esposa gentil, do Paraíso*
> *Dom precioso, cada vez mais belo".*

capítulo xxiii

Aquelau e Hércules
Admeto e Alcestes
Antígona – Penélope

O rio-deus Aquelau contou a história de Erisíchton a Teseu e seus companheiros, enquanto os retinha em sua margem hospitaleira, onde tiveram de aguardar que baixassem as águas. Ao terminar a narração, acrescentou:

– Por que, porém, contar-vos as transformações de outras pessoas, quando eu próprio sou um exemplo da posse de tal poder? Às vezes, transformo-me em serpente e outras vezes, em um touro, com chifres na cabeça, ou melhor seria dizer que outrora podia fazer tal coisa; agora, só me resta um chifre, pois perdi o outro.

E, nesse ponto, deu um gemido e calou-se.

Teseu indagou-lhe a causa de seu pesar e como perdera o chifre, ao que o rio-deus respondeu da seguinte forma:

– Quem se apraz em contar as próprias derrotas? Não hesitarei, contudo, em relatar a minha, consolando-me com a grandeza do meu vencedor, que foi Hércules. Talvez já tenhais ouvido falar em Dejanira, a mais linda das donzelas, a quem uma multidão de pretendentes procurava conquistar. Eu e Hércules estávamos entre eles, e os demais não se atreveram a competir conosco. Hércules apresentava a seu favor o fato de descender de Jove e seus trabalhos, com os quais fora além das exigências de sua madrasta Juno. Eu, por meu lado, disse ao pai da donzela: "Olha-me, sou o rei das águas que correm através de tuas terras. Não sou estrangeiro, vindo de um litoral distante, mas pertenço ao país, faço parte de teu reino. A real Juno não me tem inimizade nem me castiga com trabalhos pesados. Quanto a esse homem que se proclama filho de Jove, ou é um impostor, ou

desgraçado dele se for verdade, por isso será a vergonha para sua mãe." Hércules enca-
rou-me enfurecido e só com muita dificuldade se conteve. "Meu braço responderá melhor que minha língua", disse ele. "Concedo-te a vitória verbal, mas confio minha causa
à prova dos fatos." Assim dizendo, investiu contra mim e, depois do que dissera, senti-me
envergonhado de recuar. Despi minhas vestes verdes a apresentei-me para a luta. Hércules tratou de atirar-me ao chão, atacando, ora minha cabeça, ora meu corpo. Eu tinha
em meu tamanho a proteção, e seus ataques foram vãos. Paramos durante algum tempo,
depois voltamos à luta. Mantínhamos nossa posição, dispostos a não ceder, disputando
passo a passo o terreno, eu curvado sobre ele, apertando sua mão nas minhas, com a testa quase encostada na sua. Por três vezes Hércules tentou atirar-me ao chão e, da quarta
vez, conseguiu e cavalgou-me. Eu vos digo a verdade: era como se uma montanha tivesse

Penélope com o pretendente, PINTORICCHIO, 1509, AFRESCO

THE NATIONAL GALLERY, LONDRES

caído sobre as minhas costas. Lutei para libertar os braços, respirando ofegante e coberto de suor. Hércules não me deu oportunidade de livrar-me e agarrou-me o pescoço.
Meus joelhos estavam em terra, minha boca no pó. Compreendendo que não podia
competir com ele na arte da guerra, recorri
a outros meios e escapei, rastejando, sob a
forma de uma serpente. Enrosquei o corpo
e silvei, ameaçando o adversário com a língua bipartida. Ele, vendo isso, sorriu, desdenhosamente, e exclamou: "Era trabalho de
minha infância, vencer serpentes." Assim
dizendo, agarrou-me pelo pescoço. Vencido
sob essa forma, tentei a única saída que me
restava e transformei-me em touro. Hércules
mais uma vez segurou-me pelo pescoço e,
encostando minha cabeça no chão, atirou-me à areia. E não se deu por satisfeito. Sua mão
implacável arrancou-me o chifre da cabeça. As náiades o recolheram, consagraram-no e
encheram-no de flores olorosas. A Fartura tomou-o como seu e chamou-o "Cornucópia".

Os antigos compraziam-se em encontrar um sentido oculto em suas lendas mitológicas. Explicam esse combate de Aquelau com Hércules dizendo que o Aquelau era um
rio que transbordava de seu leito, na estação chuvosa, e quando a lenda diz que ele amava Dejanira e procurava a ela se unir, isso quer dizer que o rio, em seus meandros, corria
através do reino de Dejanira. Dizia-se que tomava a forma de uma serpente, por causa de
seu curso sinuoso, e de um touro, pela sua violência e fragor de suas águas. Nas cheias, o

rio corria por outro canal. Assim, sua cabeça tinha chifres. Hércules impediu a ocorrência dessas inundações periódicas, por meio de barragens e canais, e foi dito, assim, que vencera o rio-deus e lhe arrancara um chifre. Finalmente, as terras sujeitas à inundação tornaram-se, depois de protegidas, fertilíssimas e isso é explicado pela Cornucópia.

Há outra versão da origem da Cornucópia. Quando nasceu, Júpiter foi entregue por sua mãe, Réia, aos cuidados das filhas de Melisseu, um rei cretense, que alimentaram o deus infante com o leite da cabra Amaltéia. Júpiter quebrou um dos chifres dessa cabra e deu-o às suas amas, atribuindo-lhe o poder mágico de se encher com aquilo que desejasse seu dono.

O nome de Amaltéia também é atribuído, por alguns autores, à mãe de Baco. Assim foi usado por Milton, no Livro IV do *Paraíso Perdido*:

... Na ilha niseniana,
Pelo Tritão cingida, o velho Cã,
Dos gentios o Amon dos líbios Jove,
Escondeu Amaltéia e o jovem Baco,
Seu filho, da madrasta intolerante.

ADMETO E ALCESTES

Esculápio, filho de Apolo, foi dotado por seu pai de tal habilidade na arte de curar que chegava até a restituir a vida aos mortos. Plutão alarmou-se com isso e conseguiu que Júpiter o fulminasse com um raio. Apolo, indignado com a morte do filho, tratou de vingar-se nos inocentes trabalhadores que haviam construído o raio. Eram os ciclopes, que tinham sua oficina sob o Monte Eta, do qual estão constantemente saindo as chamas e a fumaça provindas daquela oficina. Apolo desfechou suas setas contra os ciclopes, o que irritou Júpiter a tal ponto que o condenou a tornar-se servo de um mortal, durante um ano. Assim, Apolo foi servir a Admeto, rei da Tessália, tomando conta de seus rebanhos, nas verdejantes margens do Rio Afrisos.

Admeto era um dos pretendentes à mão de Alcestes, filha de Pélias, que a prometera àquele que a fosse procurar num carro puxado por leões e javalis. Admeto executou uma tarefa, com a ajuda de seu divino pastor, e foi premiado com Alcestes. Admeto, porém, adoeceu e, estando às portas da morte, Apolo conseguiu que as Parcas o poupassem, com a condição de que alguém se dispusesse a morrer em seu lugar. Muito alegre com essa esperança, Admeto não se preocupou muito com o resgate, talvez se lembrando dos protestos de dedicação que ouvira muitas vezes da boca dos cortesãos e dos servos. Pensou que seria muito fácil encontrar um substituto. Tal não se deu, porém. Guerreiros valentes, que, de boa vontade, arriscavam a vida por seu príncipe, recuavam ante a idéia de morrer por ele num leito de enfermo, e os servos que lhe deviam benefícios e que se encontravam a serviço de sua casa desde a infância não se dispunham a sacrificar os poucos dias que lhes restavam para mostrar sua gratidão. "Por que um de seus pais não se sacrifica?" perguntavam. "De acordo com as leis da natureza, eles não poderão viver muito mais e quem estará mais indicado que eles para resgatar uma vida a que deram origem?" Os pais, contudo, por mais pesarosos que estivessem ante a iminência de perder o filho, não atendiam ao apelo para salvá-lo. Então, Alcestes, com admirável abnegação, ofereceu-se como substituta. Admeto, por mais amor que tivesse à vida, não desejava mantê-la a tal custo, mas não havia remédio. A condição imposta pelas Parcas fora satisfeita e o decreto era irrevogável. Alcestes adoeceu, ao passo que Admeto se restabelecia, e aproximava-se rapidamente da sepultura.

Justamente nessa ocasião, Hércules chegou ao palácio de Admeto e encontrou todos os moradores pesarosíssimos, ante a iminência da morte da dedicada esposa e querida senhora. Hércules, para quem não havia trabalho bastante árduo, resolveu tentar salvar a rainha. Ficou na porta do seu quarto e, quando a Morte chegou à procura de sua presa, agarrou-a e obrigou-a a desistir de sua vítima. Alcestes restabeleceu-se e foi restituída ao marido.

Milton faz alusão a Alcestes em seu "Soneto sobre a esposa morta":

Tive a impressão de ver minha esposa querida
Voltando a consolar a minha desventura,
Como Alcestes também roubada à sepultura
Pelo filho de Jove, pálida e abatida.

Antígona

O sexo feminino desempenha importante papel na mitologia grega, quer quanto ao número de personalidades interessantes, quer pelo valor dos atos praticados. Antígona foi um exemplo tão belo de amor filial e fraternal quanto Alcestes de amor conjugal. Era filha de Édipo e Jocasta, que, com todos os seus descendentes, foram vítimas de um destino inelutável, que os condenou à destruição. Em seus acessos de loucura, Édipo arrancara os olhos e foi expulso de seu reino, Tebas, temido e abandonado por todos os homens, como objeto da vingança dos deuses. Antígona, sua filha, compartilhou sozinha de suas peregrinações e ficou com ele até sua morte, regressando, então, a Tebas.

Seus irmãos, Etéocles e Polinice, haviam combinado dividir o reino entre si e reinarem alternadamente, cada um durante um ano. O primeiro ano coube a Etéocles, que, quando expirou o prazo, negou-se a entregar o reino ao irmão. Polinice fugiu para junto de Adrastos, rei de Argos, que lhe deu sua filha em casamento e ajudou-o, com um exército, a sustentar sua pretensão ao trono. Isso acarretou a famosa expedição dos "Sete contra Tebas", que deu muito assunto aos poetas épicos e trágicos da Grécia.

Anfiarus, cunhado de Adrastos, opôs-se à empresa, pois era vidente e sabia, graças à sua arte, que nenhum dos chefes, com exceção de Adrastos, voltaria vivo. Contudo, Anfiarus, quando se casara com Erifila, irmã do rei, concordara que qualquer divergência surgida entre ele e Adrastos seria resolvida por Erifila. Sabendo disso, Polinice deu a Erifila o colar de Harmonia, conquistando-a, desse modo, para a sua causa. Esse colar fora um presente que Vulcano oferecera a Harmonia, quando essa se casou com Cadmo, e Polinice levara-o consigo, ao fugir de Tebas. Erifila não pôde resistir à tentação do suborno e, graças à sua decisão, a guerra se tornou inevitável e Anfiarus foi condenado a um destino fatal. Ele participou valentemente da luta, mas não pôde evitar a fatalidade de seu destino. Perseguido pelo inimigo, fugia ao longo do rio quando um raio lançado por Júpiter abriu a terra e ele, seu carro e o cocheiro foram tragados.

Não haveria espaço aqui para descrever todos os atos de heroísmo ou atrocidade que assinalaram a luta; não devemos, contudo, omitir a fidelidade de Evadne, em contraste com a fraqueza de Erifila. Capaneu, marido de Evadne, no ardor do combate, afirmou que abriria caminho até a cidade, a despeito do próprio Jove. Encostou uma escada na muralha e subiu, mas Júpiter, ofendido com suas palavras impiedosas, fulminou-o com um raio. Quando seu funeral foi celebrado, Evadne atirou-se à pira e morreu.

No começo da luta, Etéocles consultou o adivinho Tirésias sobre o seu desenrolar (Tirésias, em sua juventude, vira, por acaso, Minerva se banhando. Furiosa, a deusa privou-o da visão, porém mais tarde, abrandando-se, concedeu-lhe, como compensação, o conhecimento dos acontecimentos futuros), que declarou que a vitória caberia a Tebas, se Menoceu, filho de Créon, se oferecesse como vítima voluntária. Ao saber disso, o heróico jovem sacrificou a vida, no primeiro encontro.

O sítio continuou, com alternativas de vitórias e derrotas para os dois lados. Finalmente, concordou-se que os irmãos decidissem a disputa em um combate singular. Os dois lutaram e ambos morreram. Os exércitos, então, reiniciaram a luta e, afinal, os invasores foram obrigados a ceder e fugiram, deixando seus mortos insepultos. Créon, tio dos dois príncipes mortos, tornou-se rei e mandou enterrar Etéocles com todas as honras, mas deixou o corpo de Polinice onde caíra, proibindo, sob pena de morte, que alguém o enterrasse.

Antígona, a irmã de Polinice, ficou indignada ao ter notícia do revoltante edito que entregara o corpo do irmão aos cães e aos abutres, privando-o dos ritos que eram considerados essenciais ao repouso dos mortos. Sem se deixar abalar pelos conselhos de uma irmã afetuosa, mas tímida, resolveu desafiar a sorte e enterrar o corpo com suas próprias mãos. Foi presa enquanto fazia isso e Créon deu ordens para que a enterrassem viva, por haver desobedecido deliberadamente um edito solene da cidade. Seu amante, Hêmon, filho de Créon, incapaz de salvá-la, não lhe sobreviveu, suicidando-se.

Antígona é assunto de duas belas tragédias do poeta grego Sófocles. A Sra. Jameson, no livro *Caracteres das Mulheres*, compara seu caráter ao de Cordélia, do *Rei Lear*, de Shakespeare.

A seguinte passagem de Sófocles refere-se às lamentações de Antígona, quando a morte afinal livra Édipo de seus sofrimentos:

> *Como haveria de querer a vida?*
> *O próprio sofrimento menos duro*
> *Era ao seu lado. O que era insuportável*
> *Junto dele eu teria tolerado.*
> *Oh meu querido pai! Na sepultura*
> *Como estás e tão velho como estavas,*
> *Quero-te ainda e hei de querer-te sempre.*

penélope

Penélope é outra dessas heroínas míticas, cuja beleza é mais do caráter e da conduta que do corpo. Era filha de Icário, um príncipe espartano. Ulisses, rei de Ítaca, pediu-a em casamento e conquistou-a, entre todos os competidores. Quando chegou o momento em que a jovem esposa deveria deixar a casa paterna, Icário, não tolerando a idéia de separar-se da filha, tentou persuadi-la a permanecer ao seu lado e não acompanhar o marido a Ítaca. Ulisses deixou a Penélope o critério da escolha e ela, em vez de responder, baixou o véu sobre o rosto. Icário não insistiu, mas, quando ela partiu, levantou uma estátua do Pudor no lugar onde se haviam separado.

Ulisses e Penélope não haviam gozado sua união por mais de um ano quando tiveram de interrompê-la, em virtude dos acontecimentos que levaram Ulisses à Guerra de Tróia. Durante sua longa ausência, e quando era duvidoso que ele ainda vivesse, e muito improvável que regressasse, Penélope foi importunada por inúmeros pretendentes, dos quais parecia não poder livrar-se senão escolhendo um deles para esposo. Penélope, contudo, lançou mão de todos os artifícios para ganhar tempo, ainda esperançosa no regresso de Ulisses. Um desses artifícios foi o de alegar que estava empenhada em tecer uma tela para o dossel funerário de Laertes, pai de seu marido, comprometendo-se em fazer sua escolha entre os pretendentes quando a obra estivesse pronta. Durante o dia, trabalhava nela, mas, à noite, desfazia o trabalho feito. É a famosa tela de Penélope, que passou a ser uma expressão proverbial para designar qualquer coisa que está sempre sendo feita mas não se acaba de fazer. O resto da história de Penélope será contado quando narrarmos as aventuras de seu marido.

CAPÍTULO XXIV

ORFEU E EURÍDICE
ARISTEU – ANFÍON
LINO – TÂMIRIS – MÁRSIAS
MELÊMPUS – MUSEU

ORFEU E EURÍDICE

Orfeu, filho de Apolo e da musa Calíope, recebeu de seu pai, como presente, uma lira e aprendeu a tocar com tal perfeição que nada podia resistir ao encanto de sua música. Não somente os mortais, seus semelhantes, mas os animais abrandavam-se aos seus acordes e reuniam-se em torno dele, em transe, perdendo sua ferocidade. As próprias árvores eram sensíveis ao encanto, e até os rochedos. As árvores ajuntavam-se ao redor de Orfeu e as rochas perdiam algo de sua dureza, amaciadas pelas notas de sua lira.

Himeneu foi convocado para abençoar com sua presença o casamento de Orfeu e Eurídice, mas, embora tivesse comparecido, não levou consigo augúrios favoráveis. Sua própria tocha fumegou, fazendo lacrimejar os olhos dos noivos. Coincidindo com tais prognósticos, Eurídice, pouco depois do casamento, quando passeava com as ninfas, suas companheiras, foi vista pelo pastor Aristeu, que, fascinado por sua beleza, tentou conquistá-la. Ela fugiu e, na fuga, pisou em uma cobra, foi mordida no pé e morreu. Orfeu cantou o seu pesar para todos quantos respiram na atmosfera superior, deuses e homens, e, nada conseguindo, resolveu procurar a esposa na região dos mortos. Desceu por uma gruta situada ao lado do promontório de Tenaro e chegou ao reino do Estige. Passando através de multidões de fantasmas, apresentou-se diante do trono de Plutão e

Hermes, Eurídice e Orfeu c. 420 a.C,
MÁRMORE

© MUSEU NACIONAL, NÁPOLES

Prosérpina e, acompanhado pela lira, cantou:

"Ó divindades do mundo inferior, para o qual todos nós que vivemos teremos que vir, ouvi minhas palavras, pois são verdadeiras. Não venho para espionar os segredos do Tártaro, nem para tentar experimentar minha força contra o cão de três cabeças que guarda a entrada. Venho à procura de minha esposa, a cuja mocidade o dente de uma venenosa víbora pôs um fim prematuro. O Amor aqui me trouxe, o Amor, um deus todo-poderoso entre nós, que mora na Terra e, se as velhas tradições dizem a verdade, também mora aqui. Imploro-vos: uni de novo os fios da vida de Eurídice. Nós todos somos destinados a vós, por essas abóbadas cheias de terror, por estes reinos de silêncio, e, mais cedo ou mais tarde, passaremos ao vosso domínio. Também ela, quando tiver cumprido o termo de sua vida, será devidamente vossa. Até então, porém, deixai-a comigo, eu vos imploro. Se recusardes, não poderei voltar sozinho; triunfareis com a morte de nós dois.

Enquanto cantava estas ternas palavras, os próprios fantasmas derramavam lágrimas. Tântalo, apesar da sede, parou por um momento seus esforços para conseguir água, a roda de Íxon ficou imóvel, o abutre cessou de despedaçar o fígado do gigante, as filhas de Danaus descansaram do trabalho de carregar água em uma peneira e Sísifo sentou-se em seu rochedo para escutar. Então, pela primeira vez, segundo se diz, as faces das Fúrias umedeceram-se de lágrimas. Prosérpina não pôde resistir, e o próprio Plutão cedeu. Eurídice foi chamada, e saiu do meio dos fantasmas, recém-vindos, coxeando, devido à ferida no pé. Orfeu teve permissão de levá-la consigo, com uma condição: a de que não se voltaria para olhá-la, enquanto não tivessem chegado à atmosfera superior. Nessas condições, os dois saíram, Orfeu caminhando na frente e Eurídice, atrás, através de passagens escuras e íngremes, num silêncio absoluto, até quase atingirem as risonhas regiões do mundo superior, quando Orfeu, num momento de esquecimento, para certificar-se de que Eurídice o estava seguindo, olhou para trás, e Eurídice foi, então, arrebatada. Estendendo os braços para se abraçarem, os dois apenas abraçaram o ar! Morrendo pela segunda vez, Eurídice não podia recriminar o marido, pois como haveria de censurar sua impaciência em vê-la?

– Adeus! – exclamou. – Um último adeus!

E foi afastada, tão depressa, que o som mal chegou aos ouvidos de Orfeu.

Ele tentou segui-la, e procurou permissão para voltar e tentar outra vez libertá-la, mas o rude barqueiro repeliu-o e recusou passagem. Orfeu deixou-se ficar à margem do lago durante sete dias, sem comer ou dormir; depois, amargamente acusando de crueldade as divindades do Érebo, cantou seus lamentos aos rochedos e às montanhas, abrandando o coração dos tigres e afastando os carvalhos de seus lugares. Manteve-se alheio às outras mulheres, constantemente entregue à lembrança de seu infortúnio. As donzelas trácias fizeram tudo para seduzi-lo, mas ele as repeliu. Elas o perseguiram enquanto puderam, mas, vendo-o insensível, certo dia, excitada pelos ritos de Baco, uma delas exclamou: "Ali está aquele que nos despreza!" e lançou-lhe seu dardo. A arma, mal chegou ao alcance do som da lira de Orfeu, caiu inerme aos seus pés. O mesmo aconteceu com as pedras que lhe foram atiradas. As mulheres, porém, com sua gritaria, aba-

faram o som da música, e Orfeu foi então atingido e, dentro em pouco, os projéteis estavam manchados de seu sangue. As furiosas mulheres despedaçaram o vate e atiraram sua lira e sua cabeça ao Rio Orfeu, pelo qual desceram ainda tocando e cantando a triste música, à qual as margens do rio respondiam com plangente sinfonia. As Musas ajuntaram os fragmentos do corpo de Orfeu e os enterraram em Limetra, onde, segundo se diz, o rouxinol canta sobre seu túmulo mais suavemente que em qualquer outra parte da Grécia. A lira foi colo-

Orfeu, ROELANDT SAVERY, 1628, ÓLEO SOBRE MADEIRA

cada por Júpiter entre as estrelas. A sombra do vate entrou, pela segunda vez, no Tártaro, onde procurou sua Eurídice e a tomou, freneticamente, nos braços. Os dois passearam pelos campos venturosos, juntos agora, indo ele, às vezes, na frente, às vezes ela, e Orfeu a contemplava tanto quanto queria, sem ser castigado por um olhar descuidado.

Da história de Orfeu, Pope tirou um exemplo do poder da música, em sua "Ode ao Dia de Santa Cecília". A estrofe seguinte relata a conclusão da história:

Muito cedo, porém, volve os olhos Orfeu
E de novo ela cai, e de novo morreu!
Como conseguirás as três Parcas domar?

Crime não houve teu, se não é crime amar.
E, agora, debruçado sobre os montes,
                    Junto à água das fontes
Ou onde o Hebro abre seu caminho
                    Orfeu chora sozinho
E, em luto e em pranto, invoca a alma querida,
                    Para sempre perdida!
Agora, todo em fogo, clama, ardente,
Sobre a neve do Ródope imponente,
E ei-lo, furioso como o vento, voa
E, em torno, o ardor da bacanal ressoa.
Está morrendo, vede, e a amada canta,
Seu nome vem-lhe aos lábios, à garganta.
"Eurídice", a palavra derradeira.
"Eurídice", dizem as matas,
"Eurídice", as cascatas.
Repete o nome a natureza inteira.

Aristeu, o apicultor

O homem procura tirar proveito dos instintos dos animais inferiores. Daí surgiu a apicultura, a arte de criação das abelhas. O mel deve ter sido conhecido primeiro como um produto silvestre, construindo as abelhas suas colméias no oco das árvores, em cavidades das rochas, ou lugares semelhantes. Assim, ocasionalmente, as carcaças dos animais mortos deveriam ser ocupadas pelas abelhas para tal fim. Foi, sem dúvida, disso que surgiu a superstição de que as abelhas nasciam da carne dos animais em decomposição. E, na história que narraremos a seguir, Virgílio mostra como pode ser atribuído àquele fato imaginário a possibilidade de renovar-se a colméia perdida em conseqüência de doença ou acidente.

Aristeu, o criador da apicultura, era filho da ninfa Cirene. Tendo morrido suas abelhas, ele recorreu à ajuda de sua mãe. Chegando junto ao rio onde ela vivia, assim disse:

– Oh, mãe, o orgulho de minha vida me foi roubado! Perdi minhas preciosas abelhas. Meu cuidado e diligência de nada valeram e tu, minha mãe, não me poupaste esse golpe do destino.

Sua mãe ouviu essas queixas quando se encontrava sentada em seu palácio no fundo do rio, tendo em torno de si as ninfas suas servas, empenhadas nas ocupações femininas, fiando e tecendo, enquanto uma delas contava histórias, para divertir as demais. A triste voz de Aristeu interrompeu sua ocupação. Uma das ninfas levantou a cabeça acima da água e, vendo Aristeu, foi comunicar o fato a Cirene, que ordenou que o filho fosse levado à sua presença. Cumprindo sua ordem, o rio se abriu e deixou passar o pastor, conservando-se ereto, como uma montanha, de ambos os lados. Aristeu desceu à região onde ficam as fontes do grande rio. Viu os enormes receptáculos e quase ensurdeceu com o barulho das águas, que corriam em várias direções para banhar a face da terra. Chegando aos aposentos de sua mãe, foi hospitaleiramente recebido por Cirene e suas ninfas, que serviram uma mesa com as iguarias mais finas. Em primeiro lugar, fizeram libações a Netuno, depois deleitaram-se com os manjares e, finalmente, Cirene assim se dirigiu ao filho:

– Há um velho profeta chamado Proteu, que mora no mar e é favorito de Netuno, cujo rebanho de focas apascenta. Nós, as ninfas, dedicamos-lhe grande respeito, pois ele é um sábio, que conhece todas as coisas, passadas, presentes e futuras. Ele pode dizer-te, meu filho, a causa da mortalidade de todas abelhas e o meio de remediá-la. Não o fará, porém, voluntariamente, por mais que lhe implores. Deves obrigá-lo a falar pela força. Se te apoderares dele e o acorrentares, ele responderá às tuas perguntas a fim de ser posto em liberdade, pois, apesar de todas as suas artes, não conseguirá escapar, se o prenderes em cadeias apertadas. Levar-te-ei à sua gruta, onde ele chegará ao meio-dia, para repousar. Será fácil, então, para ti apoderar-se dele. Quando, porém, se vir aprisionado, recorrerá ao poder que possui de mudar de forma. Transformar-se-á em um javali, em um tigre feroz, em um dragão coberto de escamas ou em um leão de amarela juba, ou produzirá um ruído semelhante ao crepitar do fogo ou à água corrente para tentar fazer com que soltes a cadeia, quando então, fugirá. Bastar-te-á, contudo, mantê-lo preso e ele; quando perceber que todos os seus artifícios são inúteis, voltará à sua forma primitiva e obedecerá às tuas ordens.

Assim dizendo, aspergiu no filho o perfumado néctar, a bebida dos deuses, e, imediatamente, Aristeu sentiu no corpo um vigor desconhecido e no coração grande coragem, enquanto um perfume suave rescendia em torno.

A ninfa levou o filho à gruta do profeta e escondeu-o entre os recessos dos rochedos, enquanto ela própria se colocava atrás das nuvens. Ao meio-dia, à hora em que os homens e os rebanhos fogem do sol ardente, para dormitar durante algum tempo, Proteu saiu da água, seguido pelo seu rebanho de focas, que se espalharam pela praia. Proteu sentou-se no rochedo e contou o rebanho, depois estendeu-se no chão da gruta e adormeceu. Sem perder tempo, Aristeu acorrentou-o e deu um grito. Acordando e vendo-se acorrentado, Proteu imediatamente recorreu às suas artes, transformando-se primeiro numa fogueira, depois em água, depois numa fera horrível, em rápida sucessão. Verificando, porém, que de nada valia, recuperou sua própria forma e dirigiu-se ao jovem, irritado:

– Quem és tu, ousado jovem, que assim invades minha morada, e que queres de mim?

– Já sabes, Proteu, pois é inútil tentar iludir-te – respondeu Aristeu. – E deves, tu também, cessar os esforços para iludir-me. Aqui vim com a ajuda divina, para saber a causa do meu infortúnio e o meio de remediá-lo.

A estas palavras, o profeta, fixando em Aristeu os olhos penetrantes, assim falou:

– Recebes a merecida recompensa pelos teus atos, que fizeram Eurídice encontrar a morte, pois, fugindo de ti, ela pisou numa serpente, de cuja dentada morreu. Para vingar sua morte, as ninfas, suas companheiras, lançaram a destruição às tuas abelhas. Tem de apaziguar a ira das ninfas e, para isso, assim deves fazer: escolhe quatro touros, de perfeito formato e tamanho, e quatro vacas de igual beleza, constrói quatro altares para as ninfas e sacrifica os animais, deixando suas carcaças no chão do bosque coberto de folhas. A Orfeu e Eurídice deverás render honras fúnebres suficientes para aplacá-los. Voltando depois de nove dias, examinarás as carcaças dos animais e verás o que aconteceu.

Aristeu seguiu fielmente essas instruções. Sacrificou os animais, deixou suas carcaças no bosque, prestou as honras fúnebres às sombras de Orfeu e Eurídice. Então, voltando no nono dia, examinou as carcaças dos animais e – maravilha! – um enxame de abelhas tomara posse das carcaças e trabalhava como numa colméia.

No poema "A Tarefa", Cowper faz alusão à história de Aristeu, quando se refere ao palácio de gelo construído pela imperatriz da Rússia, descrevendo as formas fantásticas que o gelo assume com relação a quedas d'água etc.:

Novidade sem par por mão humana feita,
Senhora imperial da Rússia poderosa
Com obra colossal e frágil a um só tempo,
Maravilha do Norte. Uma floresta inteira
Derrubada não foi, Senhora, quando a ergueste.
Nem a pedra, também, revestiu-lhe as paredes.
De água congelada e pura era o seu mármor.
Foi em palácio assim que Aristeu procurou
Cirene, e sua mãe de seus lábios ouviu
A triste narração das colméias perdidas.

Também Milton parece que tinha em mente Cirene e sua cena doméstica quando nos descreve Sabrina, a ninfa do Rio Severn, na canção do espírito guardião, no poema "Comus":

Escuta, linda Sabrina,
Escuta, de onde, contente,

Tua beleza divina,
Sob a água transparente,
Escondes, linda Sabrina,
Escuta, onde tuas tranças
Enfeitas de brancos lírios.
Escuta, que as esperanças
São preces e não delírios.
São as preces que aqui trago,
Os rumos da minha sina.
Escuta, deusa do lago.
Escuta e atende, Sabrina!

Anfíon

Anfíon era filho de Júpiter e Antíope, rainha de Tebas. Com seu irmão gêmeo Zétus, foi exposto ao nascer no Monte Citéron, onde os dois cresceram entre os pastores, sem conhecer os pais. Mercúrio ofereceu uma lira a Anfíon e ensinou-lhe a tocar, enquanto seu irmão ocupava-se em caçar e pastorear os rebanhos. Durante esse tempo, Antíope, a mãe dos gêmeos, que fora tratada com grande crueldade por Lícus, o rei usurpador de Tebas, e por sua esposa Dirce, conseguiu, afinal, informar os filhos de seus direitos e pedir-lhes ajuda. Com um bando dos pastores seus companheiros, os gêmeos atacaram e mataram Lícus e amarraram Dirce pelos cabelos à cabeça de um touro, deixando que o animal a arrastasse até matá-la.[1] Anfíon, tendo-se tornado rei de Tebas, fortificou a cidade com uma muralha. Dizia-se que, quando tocava sua lira, as pedras se moviam por si mesmas e iam tomar seu lugar na muralha.

Lino

Lino era professor de música de Hércules, mas, tendo um dia repreendido o discípulo com bastante aspereza, provocou a ira de Hércules, que lhe desfechou uma pancada com sua lira, matando-o.

Tâmiris

Tâmiris foi um antigo bardo da Trácia, que, muito presunçoso, desafiou as Musas a medir com ele sua arte, e, tendo sido derrotado na competição, foi privado por elas da vista. Milton faz alusão a ele, juntamente com outros poetas cegos, ao referir-se à própria cegueira, no verso 35 do Livro III do *Paraíso Perdido*.

---

[1] O castigo de Dirce é assunto de um célebre grupo escultural, atualmente no Museu de Nápoles.

Mársias

Minerva inventou a flauta e tocava o instrumento para deleite de todos os ouvintes celestiais. Tendo, porém, o irreverente menino Cupido se atrevido a rir da cara esquisita que a deusa fazia ao tocar, Minerva, furiosa, jogou fora o instrumento, que caiu na terra e foi encontrado por Mársias. Este experimentou a flauta e dela tirou sons tão maviosos que foi tentado a desafiar o próprio Apolo para uma competição musical. Naturalmente, o deus triunfou e castigou Mársias, esfolando-o vivo.

Melâmpus

Melâmpus foi o primeiro mortal dotado de poderes proféticos. Diante de sua casa havia um carvalho com um ninho de serpentes. As velhas serpentes foram mortas pelos criados, mas Melâmpus tomou conta dos filhotes e alimentou-os cuidadosamente. Certo dia, quando ele estava dormindo à sombra do carvalho, as serpentes lamberam-lhe os ouvidos com suas línguas. Ao acordar, Melâmpus ficou atônito, percebendo que estava entendendo a linguagem das aves e dos animais que rastejam. Esse conhecimento assegurou-lhe o dom de prever os acontecimentos futuros, e ele se tornou um afamado adivinho. Certa ocasião, seus inimigos o aprisionaram e mantiveram-no em seu rigoroso cativeiro. Melâmpus, na calada da noite, ouviu os vermes do madeiramento conversar e descobriu, pelo que diziam, que a madeira estava quase comida e o teto iria desabar em breve. Melâmpus advertiu seus carcereiros do perigo e pediu que fosse libertado. Eles aceitaram a advertência, escapando, assim, à morte, e recompensaram Melâmpus, atribuindo-lhe grandes honrarias.

Museu

Museu foi um personagem semimitológico, que a tradição dizia ser filho de Orfeu. A ele são atribuídos poemas sacros e oráculos.

CAPÍTULO XXV
ÁRION – ÍBICUS
SIMÔNIDES – SAFO

Os poetas de cujas aventuras trata este capítulo foram personagens reais, algumas de suas obras ainda existem e sua influência sobre os poetas que os sucederam é ainda mais importante que os remanescentes de suas obras poéticas. As aventuras a eles atribuídas nestas páginas baseiam-se nas mesmas autoridades em que se baseiam as demais narrativas deste livro, isto é, os poetas que as contaram. As duas primeiras narrativas foram traduzidas do alemão, Árion de Schlegel e Íbicus de Schiller.

Árion

Árion foi um famoso músico, que morava na corte de Periandro, rei de Corinto, de quem era favorito. Havia uma competição musical na Sicília, e Árion desejava ardentemente disputar o prêmio. Contou seu desejo a Periandro, que lhe implorou como a um irmão que desistisse da idéia.

– Fica comigo, peço-te e sê feliz – disse o rei. Quem deseja vencer pode perder.

Safo em Leocádia, ANTOINE JEAN GROS

– Uma vida errante convém melhor ao coração livre de um poeta – respondeu Árion. O talento que um deus me concedeu deve servir de fonte de prazer aos outros. E se eu conquistar o prêmio, quanto será aumentado o prazer que ele me der pela consciência de minha fama!

Árion partiu, conquistou o prêmio e embarcou de volta, com seu tesouro, num navio coríntio. Na manhã do segundo dia, depois de terem zarpado, o vento soprava suave e favorável.

– Ó Periandro, põe de lado teus temores! – exclamou Árion. Em breve há de esque-cê-los, quando eu te abraçar. Com que prodigalidade mostraremos nossa gratidão aos deuses e quanto será alegre o banquete festivo!

O vento e o mar continuaram propícios. Nem uma nuvem cobria o firmamento. Não fora demais confiar no oceano – mas deveria Árion ter desconfiado dos homens. Ouviu os marinheiros conversarem em voz baixa uns com os outros e descobriu que estavam planejando apoderar-se de seu tesouro. Não tardaram a cercá-lo, aos gritos e ameaças, e disseram:

– Árion, deves morrer! Se queres um túmulo em terra, resigna-te a morrer onde es-tamos. Do contrário, lança-te ao mar.

– Nada vos satisfará a não ser minha vida? – disse Árion. Tomai meu ouro e de boa vontade comprarei minha vida a tal preço.

– Não, não! Não podemos poupar-te, tua vida seria muito perigosa para nós. Onde poderíamos livrarmo-nos de Periandro se ele soubesse que te havíamos roubado? Teu ouro nos seria de pouca valia se, voltando para nossa terra, jamais pudéssemos nos ver livres do temor.

– Concedei-me, então – retrucou Árion –, o último pedido. Uma vez que nada salva-rá minha vida, que eu possa morrer como tenho vivido, como um bardo. Quando eu te-nha entoado meu canto de morte e as cordas de minha harpa tenham cessado de vibrar, então me despedirei da vida e me curvarei, sem queixar, ao meu destino.

Este pedido, como os outros, não seria atendido – os marinheiros pensavam apenas nos despojos –, se não fosse o desejo de ouvir um músico tão famoso, que comovia seus rudes corações.

– Permiti-me – acrescentou Árion – que componha minhas vestes. Apolo não me fa-vorecerá se eu não estiver devidamente envolto em minhas vestes de menestrel.

Cobriu o bem-proporcionado corpo de ouro e púrpura agradáveis à vista, a túnica caía em torno dele com dobras graciosas, pedras preciosas adornavam-lhe os braços, na testa tinha uma coroa de ouro e sobre o pescoço e os ombros flutuavam seus cabe-los perfumados de essência. Na mão esquerda tinha a lira, e na direita, a varinha de marfim com que feria suas cordas. Inspirado, pareceu beber o ar da manhã e brilhar aos raios do sol matutino. Os marinheiros fitaram-no com admiração. Árion avançou até o convés do barco e olhou para as profundidades do mar azul. Dirigindo-se à sua lira, cantou:

"Companheira de minha voz, vem comigo ao reino das sombras. Por mais que Cérbero rosne, conhecemos o poder do canto capaz de aplacar-lhe a ira. Vós, heróis do Elísio que atravessastes as águas sombrias, vós, almas venturosas, em breve irei juntar-me ao vosso grupo. Podeis, contudo, aliviar minha dor? Ah! Deixo atrás de mim meu amigo. Tu, que encontraste tua Eurídice e a perdeste de novo, tão cedo a encontraste; quando ela se desvaneceu como um sonho, quanto odiaste a alegria da luz! Devo partir, mas partirei sem medo. Os deuses olham para nós. Vós que me matais sem motivo, quando eu aqui já não estiver, chegará vosso tempo de ter medo. Vós, Nereidas, recebei vosso hóspede, que se entrega à vossa mercê!"

Árion, Ilustração de Tanglewood, Tales, c. 1920

Assim dizendo, atirou-se às profundidades do mar. As ondas cobriram-no, e os marinheiros prosseguiram viagem, acreditando-se livres do perigo de serem descobertos.

Os acordes da música de Árion, porém, tinham atraído os habitantes das profundezas marinhas, e os golfinhos acompanhavam o navio como se aprisionados pelo encantamento. Enquanto o bardo lutava contra as ondas, um golfinho ofereceu-lhe montaria e transportou-o são e salvo para a costa. No lugar em que ele chegou à terra, foi erguido, mais tarde, um monumento de bronze sobre o rochedo, para relembrar o fato.

Quando Árion e o golfinho se separaram, cada um se dirigindo para o seu próprio elemento, o bardo assim manifestou sua gratidão:

– Adeus, peixe fiel e amigo! Quisera recompensar-te, mas não podes seguir comigo, nem eu contigo. Não podemos ser companheiros. Possa Galatéia, rainha das profundidades marinhas, conceder-te seus favores, e tu, orgulhoso do encargo, arrastar sua carruagem sobre o liso espelho do oceano.

Afastando-se do litoral, Árion em breve viu diante de si as torres de Corinto. Caminhava empunhando a harpa, cantando enquanto marchava, cheio de amor e felicidade, esquecido dos prejuízos e atento apenas ao que lhe restava: seu amigo e sua lira. Entrou no hospitaleiro palácio e Periandro o recebeu entre os braços.

– Volto para junto de ti, meu amigo – disse ele. O talento que um deus me concedeu tem constituído o deleite de milhares de pessoas, porém malfeitores traiçoeiros privaram-me do meu bem-merecido tesouro. Conservo, contudo, a consciência de minha fama.

Contou, então, a Periandro todos os fatos maravilhosos que lhe haviam acontecido e que foram ouvidos com assombro.

– Será possível que tal perversidade triunfe? – exclamou o rei. Seria inútil, então, o poder que tenho nas mãos. Para que possamos desmascarar os criminosos, deves ficar aqui escondido, de modo que eles aqui se apresentem sem desconfiança.

Quando o navio chegou ao porto, Periandro convocou os marinheiros.

– Não tivestes notícia de Árion? – perguntou. Espero ansiosamente o seu regresso.

– Deixamo-lo bem e próspero, em Tarento – responderam.

Enquanto diziam estas palavras, Árion apareceu e encarou-os. Seu bem-proporcionado corpo estava coberto de ouro e púrpura agradáveis à vista, a túnica caía em torno dele com dobras graciosas, pedras preciosas adornavam-lhe os braços, na testa tinha uma coroa de ouro e sobre o pescoço e os ombros flutuavam os cabelos perfumados de essência. Na mão esquerda tinha a lira, e na direita, a varinha de marfim com que feria as cordas. Os marinheiros caíram prostrados aos seus pés como se um raio os houvesse fulminado.

– Quisemos assassiná-lo e ele transformou-se em um deus! Ó terra, abre para receber-nos!

Periandro falou, então:

– Ele vive, o mestre do canto! O céu misericordioso protege a vida do poeta. Quanto a vós, não invoco o espírito da vingança; Árion não deseja vosso sangue. Vós, escravos da cobiça, saí! Procurai alguma terra bárbara e jamais a beleza deleite vossas almas!

Spencer representa Árion, montado no golfinho acompanhando o cortejo de Netuno e Anfitrite:

Acordes celestiais então se ouvem
E, flutuando nas ondas, mansamente,
Com o som de sua harpa Árion cativa
O ouvido e o coração de toda a gente.
Até mesmo o golfinho em cujo dorso
Ele chegou, depois da travessia
Do mar Egeu, fica imóvel, quedo,
Ouvindo a harpa, e o próprio mar a ouvindo
Seu rugido cessou, paralisado.

Byron, no Canto II do "Childe Harold", faz alusão à história de Árion, quando, descrevendo sua viagem, se refere a um dos marinheiros que tocava um instrumento musical para divertir os demais.

Brilha a lua no céu. Que noite linda!
A luz prateia as ondas incansáveis.
Os amantes suspiram e as virgens crêem.
Tal nosso fado quando o mar deixamos!
Entrementes, as cordas do instrumento
Tange a mão de algum novo e rude Árion
E a marinhagem escuta, embevecida.

ÍBICUS

Para se compreender a história de Íbicus, que segue, é necessário lembrar, primeiro, que os teatros da Antiguidade eram construções imensas, capazes de conter de 10 a 30 mil espectadores, e, como apenas eram usados em ocasiões festivas e a entrada era gratuita para todos, geralmente ficavam repletos. Os teatros não tinham telhados e os espetáculos realizavam-se durante o dia. Além disso, devemos lembrar que a amedrontadora representação das Fúrias não constitui um exagero. É sabido que, tendo o poeta trágico Ésquilo, em certa ocasião, representado as Fúrias num coro de cinqüenta executantes, foi tão grande o terror dos espectadores que muitos desmaiaram e foram tomados de convulsões, e os magistrados proibiram, de então para diante, representações semelhantes.

O piedoso poeta Íbicus estava a caminho da corrida de carros e das competições musicais realizadas no Istmo de Corinto, que atraíam todos os gregos. Apolo concedera-lhe o dom do canto, os lábios de mel do poeta, e ele prosseguia caminho com os passos leves, pleno do deus. Já as torres de Corinto apareciam nas alturas e ele penetrara, reverentemente, no bosque sagrado de Netuno. Nenhum ser vivo se via a não ser um bando de grous, que voava na mesma direção que seguia o poeta, em sua migração para o sul.

– Felicidade para vós, esquadrões amistosos, meus companheiros de além-mar! – exclamou ele. Rebebo vossa companhia como um bom augúrio. Viemos de longe à procura de hospitalidade. Possamos tanto eu quanto vós encontrar essa recepção amável que protege contra o mal o hóspede estrangeiro!

Apressou os passos e, dentro em pouco, encontrava-se no meio do bosque. De súbito, em uma passagem estreita, surgiram dois ladrões que lhe barraram o caminho. Íbicus tinha de render-se ou lutar, mas seus braços, acostumados à lira e não ao manejo das armas, caíram impotentes. Gritou pedindo socorro aos homens e aos deuses, mas seus gritos não foram ouvidos por quem o defendesse.

– Devo então morrer aqui – disse ele – em uma terra estrangeira, sem que ninguém me chore, roubado à vida pela mão de bandidos e sem ver alguém que possa vingar-me!

Malferido, caiu ao chão, quando os gritos roufenhos dos grous se fizeram ouvir no alto.

– Tomai a minha causa, grous – exclamou –, já que nenhuma voz, além da vossa, respondeu ao meu grito!

Assim dizendo, fechou os olhos e morreu.

O corpo, despojado e mutilado, foi descoberto, e, embora desfigurado pelos ferimentos, Íbicus foi reconhecido pelo amigo de Corinto que o esperava como hóspede.

– É assim que te encontro a mim restituído? – exclamou o amigo. Eu que esperava colocar em tua fronte a coroa de triunfo na competição do canto!

Os convivas reunidos no festival ouviram com profunda dor a notícia. Toda a Grécia sentiu o golpe, todos os corações compartilharam daquela perda. Reunidos em torno do tribunal dos magistrados, exigiram vingança contra os assassinos e a expiação por seu sangue. Que traço ou marco, porém, apontaria o criminoso no meio da vasta multidão atraída pelo esplendor da festividade? Teria Íbicus sido vítima de bandidos ou teria algum inimigo particular o matado? Somente o sol, que tudo vê, poderia dizer, pois nenhum outro olhar contemplara o crime. Era provável, contudo, que o assassino agora mesmo andasse no meio da multidão e gozasse o fruto de seu crime, enquanto a vingança o procura em vão. Talvez no próprio recinto do templo desafie os deuses, misturando-se, livremente, à multidão que agora se comprime no anfiteatro.

A multidão, com efeito, reúne-se agora, de arquibancada em arquibancada, ocupando todos os lugares até parecer que a própria construção cederia sob seu peso. O murmúrio de vozes assemelha-se ao rugido do mar, enquanto os círculos se alargam à medida que sobem, como se fossem atingir o céu.

E, agora, a grande assembléia ouve a pavorosa voz do coro, personificando as Fúrias, que avança solenemente a passo cadenciado e se move em torno do circuito do teatro. Podem ser mulheres mortais as que compõem esse horrível grupo, e pode este vasto conjunto de formas silenciosas ser composto de seres humanos?

Os componentes do coro, vestidos de preto, carregam nas mãos descarnadas tochas em que flameja uma chama fumacenta. Têm as faces descoloridas e, em lugar dos cabelos, enroscam-se asquerosas serpentes em torno de suas frontes. Formando um círculo, esses horríveis seres cantam seus hinos, lendo no coração dos culpados e dominando todas as suas faculdades. Esses hinos elevam-se e ampliam-se, abafando o som dos instrumentos, roubando o raciocínio, dominando o coração, gelando o sangue.

"Feliz o homem que conserva o coração puro de culpa e de crime! Nele, nós, vingadoras, não tocamos; ele marcha pelo caminho da vida livre de nós. Mas ai, ai daquele que cometeu um assassinato secreto! Nós, a pavorosa família da Noite, lançamo-nos sobre todo o seu ser. Pensa ele que, pela fuga, se livra de nós? Voamos ainda mais velozmente em sua perseguição, trançamos nossas serpentes em torno de seus pés e atiramo-lo ao chão. Incansáveis, nós o perseguimos. A piedade não detém o nosso curso. Continuamente, até o fim da vida, não lhe damos paz nem descanso."

Assim cantavam as Eumênides, e moviam-se em solene cadência, enquanto uma imobilidade semelhante à imobilidade da morte dominava toda a assembléia, como se se estivesse em presença de seres sobre-humanos; e, depois, completando em solene marcha o circuito do teatro, o coro recolheu-se ao fundo do palco. Todos os corações flutuavam entre a ilusão e a realidade, e todos os peitos arquejavam com um terror indefinido, diante do pavoroso poder que presencia os crimes secretos e domina, invisível, os meandros do destino. Nesse momento, um grito irrompeu de uma das arquibancadas superiores:

– Olha, olha, camarada! Ali estão os grous de Íbicus!

E, de súbito, apareceu atravessando o céu um objeto que um pouco de atenção revelava ser um bando de grous voando bem por cima do teatro.

– De Íbicus! Foi isso que ele disse?

O nome querido reviveu o pesar em todos os corações. Como uma vaga segue outra vaga na face do mar, assim correram de boca em boca as palavras: "De Íbicus! Aquele que todos nós lamentamos, aquele que um assassino abateu! Que têm os grous a ver com ele?" E, cada vez mais forte, crescia o ruído das vozes enquanto, como um relâmpago, este pensamento atravessava todos os corações: "Vede o poder das Eumênides! O piedoso poeta será vingado! O assassino depôs contra si mesmo. Prendei o homem que deu aquele grito e o outro a quem se dirigiu!"

O culpado teria de boa vontade engolido suas palavras, mas era demasiadamente tarde. Os rostos dos assassinos, pálidos de terror, traíram sua culpa. O povo levou-os ao juiz, eles confessaram o crime e sofreram o merecido castigo.

SIMÔNIDES

Simônides foi um dos mais fecundos dentre os primitivos poetas da Grécia, mas chegaram até nós apenas uns poucos fragmentos de suas obras. Escreveu hinos, odes triunfais e elegias, destacando-se particularmente nesta última espécie de poesia. Seu gênio inclinava-se ao patético, e ninguém sabia vibrar com efeito mais sincero as cordas do sentimento humano. A "Lamentação de Dânae", o fragmento mais importante que resta de suas obras poéticas, baseia-se na tradição segundo a qual Dânae e seu filho, ainda criança, foram presos por ordem de seu pai, Acrísio, numa arca e lançados ao mar. A arca flutuou em direção à Ilha de Serifo, onde ambos os ocupantes foram salvos pelo pescador Dícdis e levados a Polidectes, rei do país, que os recebeu e protegeu. A criança, Perseu, tornou-se, depois de adulto, um herói famoso, cujas aventuras foram relembradas em capítulo anterior.

Simônides passou grande parte da vida nas cortes de príncipes e, freqüentemente, empregou seu talento em panegíricos e odes festivas, recebendo sua recompensa daqueles cujas façanhas celebrava. Esse modo de agir não era humilhante, parecendo-se muito com o dos bardos primitivos, tal como Demódocus, descrito por Homero, ou como o próprio Homero, tal como é relembrado pela tradição. Em certa ocasião, quando residia na corte de Escopas, rei da Tessália, o príncipe quis que ele compusesse um poema celebrando suas façanhas, para ser recitado em um banquete. A fim de diversificar o tema, Simônides, que era conhecido por sua piedade, introduziu no poema as façanhas de Castor e Pólux. Tais divagações não eram raras no poeta, em semelhantes oportunidades, e seria de se supor que um mortal comum se sentisse feliz em compartilhar os louvores aos filhos de Leda. A vaidade, porém, é exigente e Escopas, sentado à mesa de banquete, entre seus cortesãos e aduladores, resmungava insatisfeito ao ouvir qualquer verso que não fosse em seu próprio louvor. Quando Simônides se aproximou para receber a prometida recompensa, Escopas pagou-lhe apenas metade da quantia esperada, dizendo:

– Aqui está o pagamento pela minha parte na tua obra. Castor e Pólux, sem dúvida, pagar-te-ão pela parte que lhes diz respeito.

Muito desconcertado, o poeta voltou ao seu lugar, no meio das gargalhadas que se seguiram à pilhéria do rei. Dentro de pouco tempo, porém, recebeu um recado, dizendo que dois jovens a cavalo o estavam esperando do lado de fora e lhe desejavam falar com urgência. Simônides saiu, mas procurou em vão pelos visitantes. Mal, contudo, saíra do salão de banquetes, o teto desabou com estrondo, enterrando sob as ruínas Escopas e todos os seus convidados. Indagando sobre a aparência dos jovens que o haviam procurado, Simônides se convenceu de que não eram outros senão os próprios Castor e Pólux.

safo

Safo foi uma poetisa que floresceu em um período muito antigo da literatura grega. De suas obras, poucos fragmentos restam, mas são suficientes para assegurar-lhe um lugar entre os grandes gênios poéticos da humanidade. Um caso a que freqüentemente se faz alusão, com referência a Safo, é o de que ela se apaixonou por um belo jovem chamado Faonte e, não sendo retribuída em seu afeto, atirou-se do promontório de Leocádia ao mar, de acordo com uma superstição segundo a qual quem desse aquele "Pulo do Amante", se não morresse, ficaria curado de seu amor.

Byron faz alusão a Safo, no Canto II do "Childe Harold":

Velejou Childe Harold e a desolada
Plaga de onde Penélope fitava,
Saudosa, as ondas, visitou depois.
E, mais adiante, contemplou o monte,
Lembrando túmulo da cantora Lésbia.
Sombria Safo! Os versos imortais
De tão mortal amor não te salvaram!

capítulo XXVI

Endimião – Órion
Aurora e Titono
Ácis e Galatéia

Endimião era um belo jovem que apascentava seu rebanho no Monte Latmos. Numa noite calma e clara, Diana, a lua, olhou-o e viu-o dormindo. O frio coração da deusa virgem aqueceu-se ante aquela inexcedível beleza e, curvando-se sobre o jovem, ela o beijou e ficou contemplando-o enquanto dormia.

Outra versão é a de que Júpiter concedeu a Endimião o dom da perpétua juventude combinada com o sono perpétuo. De uma pessoa tão bem-dotada, não poderemos ter muitas aventuras a mencionar. Diana, contava-se, providenciou para que a fortuna do jovem não sofresse em conseqüência de sua vida inativa, pois fez seu rebanho aumentar, protegendo-o contra as feras.

A história de Endimião tem um encanto particular pela significação humana que deixa transparecer. Vemos nele o jovem poeta cuja fantasia e cujo coração procuram, inutilmente, algo que possa satisfazê-lo, encontrando sua hora favorita no tranqüilo luar e alimentando ali, sob os raios da testemunha brilhante e silenciosa, a melancolia e o ardor que o consomem. A história faz lembrar o amor poético e cheio de aspirações, uma vida gasta mais em sonhos que na realidade, e uma morte prematura e bem-vinda.

Young, no poema "Pensamentos Noturnos", assim alude a Endimião:

... Estes cismares
São teus, ó Noite! São como os suspiros.

A Ninfa Galatéia, RAFAEL, C. 1514

Escapam dos que amam, enquanto os outros
Tranqüilos dormem. Assim, contam os poetas,
Cíntia, velada pelas sombras, leve.
Do céu descia e seu pastor fitava,
O seu pastor que a amava menos,
Bem menos que eu te amo.

Fletcher, em "Pastora Fiel", diz:

Como a pálida Diana caçadora,
Ao ver Endimião a vez primeira,
Sentiu no peito o fogo que não morre
E levou-o, dormindo, para o cimo
Do velho Latmos, onde, cada noite,
Com a luz do seu irmão dourando os montes,
Ia beijá-lo.

órion

Órion, filho de Netuno, era um belo gigante e poderoso caçador. Seu pai deu-lhe o poder de andar pelas profundezas do mar ou, segundo outros dizem, de caminhar sobre sua superfície.

Órion amava Mérope, filha de Eunápio, rei de Quios, e pediu-a em casamento. Livrou a ilha de feras e levou os despojos da caça à sua amada. Como, porém, Eunápio adiava seu consentimento, Órion tentou conquistar a posse da donzela pela violência. O pai da jovem, irritado com essa conduta, depois de embebedar Órion, privou-o da visão e expulsou-o. O herói cego acompanhou o ruído do martelo de um ciclope até chegar a Lemnos e encontrar a forja de Vulcano, que, se compadecendo dele, deu-lhe um de seus homens, Quedalião, para servir-lhe de guia até a morada do Sol. Colocando Quedalião em seus ombros, Órion caminhou para o nascente e, encontrando o deus Sol, foi restabelecido da visão pelo seu raio.

Depois disto, Órion viveu, como caçador, com Diana, de quem era favorito, chegando-se mesmo a dizer que ela quase se casou com ele. O irmão da deusa, muito desgostoso, censurava-a freqüentemente, mas em vão. Certo dia, observando Órion que vadeava o mar apenas com a cabeça acima d'água, Apolo mostrou-o à sua irmã, afirmando que ela não seria capaz de alvejar aquele objeto negro sobre o mar. A deusa caçadora lançou um dardo, com pontaria fatal. As ondas empurraram para a terra o cadáver de Órion, e percebendo, com muitas lágrimas, seu erro, Diana colocou-o entre as estrelas, onde ele aparece como um gigante, com um cinto, a espada, a pele de leão e uma clava. Sírius, seu cão, o acompanha, e as Plêiades fogem diante dele.

As Plêiades eram filhas de Atlas e ninfas do séquito de Diana. Certo dia, Órion as viu, enamorou-se e perseguiu-as. Aflitas, elas pediram aos deuses que mudassem sua forma, e Júpiter, compadecido, transformou-as em pombas e, mais tarde, em uma constelação no céu. Embora seu número seja de sete, apenas seis estrelas são visíveis, pois uma delas, Electra,

Selene e Endimião, NICOLAS POUSSIN, C. 1594-1665, ÓLEO SOBRE TELA

segundo a fama, deixou seu lugar por não poder suportar a visão das ruínas de Tróia, cidade que fora fundada por seu filho Dárdano. Aquela vista teve tal efeito também sobre suas irmãs, e elas ficaram pálidas, desde então.

Longfellow tem um poema sobre a "Ocultação de Órion", e os versos que citaremos a seguir fazem alusão àquele episódio mítico. Convém lembrar que, no globo celeste, Órion é representado vestindo uma pele de leão e segurando uma clava. No momento em que as estrelas da constelação, uma a uma, eram apagadas pelo luar, o poeta nos diz:

> *A rubra pele de leão caiu-lhe*
> *Aos pés, dentro do rio. E a bruta clava*
> *A cabeça do touro já não fere*
> *Voltado, como outrora, quando, junto*
> *Ao mar, cegou-o Eunápio e em sua forja,*
> *Procurou o ferreiro, e a rude encosta*
> *Galgou penosamente, a passos lentos,*
> *Fixando no sol o olhar vazio.*

Byron faz alusão à Plêiade perdida:

> *Como a Plêiade perdida e não mais vista.*

Aurora e Titono

A deusa da Aurora, como sua irmã, a Lua, às vezes era presa de amor pelos mortais. Seu maior favorito foi Titono, filho de Laomenonte, rei de Tróia. Raptou-o e conseguiu que Júpiter lhe concedesse a imortalidade. Tendo, porém, se esquecido de acrescentar a juventude à graça concedida, começou a notar, depois de algum tempo, muito pesarosa, que seu amante estava ficando velho. Quando os cabelos de Titono se tornaram inteiramente brancos, a deusa abandonou-o; ele, contudo, continuou a morar em seu palácio, a alimentar-se de ambrosia e a envergar trajos celestiais. Afinal, perdeu o movimento das pernas e dos braços, e Aurora trancou-o em seus aposentos, onde sua voz muito fraca podia, às vezes, ser ouvida. Finalmente, transformou-o em um gafanhoto.

Mêmnon, filho de Aurora e Titono, era rei da Etiópia, vivendo no Extremo Oriente, no litoral do Oceano. Mêmnon foi, com seus guerreiros, ajudar os parentes de seu pai na Guerra de Tróia. O Rei Príamo recebeu-o com grandes honrarias e escutou, com admiração, a narrativa das maravilhas da costa do Oceano.

Desde o dia seguinte ao de sua chegada, Mêmnon, muito impaciente para lutar, levou suas tropas ao campo de batalha. Antíloquio, o bravo filho de Nestor, caiu morto por ele, e os gregos foram postos em fuga, até que Aquiles apareceu e restabeleceu a ordem em suas fileiras. Travou-se uma luta prolongada e de resultado duvidoso, entre ele e o filho de Aurora. Finalmente, a vitória pendeu para Aquiles, Mêmnon caiu e os troianos fugiram desanimados.

Aurora, que de seu lugar no céu olhava com apreensão os perigos que o filho corria, quando o viu cair mandou seus irmãos, os Ventos, transportarem seu corpo para as margens do Rio Esepo, na Paflagônia. À noite, Aurora, em companhia das Horas e das Plêiades, foi chorar o filho. A Noite, compadecendo-se dela, cobriu o céu de nuvens; toda a natureza chorou o filho de Aurora. Os etíopes ergueram seu túmulo à margem do rio, no bosque das Ninfas, e Júpiter permitiu que as fagulhas e cinzas de sua pira funerária se transformassem em aves, que se dividiram em dois bandos, sobrevoando a fogueira até caírem nas chamas. Todos os anos, no aniversário da morte de Mêmnon, elas voltam, celebrando os funerais da mesma maneira. Aurora ficou inconsolável com a perda do filho. Até hoje, continua a derramar lágrimas, que podem ser vistas pela manhã bem cedo, sob a forma de orvalho espalhadas na vegetação.

Ao contrário da maior parte das maravilhas da mitologia, ainda existem monumentos comemorativos desses fatos. Nas margens do Nilo, no Egito, há duas estátuas colossais, uma das quais, segundo se diz, é de Mêmnon. Escritores antigos afirmavam que, quando o primeiro raio do sol nascente caía sobre a estátua, ouvia-se, partindo dela, um som comparável ao acorde das cordas de uma harpa. Há certa dúvida quanto à identificação da estátua ora existente com aquela a que se referiam os antigos, e os sons misteriosos são ainda mais duvidosos. Não faltam, contudo, alguns testemunhos modernos de que esses sons ainda são ouvidos. Aventou-se a hipótese de que o ruído é provocado pelo escapamento do ar retido nas fendas ou cavernas das rochas. *Sir* Gardner Wilkinson, viajante moderno e alta autoridade, examinou pessoalmente a estátua e descobriu que ela é oca e que, em sua borda, "há uma pedra que, recebendo uma pancada, emite um som metálico, suscetível de ser utilizada para iludir um visitante predisposto a acreditar em seus poderes".

ÁCIS e Galatéia

Sila era uma linda virgem da Sicília, favorita das ninfas do mar. Tinha muitos pretendentes, mas repelia-os todos, e costumava ir à gruta de Galatéia contar-lhe como era perseguida. Certo dia, depois de ouvir a narrativa, enquanto Sila lhe penteava os cabelos, disse Galatéia:

– Contudo, donzela, teus perseguidores pertencem à raça de homens que podes repelir se quiseres, ao passo que eu, filha de Nereu e protegida por tantas de minhas irmãs, só posso fugir à paixão dos ciclopes nas profundezas do mar.

Lágrimas lhe cortaram as palavras, e a compadecida donzela, depois de as haver enxugado delicadamente e consolado a deusa, exclamou:

– Dize-me, querida, a causa de tua dor.

– Ácis era filho de Fauno e de uma Náiade – respondeu Galatéia. Seus pais amavam-no ternamente, mas seu amor não era igual ao meu, pois o belo jovem só a mim se prendia. Mal completara 16 anos de idade e uma leve penugem começava a escurecer-lhe as faces. Do mesmo modo que eu procurava sua companhia, os ciclopes procuravam a minha. E, se me perguntares qual era mais forte, meu amor por Ácis ou meu ódio a Polifemo, eu seria incapaz de responder: eram iguais. Ó Vênus, quão grande é teu poder! Aquele feroz gigante, terror dos bosques, ao qual nenhum estrangeiro desprotegido escapava ileso, que desafiava o próprio Jove, aprendeu a sentir o que era o amor e, dominado por uma fatal paixão por mim, esqueceu seus rebanhos e suas bem aprovisionadas cavernas. Então, pela primeira vez, começou a se preocupar com sua aparência, procurando torná-la agradável; alisou com um pente seus hirsutos cabelos e aparou a barba com uma foice, contemplava na água suas grosseiras feições e procurava compor a fisionomia. Já não o dominavam seu amor pela carnificina, sua ferocidade e sua sede de sangue, e os navios que tocavam na ilha partiam sem ser molestados. Polifemo caminhava pela praia abaixo de um lado para o outro, deixando na areia suas largas pegadas e, quando cansado, descansava tranqüilamente em sua caverna.

Há um rochedo que se projeta pelo mar que o lava de dois lados. Para ali subiu, certo dia, o enorme ciclope e sentou-se, enquanto seus rebanhos se espalhavam pelas proximidades. Deixando no chão seu cajado, que teria servido de mastro para sustentar a vela de um navio, e pegando seu instrumento, formado por numerosos tubos, fez com que sua música ecoasse pelos montes e pelas águas. Escondida sob um rochedo, junto de meu amado Ácis, escutei a canção distante, que era cheia de extravagantes louvores à minha beleza, de mistura com apaixonadas censuras à minha frieza e crueldade.

Quando terminou, Polifemo levantou-se e, semelhante a um touro fogoso que não pode se manter quieto, penetrou no bosque. Eu e Ácis não mais nos preocupamos com ele, até que, de súbito, ele surgiu num lugar de onde nos podia ver. "Eu vos vejo e este será vosso encontro amoroso", exclamou ele. Sua voz era um rugido como somente é capaz de produzir um ciclope enfurecido. O Eta tremeu ao ouvi-lo. Tomada de terror, mergulhei na água. Ácis virou as costas e fugiu, gritando: "Salva-me, Galatéia! Salvai-me, meus pais!" O ciclope perseguiu-o e, arrancando um rochedo da encosta da montanha, atirou-o nele. Embora apenas um canto da pedra o tocasse, Ácis foi esmagado.

Fiz por ele tudo que o destino deixara em meu poder. Conferi-lhe todas as honras de seu avô, o rio-deus. O sangue vermelho escorria do rochedo, mas, pouco a pouco, foi tornando-se mais pálido, assemelhando-se à corrente de um rio que as chuvas tornam turva e que vai, com o tempo, ficando mais clara. O rochedo abriu-se e a água, ao correr pela fenda, produziu um agradável murmúrio.

Assim, Ácis foi transformado num rio que conserva o seu nome.

Dryden, no poema "Cimon e Ifigênia", conta o caso de um rústico transformado em lorde graças ao poder do amor, de um modo que faz lembrar a velha história de Galatéia e do ciclope:

O que pai ou tutor não poderia
Gravar-lhe a custo no grosseiro peito,
Fê-lo, sem custo, o Amor, mestre perfeito.

CAPÍTULO XXVII
A GUERRA DE TRÓIA

Minerva era a deusa da sabedoria, mas, certa vez, cometeu uma tolice: disputou um concurso de beleza com Juno e Vênus. O fato se passou da seguinte maneira: todos os deuses foram convidados para o casamento de Peleu e Tétis, com exceção de Éris, ou Discórdia. Furiosa com sua exclusão, a deusa atirou entre os convivas um pomo de ouro com a inscrição "À mais bela". Juno, Vênus e Minerva reclamaram a maçã ao mesmo tempo. Júpiter, não querendo decidir assunto tão delicado, mandou as deusas ao Monte Ida, onde o belo pastor Páris apascentava seus rebanhos, e a ele foi confiada a decisão. As deusas compareceram então diante dele. Juno prometeu-lhe poder e rique-za, Minerva, glória e fama na guerra, e Vênus, a mais bela das mulheres para esposa, cada uma delas procurando influenciar a decisão a seu favor. Páris decidiu favoravel-mente a Vênus e entregou-lhe o pomo de ouro, tornando, assim, suas inimigas as outras duas deusas. Sob a proteção de Vênus, Páris viajou para a Grécia e foi hospitaleiramente recebido por Menelau, rei de Esparta. Ora, Helena, esposa de Menelau, era, na realida-de, a mulher que Vênus destinara a Páris, como a mais bela de seu sexo. Sua mão fora disputada por numerosos pretendentes, e, antes de se tornar conhecida sua decisão, to-dos esses pretendentes, por sugestão de Ulisses, que era um deles, prestaram juramento de que a defenderiam contra qualquer injúria e lutariam por sua causa, se necessário. Helena escolheu Menelau, e vivia feliz com ele, quando Páris se tornou hóspede do ca-sal. Com a ajuda de Vênus, Páris convenceu-a a fugir em sua companhia e levou-a para Tróia, o que provocou a famosa guerra, assunto dos maiores poemas da Antiguidade, os de Homero e Virgílio.

Menelau apelou para seus irmãos chefes da Grécia, para que cumprissem o pro-metido e ajudassem-no em seus esforços para recuperar a esposa. De um modo geral, todos atenderam ao apelo, mas Ulisses, que se casara com Penélope e se sentia muito feliz com a esposa e o filho, não se mostrou disposto a participar de aventura tão incerta. Assim sendo, recuou, e Palamedes foi mandado para lembrar-lhe seus compromissos. Quando Palamedes chegou a Ítaca, Ulisses fingiu-se de doido e, atrelando ao arado, juntos, um burro e um boi, pôs-se a semear sal. Para experimentá-lo, Palamedes colocou seu filhinho, Telêmaco, em frente do arado, o que levou o pai a desviar-se, para não o matar, mostrando assim, claramente, que não estava louco e que, portanto, não podia se negar a cumprir a promessa feita.

Tendo sido conquistado à participação na empresa, Ulisses tratou de prestar ajuda para convencer outros chefes relutantes, especialmente Aquiles. Este herói era filho de Tétis, em cujo casamento o pomo da discórdia fora atirado entre as deusas. Tétis era ela própria uma das imortais, uma ninfa do mar, e sabia que seu filho estava destinado a morrer diante de Tróia se participasse da expedição, pelo que tratou de evitar que ele fosse. Mandou-o, então, para a corte do rei Licomedes e convenceu-o a esconder-se entre as filhas do rei, disfarçado de mulher. Sabendo que ele ali se encontrava, Ulisses, disfarçado de mercador, foi ao palácio, oferecendo à venda ornamentos femininos, entre os quais colocou algumas armas. Enquanto as filhas do rei se deleitavam com os outros artigos apresentados pelo mercador, Aquiles manejava as armas e se traiu, assim, aos olhos atilados de Ulisses, que não teve grande dificuldade em persuadi-lo a desrespeitar os prudentes conselhos maternos e juntar-se a seus patrícios na guerra.

O rei de Tróia era Príamo, e Páris, o pastor que seduzira Helena, seu filho. Páris fora criado na obscuridade, porque havia certos augúrios funestos a seu respeito, desde a infância, segundo os quais ele seria a causa da ruína do estado. Essas profecias pareciam afinal prestes a se realizar, pois o armamento grego ora em preparativo era o maior de que se tinha notícia até então. Agamênon, rei de Micenas e irmão do injuriado Menelau, foi escolhido para comandante-chefe. Aquiles era o mais ilustre guerreiro. Depois dele vinham: Ajax, de estatura gigantesca e grande coragem, mas pouco inteligente; Diomedes, superado apenas por Aquiles em suas qualidades de herói; Ulisses, famoso por sua sagacidade; e Nestor, o mais velho dos chefes gregos e procurado por todos como conselheiro. Tróia, porém, não era um inimigo desprezível. Príamo, o rei, estava velho, mas fora um príncipe esclarecido e fortalecera seu estado, graças a um bom governo e a numerosas alianças com os vizinhos. O principal esteio e apoio do trono, contudo, era seu filho Heitor, um dos mais nobres caracteres pintados pela Antiguidade pagã. Embora tivesse, desde o princípio, pressentido a queda de seu país, Heitor perseverara em sua heróica resistência, sem querer justificar, ao mesmo tempo, o erro de que resultara o perigo para Tróia. Estava unido pelo casamento a Andrômaca, e como marido e pai, seu caráter não era menos admirável do que como guerreiro. Além de Heitor, os principais chefes do lado dos troianos eram Enéias, Deífobo, Glauco e Sarpédon.

Após dois anos de preparativos, a frota e o exército gregos reuniram-se no porto de Áulis, na Beócia. Ali, Agamênon, caçando, matou um veado consagrado a Diana, que, em represália, assolou o exército com a peste e provocou uma calmaria que impediu os navios de deixar o porto. O adivinho Cauchas anunciou, então, que a ira da deusa virgem somente poderia ser aplacada pelo sacrifício de uma virgem em seu altar e que somente seria aceitável a filha do ofensor. Agamênon, embora relutante, deu seu consentimento e a donzela Ifigênia foi mandada, sob o pretexto de que iria casar-se com Aquiles. Quando ia ser sacrificada, a deusa abrandou-se e arrebatou-a, deixando em seu lugar uma vitela, e Ifigênia, envolta numa nuvem, foi levada a Táuris, onde Diana fê-la sacerdotisa do seu templo.

No poema "Sonho das mulheres belas", Tennyson faz Ifigênia assim descrever suas sensações no momento do sacrifício:

A esperança perdi inteiramente,
Nesse lugar maldito, cujo nome
Nem como em pensamento ouso dizer.
Meu pai estende a mão sobre meu rosto.
As lágrimas me cegam e em vão me esforço
Para falar. Tudo parece um sonho.
Dos reis cruéis que me rodeiam vejo
As barbas negras e os lupinos olhos
Que me fitam esperando minha morte.
Os altos mastros dos navios tremem
E o templo e a multidão que me rodeia.
Sinto o corte de lâmina aguçada,
Devagar, devagar... e nada mais.

O vento começou a soprar favorável, e a frota zarpou e levou as tropas à costa de Tróia. Os troianos opuseram-se ao desembarque e, no primeiro encontro, Protesilau caiu pela mão de Heitor. Protesilau deixara em sua terra a esposa, Laodâmia, que o amava com ternura. Quando chegou notícia de sua morte, ela implorou aos deuses que a deixassem conversar com o marido apenas durante três horas. O pedido foi atendido. Mercúrio levou Protesilau de volta ao mundo superior e, quando ele morreu pela segunda vez, Laodâmia morreu com ele. Há uma versão segundo a qual as ninfas plantaram em torno de seu túmulo ulmos que cresciam tanto que de cima deles se podia avistar Tróia e, depois, murchavam, enquanto novos galhos nasciam das raízes.

Wordsworth aproveitou a história de Protesilau e Laodâmia para um poema. O oráculo anunciara que a vitória caberia ao partido que perdesse a primeira vítima na guerra. O poeta apresenta Protesilau, durante seu breve regresso à Terra, assim descrevendo a Laodâmia o que lhe sucedera:

> *Soprou a viração; no mar silente*
> *O oráculo consultei. Quis o destino*
> *Fosse o meu primeiro, entre mil barcos,*
> *Cuja proa tocou terra inimiga*
> *E o meu sangue o primeiro derramado*
> *Sobre o solo de Tróia. Na verdade,*
> *Nada se comparava ao sofrimento*
> *De compreender, então, o que perdera,*
> *Saber que te perdera, esposa amada!*

A ILÍADA

A guerra prosseguiu, sem resultado decisivo, durante nove anos. Ocorreu, então, um acontecimento que pareceu fatal à causa dos gregos e que foi a disputa entre Aquiles e Agamênon. É nesse ponto que se inicia o grande poema de Homero, "A Ilíada". Os gregos, embora sem êxito contra Tróia, haviam tomado as cidades vizinhas e aliadas, e, na divisão dos despojos, uma cativa chamada Criseis, filha de Crises, sacerdote de Apolo, coubera a Agamênon. Crises, levando os emblemas sagrados de seu cargo, fora implorar a libertação da filha, e Agamênon recusara. Crises, então, rogou a Apolo que afligisse os gregos até que eles fossem forçados a desistir de sua presa. Apolo atendeu à prece de seu sacerdote e mandou a peste ao acampamento helênico. Foi, então, convocado um conselho para deliberar sobre a maneira de apaziguar a ira dos deuses e evitar a peste. Aquiles, atrevidamente, atribuiu a causa dos infortúnios a Agamênon, por conservar Criseis cativa. Agamênon, enfurecido, concordou em libertar a cativa, mas exigiu que, em compensação, Aquiles lhe cedesse Briseis, uma donzela que lhe coubera como presa, na partilha. Aquiles resignou-se, mas declarou que dali em diante não participaria mais da guerra. Retirou suas forças do acampamento geral e proclamou abertamente sua intenção de retornar à Grécia.

Os deuses e deusas interessavam-se tanto por esta guerra famosa como as próprias partes. Sabiam muito bem que o destino decretara que Tróia cairia, afinal, se seus inimigos perseverassem e não abandonassem a empresa voluntariamente. Havia, contudo, bastante oportunidade para o acaso, de maneira a excitar, alternativamente, as esperanças e os temores das divindades que se colocavam de um lado ou de outro. Juno e Minerva, em conseqüência do menosprezo manifestado por Páris para com sua beleza, eram hostis aos troianos; Vênus, pelo motivo contrário, favorecia-os e arrastou para o mesmo lado seu admirador Marte, ao passo que Netuno era favorável aos gregos. Apolo ficou neutro, tendendo às vezes para um lado, às vezes para outro, e o próprio Jove, embora amasse o bom Rei Príamo, demonstrou um certo grau de imparcialidade, não sem exceções, contudo.

A mãe de Aquiles, Tétis, sentiu profundamente a injúria feita ao filho e dirigiu-se imediatamente ao palácio de Jove, a quem pediu que fizesse os gregos se arrependerem da injustiça praticada contra seu filho, concedendo o sucesso às armas troianas. Júpiter acedeu ao pedido e, na batalha que se seguiu, os troianos saíram vitoriosos e os gregos, expulsos do acampamento, tiveram de refugiar-se nos navios.

Agamênon convocou, então, um conselho dos chefes mais sábios e mais valentes. Nestor sugeriu que fosse enviada uma embaixada a Aquiles, para persuadi-lo a voltar ao acampamento, e que Agamênon restituísse a donzela causadora da disputa, com grandes presentes, para corrigir

Tétis implorando a Júpiter, INGRES, 1811, ÓLEO SOBRE TELA

o erro cometido. Agamênon concordou, e Ulisses, Ajax e Fênix foram encarregados de transmitir a Aquiles a mensagem de arrependimento. Os três executaram a incumbência, mas Aquiles mostrou-se surdo às suas palavras. Negava-se, peremptoriamente, a voltar ao acampamento e persistia em sua idéia de embarcar sem demora para a Grécia.

Os gregos construíram um bastião em torno dos navios e, em vez de sitiarem Tróia, tornaram-se, de certo modo, sitiados. No dia seguinte àquele em que fora enviada a Aquiles a malsucedida embaixada travou-se uma batalha, e os troianos, favorecidos por Jove, conseguiram abrir passagem entre o bastião helênico e estavam na iminência de incendiar os navios. Netuno, vendo os gregos em situação tão crítica, foi em seu socorro. Apareceu sob a forma do profeta Cauchas, estimulou os guerreiros com seus gritos e apelou para cada um deles individualmente, até elevar o seu ardor a tal ponto que eles forçaram os troianos a recuar. Ajax executou prodígios de valor e, finalmente, encontrou-se com Heitor, a quem gritou um desafio. Heitor replicou e atirou sua lança contra o gigantesco guerreiro. A mira foi bem-feita, e a arma atingiu Ajax onde as correias que sustentam a espada e o escudo se cruzam sobre o peito. Essa dupla proteção a impediu de penetrar, e a lança caiu ao chão, inofensiva. Ajax, então, agarrou uma enorme pedra, uma das que serviam para imobilizar os navios, e atirou-a contra Heitor, atingindo-o no pescoço e atirando-o ao chão. Seus comandados imediatamente o apanharam e levaram-no atordoado e ferido.

Enquanto Netuno ajudava, desse modo, os gregos e obrigava os troianos a recuar, Júpiter nada via do que se passava, pois sua atenção fora desviada do campo de batalha pelas artimanhas de Juno. A deusa revestira-se de todas as suas graças e, para completar, tomara emprestado de Vênus seu cinto, chamado "Cestus", que tinha o dom de aumentar a tal ponto os encantos de sua portadora que estes se tornavam irresistíveis. Assim preparada, Juno foi-se juntar ao marido, que, sentado no Olimpo, assistia à batalha. Ao vê-la, achou-a tão encantadora que o velho ardor amoroso reviveu e, esquecendo-se dos exércitos em choque e de todos os outros assuntos sérios, pensou apenas nela e deixou a batalha de lado.

Essa distração, contudo, não continuou por muito tempo, e quando, voltando os olhos para baixo, avistou Heitor estendido na planície, quase sem vida, em conseqüência da dor e das contusões, despediu Juno, furioso, ordenando-lhe que lhe mandasse Íris e Apolo. Quando Íris chegou, enviou-a levando uma enérgica mensagem a Netuno, a quem ordenou que se afastasse imediatamente do campo de batalha. Apolo foi mandado tratar dos ferimentos de Heitor e reanimá-lo. Estas ordens foram cumpridas tão rapidamente que, enquanto o combate ainda prosseguia, Heitor voltou ao campo de batalha, e Netuno aos seus próprios domínios.

Uma seta lançada pelo arco de Páris feriu Machaon, filho de Esculápio, que herdara do pai a arte de curar, e era, portanto, de grande valor para os gregos como cirurgião, além de ser um dos guerreiros mais bravos. Nestor colocou Machaon em seu carro e levou-o para fora do campo de batalha. Ao passarem diante dos navios de Aquiles, este herói, olhando para o campo, viu o carro de Nestor e reconheceu o velho chefe, mas não pôde distinguir quem era o guerreiro ferido. Assim, chamando Pátroclo, seu companheiro e mais querido amigo, mandou-o à tenda de Nestor a fim de indagar a respeito.

Ali chegando, Pátroclo viu Machaon ferido e, tendo revelado a causa de sua vinda, quis regressar sem demora, mas Nestor o deteve, para contar-lhe a extensão das desgraças gregas. Lembrou-lhe, também, como, na ocasião em que partiram para Tróia, ele e Aquiles haviam recebido conselhos diferentes dos respectivos pais: Aquiles deveria aspirar aos pináculos da glória e Pátroclo, como o mais velho, deveria velar sobre o amigo e guiá-lo em sua inexperiência.

– Agora – disse Nestor – chegou a ocasião de exercer essa influência. Se quiserem os deuses, conseguirá reconquistá-lo para a causa comum. Se, contudo, não o trouxeres, pelo menos que ele mande seus soldados ao campo de batalha e que venhas tu, Pátroclo, envolto em tua armadura, e talvez baste isso para provocar a derrota dos troianos.

Pátroclo ficou profundamente impressionado com esse apelo e voltou para junto de Aquiles refletindo sobre tudo que vira e ouvira. Contou ao príncipe a triste situação no acampamento de seus antigos companheiros: Diomedes, Ulisses, Agamênon, Machaon, todos feridos, o bastião rompido, o inimigo entre os navios, preparando-se para queimá-los e impedir, assim, todos os meios de regressar à Grécia. Enquanto falavam, irrompe-ram chamas em um dos navios. Vendo isso, Aquiles cedeu até o ponto de concordar com o pedido de Pátroclo, no sentido de permitir que ele levasse os mirmidões (assim eram chamados os soldados de Aquiles) ao campo de batalha, e deixá-lo usar sua armadura, a fim de provocar maior terror no espírito dos troianos. Sem demora, os soldados foram reunidos. Pátroclo revestiu-se da brilhante armadura, subiu ao carro de Aquiles e assu-miu o comando dos homens, pronto a entrar na batalha. Antes que ele partisse, porém, Aquiles recomendou-lhe, insistentemente, que se contentasse em repelir o inimigo.

– Não procures atacar os troianos sem a minha presença, para que não aumentes ainda mais o meu infortúnio.

Então, exortando os soldados a combater com maior denodo, despediu-os cheios de ardor para o combate.

Pátroclo e seus mirmidões mergulharam-se imediatamente na luta onde ela se tra-vava mais feroz, e, vendo-os, os gregos gritavam de alegria, e a aclamação ecoava nos na-vios. Ao avistarem a conhecida armadura, os troianos, tomados de terror, procuraram refúgio por todos os lados. Primeiro, aqueles que se haviam apoderado do navio e o in-cendiado permitiram que os gregos o re-tomassem e extinguissem as chamas. Depois, o resto dos troianos fugiu de-sanimado. Ajax, Menelau e os dois fi-lhos de Nestor executaram prodígios de valor. Heitor foi forçado a retirar-se do acampamento, deixando seus homens fugir como podiam. Pátro-clo impeliu-os diante dele, ninguém se atrevendo a resistir-lhe.

Afinal, Sarpédon, filho de Jove, aventurou-se a enfrentar Pátroclo em combate. Júpiter baixou os olhos sobre ele e o teria livrado do destino que o aguardava, se Juno não lhe tivesse obser-vado que, se assim fizesse, iria induzir todos

O rapto de Helena, BENOZZO GOZZOLI

os outros habitantes do céu a intervir de maneira semelhante, sempre que algum de seus filhos estivesse em perigo. Diante disso, Jove cedeu. Sarpédon atirou a lança, mas não atingiu Pátroclo, que lançou a sua, com mais sorte. A lança penetrou no peito de Sarpédon, que caiu e, gritando aos amigos que salvassem seu corpo do inimigo, expirou. Seguiu-se uma luta furiosa em disputa da posse do cadáver. Os gregos triunfaram e arrancaram a armadura de Sarpédon. Jove, porém, não permitiu que os despojos de seu filho fossem desonrados e, por sua ordem, Apolo retirou do meio dos combatentes o corpo e entregou-o aos cuidados dos irmãos gêmeos Morte e Sono, que o levaram a Lícia, terra natal de Sarpédon, onde foram realizados os devidos ritos fúnebres.

Até então, Pátroclo fora bem-sucedido em seu desejo de repelir os troianos e aliviar seus patrícios, mas ocorreu, depois, uma mudança da fortuna. Heitor, em seu carro, enfrentou-o. Pátroclo atirou contra ele uma grande pedra, que errou o alvo, mas atingiu o cocheiro, Cebriones, lançando-o fora do carro. Heitor saltou do carro para socorrer o amigo, e Pátroclo desceu também, para completar a vitória. Os dois heróis encontraram-se, então, frente a frente. Neste momento decisivo, o poeta, como se relutasse em atribuir a glória a Heitor, relembra que Febo participou da luta contra Pátroclo, arrancando-lhe o elmo da cabeça e a lança da mão. No mesmo momento, um troiano obscuro feriu-o nas costas, e Heitor, avançando, trespassou-o com a lança. Ele caiu mortalmente ferido.

Travou-se, então, uma luta feroz para disputa do corpo de Pátroclo, mas sua armadura caiu imediatamente em posse de Heitor, que, retirando-se para pequena distância, despiu a própria armadura, vestiu a de Aquiles e voltou ao combate. Ajax e Menelau defenderam o corpo de Heitor e, com seus mais valentes guerreiros, lutaram para capturá-lo. A batalha prosseguia indecisa, quando Jove envolveu em escura nuvem toda a face do céu. Relâmpagos cortaram o espaço, o trovão reboou, e Ajax, olhando em torno, à procura de alguém que pudesse enviar a Aquiles para contar-lhe a morte do amigo e o iminente perigo que corriam seus restos de cair em poder dos troianos, não pôde ver um mensageiro à altura. Foi então que exclamou, conforme os versos tantas vezes citados:

Pai da terra e do céu! Livrai, imploro,
O céu e a terra desta treva espessa!
Se quereis nos punir, nós nos curvamos
Mas dexai-nos morrer à luz do dia.[1]

Júpiter ouviu a prece e dispersou as nuvens. Ajax mandou, então, por Antíloquo, a Aquiles, a notícia da morte de Pátroclo e da luta que se travava pela disputa de seus res-

---

[1] No original inglês, os versos de Homero são apresentados em traduções de Cowper e Pope.

tos. Os gregos conseguiram, afinal, levar o corpo para o navio, perseguidos de perto por Heitor, Enéias e os demais troianos.

Tamanho foi o sofrimento de Aquiles ao ouvir a notícia do que sucedera a seu amigo, que Antíloquo receou, por um momento, que ele se matasse. Seus gemidos chegaram aos ouvidos de sua mãe, Tétis, nas profundezas do oceano, onde mora, e ela se apressou em procurar o filho para saber o motivo. Encontrou-o tomado de remorsos por haver levado tão longe seu ressentimento e permitido que o amigo caísse como vítima. Consolava-se, porém, com a expectativa da vingança e queria correr imediatamente à procura de Heitor, mas sua mãe lembrou-lhe que ele estava sem armadura e prometeu-lhe que, se esperasse até o dia seguinte, ela conseguiria para ele com Vulcano um jogo de armaduras melhor do que aquele que perdera. Aquiles concordou e Tétis dirigiu-se, sem demora, ao palácio de Vulcano. Encontrou-o trabalhando em sua forja, na construção de trípodes destinadas ao seu próprio uso e tão habilidosamente feitas que se moviam sozinhas, quando chamadas, e se retiravam, quando despedidas. Ouvindo o pedido de Tétis, Vulcano, imediatamente, deixou o seu trabalho e tratou de satisfazer o desejo da ninfa fabricando para Aquiles um esplêndido jogo de armaduras: primeiro, um escudo caprichosamente adornado, depois, um elmo com crista de ouro, uma couraça e grevas de aço impenetrável, tudo perfeitamente adaptado às normas do guerreiro e executado com consumada perfeição. Tudo foi feito numa noite, e Tétis, depois de recebê-lo, desceu com ele à Terra e colocou-o aos pés de Aquiles ao amanhecer o dia.

Pela primeira vez, desde a morte de Pátroclo, Aquiles teve uma sensação de prazer, ao ver a armadura. E logo, revestido dela, correu ao acampamento, convocando os chefes para o conselho. Quando todos se reuniram, a eles se dirigiu. Pondo de lado o seu ressentimento contra Agamênon e lamentando amargamente os males que dele haviam resultado, apelou para os chefes no sentido de que se dirigissem imediatamente ao campo de batalha. Agamênon respondeu sem demora, lançando toda a culpa do ocorrido a Ate, a deusa da discórdia, e os dois heróis reconciliaram-se plenamente.

Aquiles, então, lançou-se à batalha excitado pela ira e pela sede de vingança, que o tornavam irresistível. Os mais bravos guerreiros fugiam dele ou caíam sob sua lança. Heitor, advertido por Apolo, manteve-se afastado, mas o deus, tomando a forma de um dos filhos de Príamo, Licaonte, incitou Enéias a enfrentar o terrível guerreiro. Enéias, embora se sentisse inferior, não fugiu ao combate. Arremessou a lança com toda a força contra o escudo, obra de Vulcano. Era formado de cinco chapas metálicas, sendo duas de bronze, duas de estanho e uma de ouro. A lança atravessou duas camadas, mas foi detida na terceira. Aquiles arremessou a sua lança com melhor sucesso. Atravessou o escudo de Enéias, mas resvalou perto do ombro e não causou ferimento. Enéias, então, levantou uma pedra, que dois homens dos tempos modernos mal poderiam erguer, e ia lançá-la contra Aquiles, enquanto este, de espada desembainhada, estava prestes a investir contra ele, quando Netuno, que assistia ao combate, apiedando-se de Enéias – que cairia vitimado, sem dúvida alguma, se não fosse socorrido sem demora –, espalhou uma nuvem entre os combatentes e conduziu-o ao fundo do campo de batalha, sobre as cabeças dos guerreiros e dos corcéis de guerra. Aquiles, quando a nuvem se dissipou, procurou em vão o adversário, e, reconhecendo o prodígio, voltou suas armas contra outros campeões. Ninguém, contudo, se atrevia a enfrentá-lo, e Príamo, olhando da cidade, viu todo o seu exército recuar para dentro das portas. Ordenou que estas fossem abertas, para receber os fugitivos, e fechadas tão logo os troianos tivessem passado, a fim de que o inimigo também não entrasse. Aquiles, porém, perseguia o inimigo tão de perto que teria sido impossível tal coisa, se Apolo não o tivesse enfrentado durante algum tempo, sob a forma de Agenor, filho de Príamo, depois fugido, afastando-se da cidade. Aquiles investiu e teria perseguido sua suposta vítima até muito longe das muralhas, mas percebeu que fora iludido, quando Apolo se revelou, e desistiu da perseguição.

Depois, porém, de todos terem fugido para dentro da cidade, Heitor permaneceu do lado de fora, disposto a combater. Seu velho pai chamou-o das muralhas, implorando-lhe que se retirasse, sem tentar o encontro. Também Hécuba, sua mãe, lhe fez igual apelo, mas tudo em vão.

– Como poderei eu, sob cujo comando o povo saiu para travar o combate de hoje, onde tantos caíram – disse ele a si mesmo –, procurar proteção contra um único inimigo? Mas, e se eu oferecer-lhe a entrega de Helena e de todos os nossos tesouros? Não! É demasiadamente tarde. Ele nem chegaria a ouvir-me: matar-me-ia enquanto eu estivesse falando.

Enquanto assim murmurava, Aquiles aproximou-se, terrível como Marte, com a armadura flamejando ao avançar. Vendo-o, o coração de Heitor fraquejou e ele fugiu. Aquiles o perseguiu velozmente. Os dois correram, conservando-se perto das muralhas, até terem feito três vezes a volta da cidade. Sempre que Heitor se aproximava mais da muralha, Aquiles o interceptava, obrigando-o a ampliar o círculo. Apolo, porém, sustentou as forças de Heitor, não permitindo que ele fraquejasse. Palas, então, tomando a forma de Deífobo, o mais valente dos irmãos de Heitor, apareceu, de súbito, ao lado deste. Heitor viu-o com satisfação e, assim fortalecido, deteve a fuga e virou-se para enfrentar Aquiles, atirando sua lança, que atingiu o escudo do adversário e caiu. Heitor voltou-se, para receber outra lança das mãos de Deífobo, mas este já desaparecera. Heitor compreendeu, então, e exclamou:

– Ah! Não resta dúvida de que chegou a hora da minha morte! Pensei que Deífobo estivesse ao meu lado, mas Palas me iludiu e ele está em Tróia. Não cairei sem glória, porém.

Assim dizendo, desembainhou a espada e correu ao combate. Aquiles, protegido pelo escudo, esperou sua aproximação e, quando o viu ao alcance de sua lança, escolhendo com o olhar uma parte vulnerável, onde a armadura deixa o pescoço descoberto, visou-a. Heitor caiu mortalmente ferido, e disse, com a voz fraca:

– Poupa meu corpo! Permite que meus pais o resgatem e que eu receba os ritos fúnebres por parte dos filhos e filhas de Tróia.

Ao que Aquiles respondeu:

– Cão! Não fales em resgate nem peças piedade a mim, a quem tanto fizeste sofrer. Não! Podes estar certo de que coisa alguma livrará dos cães tua carcaça. Eu recusaria entregá-la, ainda que fossem oferecidos vinte resgates e teu peso em ouro.

Assim dizendo, retirou a armadura do cadáver e, amarrando-o pelos pés, com cordas, ao seu carro, arrastou-o, para cá e para lá, diante da cidade.

Que palavras poderiam exprimir o pesar do Rei Príamo e da Rainha Hécuba ao verem tal coisa? Dificilmente contiveram o velho rei, que queria sair. Príamo atirou-se ao pó e implorou a cada um, pelo nome, que o deixasse ir. A dor de Hécuba não foi menos violenta. Os cidadãos rodearam os dois, chorando. As lamentações chegaram aos ouvidos de Andrômaca, esposa de Heitor, que estava sentada, trabalhando no meio de suas servas, e ela, pressentindo a desgraça, correu à muralha. Ao ver o espetáculo, quis atirar-se do alto das muralhas, mas desmaiou e caiu nos braços de suas servas. Voltando a si, lamentou seu destino, pintando para si mesma o quadro de seu país arruinado, ela própria cativa e seu filho dependendo, para comer o pão, da caridade de estranhos.

Depois de se terem vingado do matador de Pátroclo, Aquiles e os outros gregos trataram de prestar as devidas honras fúnebres a seu amigo. Foi erguida uma fogueira e o corpo queimado com toda a solenidade. Seguiram-se competições de força e destreza, corridas de carro, lutas e provas de arco e flecha. Depois disso, os chefes reuniram-se no banquete fúnebre, antes de irem repousar. Aquiles, porém, não compartilhou do banquete nem do sono. A lembrança do amigo que perdera o mantinha acordado, recordando os labores e perigos compartilhados, na batalha e no mar. Antes de amanhecer, deixou sua tenda e, atrelando ao carro os velozes corcéis, amarrou, atrás do carro, o corpo de Heitor, que arrastou, fazendo-o dar duas voltas em torno do túmulo de Pátroclo e deixando-o, afinal, estendido no pó. Apolo, porém, não permitiu que o corpo fosse dilacerado ou desfigurado, apesar de tudo isso, e conservou-o livre de decomposição.

Enquanto Aquiles aplacava sua raiva ultrajando a tal ponto o valente Heitor, Júpiter, compadecido, chamou Tétis à sua presença e disse-lhe para procurar o filho e conseguir que ele entregasse o corpo de Heitor a seus amigos. Em seguida, Júpiter enviou Íris ao Rei Príamo, a fim de animá-lo a procurar Aquiles e implorar a entrega do corpo de seu filho. Íris transmitiu a mensagem, e Príamo dispôs-se imediatamente a obedecer. Abriu seu tesouro e retirou ricos ornamentos e vestuários, com dez talentos em ouro, dois esplêndidos tripés e uma taça de ouro de acabamento impecável. Em seguida, chamando os filhos, encarregou-os de preparar sua liteira e nela colocar os diversos artigos que seriam entregues a Aquiles para o resgate. Quando tudo ficou pronto, o velho rei com um único companheiro tão idoso quanto ele próprio, o arauto Ideu, saiu das portas, ali deixando sua esposa Hécuba e seus amigos, que o lamentavam, pois tinham como certa a sua morte.

Júpiter, porém, contemplando compadecidamente o venerável rei, enviou Mercúrio para servir-lhe de guia e protetor. Mercúrio, tomando a forma de um jovem guerreiro, apresentou-se aos dois velhos, e enquanto, ao vê-lo, os dois hesitavam, sem saber se deveriam fugir ou ficar, o deus aproximou-se e, segurando a mão de Príamo, ofereceu-se para servir-lhe de guia até a tenda de Aquiles. Príamo aceitou prazerosamente e, subindo à carruagem, Mercúrio pegou as rédeas e levou-os à tenda de Aquiles. Com sua varinha encantada, o deus fez adormecer todos os guardas e, sem dificuldade, levou Príamo para dentro da tenda onde Aquiles se achava sentado, ao lado de dois de seus guerreiros. O velho rei atirou-se aos seus pés e beijou aquelas terríveis mãos que haviam matado tantos de seus filhos.

– Pensa, ó Aquiles – exclamou –, em teu próprio pai, já velho como eu e trêmulo pelos muitos anos que viveu. Talvez agora mesmo algum dos chefes vizinhos o persiga e não há ninguém que possa socorrê-lo em sua aflição. No entanto, sem dúvida, sabendo que Aquiles ainda vive, ele se regozija, esperançoso de que um dia contemplará de novo o seu rosto. Nenhum consolo, contudo, posso esperar, eis que os mais valentes de meus filhos, a flor de Ílion, todos caíram. Ainda me restava um todavia, um mais do que os outros a proteção da minha velhice e que, combatendo por sua pátria, foi morto por ti. Venho para resgatar seu corpo, trazendo comigo uma soma de valor inestimável. Aquiles! Reverencia os deuses! Lembra-te de teu pai! Em seu nome, mostra compaixão por mim!

Estas palavras comoveram Aquiles, que chorou, lembrando-se tanto do pai ausente como do amigo perdido. Apiedado à vista da barba e dos cabelos brancos de Príamo, levantou-o do chão e assim falou:

– Príamo, sei que aqui chegaste conduzido por algum deus, pois, sem ajuda divina, nenhum mortal, mesmo no ardor de sua juventude, ter-se-ia atrevido a tentar. Atendo ao teu pedido, levado a isso pelo evidente desejo de Jove.

Assim dizendo, levantou-se, saiu acompanhado pelos dois amigos e descarregou a liteira, deixando dois mantos e uma túnica para cobrir o cadáver, que colocaram na liteira, cobrindo-o com os panos, para que não voltasse descoberto a Tróia. Depois, Aquiles mandou de volta o velho rei acompanhado de seus servidores, tendo, primeiro, se comprometido a estabelecer uma trégua de doze dias para os funerais.

Quando a liteira se aproximou da cidade e foi vista das muralhas, o povo acorreu para contemplar mais uma vez o rosto de seu herói. Destacando-se entre todos, vieram a mãe e a esposa de Heitor, que reiniciaram seus lamentos, à vista do corpo sem vida. Todo o povo chorou com elas e, até esconder-se o sol, não houve pausa nem diminuição em sua dor.

No dia seguinte, foram feitos os preparativos para os solenes funerais. Durante nove dias, o povo ajuntou lenha e ergueu a fogueira, e no décimo dia ali foi colocado o corpo e ateado fogo, enquanto Tróia inteira rodeava a pira funerária. Quando o corpo se consumiu inteiramente, as cinzas foram regadas de vinho, os ossos recolhidos e colocados numa urna de ouro, que foi enterrada no chão, tendo por cima uma pilha de pedras.

Ao seu herói Tróia rendeu tais honras
E tranqüila dormiu de Heitor a sombra.[2]

---

[2] Versos de Homero, apresentados pelo original inglês em versão de Pope.

CAPÍTULO XXVIII
A QUEDA DE TRÓIA
REGRESSO DOS GREGOS
AGAMÊNON, ORESTES E ELECTRA

A QUEDA DE TRÓIA

A "Ilíada" termina com a morte de Heitor, e é na "Odisséia" e em poemas posteriores que ficamos sabendo o destino dos outros heróis. Tróia não caiu imediatamente à morte de Heitor, mas, recebendo ajuda de novos aliados, ainda continuou sua resistência. Um desses aliados foi Mêmnon, o príncipe etíope cuja história já contamos. Outra aliada foi Pentensiléia, rainha das Amazonas, que chegou à frente de um bando de guerreiras. Todas as autoridades afirmam sua bravura e o terrível efeito do seu grito de guerra. Pentensiléia matou muitos dos mais bravos guerreiros, mas afinal foi morta por Aquiles. Quando, porém, o herói se debruçou sobre o cadáver da inimiga caída e contemplou sua beleza e mocidade, lamentou amargamente a vitória. Tersites, um fanfarrão insolente, ridicularizou seu pesar e foi por isso morto pelo herói.

Por acaso, Aquiles viu Polixena, filha do rei Príamo, talvez por ocasião da trégua que concedera aos troianos para os funerais de Heitor. Ficou cativado por seu encanto e dispôs-se a usar sua influência com os gregos para concessão da paz a Tróia, a fim de desposá-la. Enquanto estava no templo de Apolo, negociando o casamento, Páris lançou contra ele uma seta envenenada, que, guiada por Apolo, feriu-o no calcanhar, o único lugar vulnerável de seu corpo, pois sua mãe, Tétis, o mergulhara, quando criança, no Rio Estige, que o tornara invulnerável, exceto no calcanhar, por onde a mãe o segurava.[1]

---

[1]A referência à invulnerabilidade de Aquiles não se encontra em Homero e está em desacordo com a versão do poeta, pois, se fosse invulnerável, Aquiles não precisaria da armadura celestial.

Entrada do cavalo troiano em Tróia, GIOVANNI DOMENICO TIEPOLO, 1760, ÓLEO SOBRE TELA

O corpo de Aquiles, tão traiçoeiramente morto, foi recuperado por Ajax e Ulisses. Tétis aconselhou os gregos a entregarem a armadura do herói àquele de todos os sobreviventes que fosse julgado mais digno de usá-la. Os únicos pretendentes foram Ajax e Ulisses. Foi escolhido um grupo seleto de outros chefes para decidir. A armadura foi oferecida a Ulisses, ficando a sabedoria, assim, colocada acima da bravura, o que levou Ajax ao suicídio. No lugar onde seu sangue molhou a terra, nasceu uma flor, chamada jacinto, que traz nas folhas as duas primeiras letras do nome de Ajax, em grego, AI, e que significam um lamento. Assim, Ajax, juntamente com o jovem Jacinto, é pretendente à honra de ter dado origem àquela flor. Há uma espécie de esporinha que representa o jacinto dos poetas, conservando a lembrança do acontecimento, o *Delphinium Ajacis*.

Tinha-se descoberto, então, que Tróia só poderia ser tomada com a ajuda das setas de Hércules que estavam em poder de Filoctetes, o amigo que estivera por último com Hércules e que acendera a pira funerária. Filoctetes juntara-se à expedição grega contra Tróia, mas ferira acidentalmente o pé com uma das setas envenenadas, e o cheiro desprendido pela ferida era tão desagradável que seus companheiros o levaram para a Ilha de Lemnos e lá o deixaram. Diomedes foi mandado para convencê-lo a voltar ao exército e foi bem-sucedido. Filoctetes foi curado de sua ferida por Machaon, e Páris foi a primeira vítima das setas fatais. Em sua desgraça, Páris lembrou-se de alguém de que se esquecera nas épocas venturosas. Era a ninfa Enone, com quem se casara quando jovem e a quem abandonara pela beleza fatal de Helena. Enone, lembrando-se dos ultrajes que sofrera, negou-se a tratar do ferimento, e Páris voltou a Tróia e morreu. Enone arrependera-se logo e apressou-se em seguir Páris, com os remédios, mas chegou demasiadamente tarde, e enforcou-se de pesar.

Havia em Tróia uma celebrada imagem de Minerva, chamada o Paládio, que se dizia ter caído do céu, acreditando-se que a cidade não seria tomada enquanto essa imagem permanecesse dentro dela. Ulisses e Diomedes entraram na cidade disfarçados e apoderaram-se do Paládio, levando-o para o acampamento grego.

Tróia, contudo, ainda resistia, e os gregos começaram a desanimar de conquistá-la pela força e, a conselho de Ulisses, resolveram recorrer a um estratagema. Fingiram estar fazendo preparativos para abandonar o sítio, e uma parte dos navios foi retirada e escondida atrás de uma ilha vizinha. Os gregos construíram, então, um imenso cavalo de pau, que fingiram ser um sacrifício oferecido a Minerva, mas que de fato estava cheio de homens armados. O restante dos gregos embarcou, então, em seus navios, que zarparam, como se estivessem partindo definitivamente. Os troianos, vendo que o acampamento fora levantado e a frota partira, chegaram à conclusão de que o inimigo abandonara o sítio. As portas foram abertas e toda população saiu para gozar a liberdade há muito negada de passear à vontade no local onde estivera o acampamento. O grande cavalo foi o principal objeto de curiosidade. Todos queriam saber qual seria a sua finalidade. Alguns sugeriam que ele fosse levado para dentro da cidade, como troféu, ao passo que outros se mostravam receosos dele.

Enquanto hesitavam, Laocoonte, o sacerdote de Netuno, exclamou:

– Que loucura é esta, cidadãos? Não aprendestes bastante a respeito da solércia grega para vos prevenirdes contra ela? Quanto a mim, temo os gregos, mesmo quando oferecem presentes.[2]

Assim dizendo, atira ao flanco do cavalo sua lança, que o atingiu, e um som cavo ressoou como um gemido. O povo talvez tivesse seguido, então, o seu conselho e destruído o fatal cavalo e o que ele continha se, justamente nesse momento, não tivesse surgido um grupo de pessoas arrastando um homem que parecia ser um prisioneiro grego. Estupefato de terror, esse homem foi levado perante os chefes, que o tranqüilizaram, prometendo poupar sua vida, com a condição de que ele falasse a verdade, ao responder às perguntas que lhe fossem feitas. O prisioneiro informou que era grego, que se chamava

---

[2] *Timeos Danaos et dona ferentes* – Virgílio.

Sínon e que, em conseqüência da malícia de Ulisses, fora abandonado pelos companheiros. Com referência ao cavalo de pau, disse que se tratava de uma oferta a Minerva e que seu tamanho descomunal tinha expressamente a finalidade de impedir que fosse levado para dentro da cidade, pois o profeta Cauchas predissera que, se os troianos se apoderassem dele, teriam assegurado seu triunfo sobre os gregos. Estas palavras fizeram mudar o rumo da opinião do povo, que se pusera a imaginar quais seriam os melhores meios para assegurar a posse do monstruoso cavalo e dos augúrios favoráveis com ele relacionados, quando ocorreu um prodígio que não deixou mais lugar a dúvida alguma. Apareceram, avançando sobre o mar, duas imensas serpentes, que chegaram a terra, fazendo a multidão fugir em todas as direções. As serpentes avançaram, então, diretamente para o lugar onde se achava Laocoonte com seus dois filhos. A primeira atacou as crianças, enroscando-se em torno de seus corpos e exalando em suas faces a respiração mortífera. Tentando salvá-las, o pai foi, logo em seguida, apanhado e envolto pelas dobras das serpentes. Lutou para desvencilhar-se, mas elas venceram todos os seus esforços, estrangulando-o e as crianças, em suas dobras peçonhentas. Esse acontecimento foi considerado como clara indicação do desprazer dos deuses ante a maneira irreverente com que Laocoonte se referira ao cavalo de madeira, que ninguém mais hesitava em considerar um objeto sagrado, preparando-se todos para conduzi-lo à cidade, solenemente como competia. Isso foi feito ao som de cantos e aclamações triunfais, e o dia terminou festivamente. À noite, os homens armados que se encontravam dentro do cavalo, tendo sido libertados pelo traiçoeiro Sínon, abriram as portas da cidade aos seus amigos, que haviam voltado sob a proteção da noite. A cidade foi incendiada; a população, entregue ao festim e ao sono, passada a fio de espada e Tróia completamente vencida.

Um dos mais célebres grupos esculturais existentes é o que representa Laocoonte e seus filhos esmagados pelas serpentes e cujo original se encontra no Vaticano. Os versos seguintes são do "Childe Harold" de Byron:

> *Voltando ao Vaticano, pode ver*
> *A tortura cruel de Laocoonte*
> *Que o sofrimento humano significa.*
> *Amor paterno e as dores dos mortais*
> *Com a coragem de deuses recebida.*
> *Inútil luta! Inútil resistência!*
> *As duras roscas da cruel serpente*
> *O velho esmaga. Imobiliza os membros,*
> *Tira-lhe o ar o peçonhento elo.*

Os poetas cômicos também costumam lançar mão de exemplos clássicos. Os versos seguintes são do poema "Descrição de um temporal na cidade", de Swift:

Em poltrona espaçosa acomodado,
Ouve a chuva bater sobre o telhado
E mau grado, por vezes a vaidade,
Treme por dentro ouvindo a tempestade.
Foi assim quando, em Tróia, Laocoonte
O cavalo de pau feriu de fronte,
Os dez heróis da Grécia, muito aflitos,
Ao ruído do ferro, deram gritos.

Laocoonte, EL GRECCO, C. 1610, ÓLEO SOBRE TELA

O Rei Príamo viveu bastante para ver a queda do seu reino e foi morto no fim daquela noite fatal em que os gregos conquistaram a cidade. Ele se armou e estava prestes a se misturar com os combatentes, mas foi impedido por Hécuba, a velha rainha, que o convenceu a refugiar-se, com ela e suas filhas, no altar de Júpiter. Enquanto ali estavam, seu filho mais moço, Polites, perseguido por Pirro, filho de Aquiles, entrou correndo, ferido e expirou aos pés de seu pai. Príamo, indignado, atirou, com as mãos débeis, sua lança contra Pirro[3] e foi morto por este.

A Rainha Hécuba e sua filha Cassandra foram levadas como cativas para a Grécia. Cassandra fora amada por Apolo, que lhe dera o dom da profecia. Depois, porém, irritando-se com ela, tornara inútil aquele dom, determinando que ninguém acreditaria em suas previsões. Polixena, outra filha, que tinha sido amada por Aquiles, foi exigida pela alma do guerreiro e sacrificada pelos gregos sobre o seu túmulo.

MENELAU E HELENA

Os leitores devem estar interessados em saber o destino de Helena, a bela, mas causadora de tantos morticínios. Com a queda de Tróia, Menelau recuperou a esposa, que não deixara de amá-lo, embora tivesse se curvado ao poder de Vênus e o abandonado por outro. Depois da morte de Páris, ela ajudara os gregos, secretamente, em diversas ocasiões, em particular quando Ulisses e Diomedes entraram na cidade disfarçados para roubar o Paládio. Helena vira e reconhecera Ulisses, mas mantivera segredo e ajudara os

---

[3] A exclamação de Pirro, "Não é essa a ajuda, nem tais defensores que a ocasião requer", tornou-se proverbial. *Non tali auxilio nec defensoribus istis. Tempus eget* – Virgílio.

gregos a se apoderarem da imagem. Desse modo, reconciliou-se com o marido, e os dois foram os primeiros a deixar as praias de Tróia para voltar à terra natal. Tendo, porém, incorrido no desprazer dos deuses, foram arrastados por tempestades de costa em costa do Mediterrâneo, visitando Chipre, a Fenícia e o Egito. No Egito, foram hospitaleiramente acolhidos e receberam ricos presentes, cabendo a Helena uma roca de ouro e um cesto com rodas, destinado a guardar a lã e os carretéis para os trabalhos de fiação da rainha.

Deyer, em seu poema "Velocino", faz a seguinte alusão ao episódio:

Muitas se apegam ainda à velha roca
E mesmo a caminhar o fuso movem.
....
Veio de antigos, gloriosos dias,
A arte de fiar, quando do Egito
O príncipe ofereceu à bela Helena
Uma roca de ouro.

Milton também faz alusão a uma famosa receita para uma bebida revigorante, chamada Nepente, que a rainha egípcia ofereceu a Helena:

Não aquele Nepente que, no Egito,
De Tone a esposa ofereceu a Helena,
Que alegra os tristes e apazigua a sede.
Do "Comus"

Finalmente, Menelau e Helena chegaram sãos e salvos a Esparta, reassumiram sua dignidade real e viveram e reinaram com esplendor. Quando Telêmaco, o filho de Ulisses, chegou a Esparta, procurando seu pai, encontrou Menelau e Helena celebrando o casamento de sua filha Hermíone com Neoptolemus, filho de Aquiles.

Agamênon, Orestes e Electra

Agamênon, o comandante-chefe dos gregos, irmão de Menelau, e que fora arrastado à guerra para vingar o infortúnio de seu irmão, e não o próprio, não foi tão feliz. Durante sua ausência, sua esposa, Clitemnestra, não lhe fora fiel, e quando seu regresso foi anunciado, ela e seu amante, Egisto, tramaram um plano para eliminá-lo, e o assassinaram durante o banquete realizado para comemorar o seu regresso.

Os conspiradores pretendiam matar também o filho de Agamênon, Orestes, ainda muito criança para causar apreensão, mas que poderia, depois de adulto, tornar-se perigoso. Electra, sua irmã, salvou-lhe a vida, mandando-o, secretamente, para junto de seu tio Estrófius, rei da Fócida. No palácio de Estrófius, Orestes foi criado com o filho do rei, Pílades, com o qual se uniu por uma amizade tão forte que se tornou proverbial. Electra, freqüentemente, relembrava ao irmão, por meio de mensagens, o dever de vingar a morte do pai, e, quando se tornou homem, Orestes consultou o oráculo de Delfos, que fortaleceu sua intenção nesse sentido. Ele se dirigiu, então, disfarçado, a Argos, fingindo ser um mensageiro de Estrófius, encarregado de anunciar a morte de Orestes e de conduzir as cinzas do morto numa urna funerária. Depois de visitar o túmulo do pai e nele sacrificar, de acordo com os ritos dos antigos, deu-se a conhecer a sua irmã Electra e, pouco depois, matou tanto Egisto como Clitemnestra.

Esse ato revoltante – o assassinato da mãe pelo próprio filho –, embora atenuado pela culpabilidade da vítima e pela determinação expressa dos deuses, não deixou de provocar entre os antigos a mesma revolta que nos causaria. As Eumênides, divindades da vingança, apossaram-se de Orestes e o levaram, sem descanso, de terra em terra. Pílades acompanhou-o em suas peregrinações, velando por ele. Finalmente, respondendo a uma segunda consulta, o oráculo o mandou a Táuris, na Cítia, para dali trazer uma imagem de Diana, que se acreditava ter caído do céu. Orestes e Pílades dirigiram-se, portanto, para Táuris, cujos bárbaros habitantes tinham o costume de sacrificar à deusa todos os estrangeiros que lhes caíam nas mãos. Os dois amigos foram aprisionados e levados para o templo, a fim de serem sacrificados. A sacerdotisa de Diana, porém, não era outra senão Ifigênia, a irmã de Orestes que, como devem se lembrar os nossos leitores, fora arrebatada por Diana no momento em que ia ser sacrificada. Sabendo, pelos prisioneiros, quem eram eles, Ifigênia deu-se a conhecer, e os três fugiram com a imagem da deusa e voltaram a Micenas.

Orestes, contudo, não se livrou da vingança das Erínias. Finalmente, refugiou-se em Atenas, buscando a proteção de Minerva, que a concedeu e designou o tribunal do Areópago para decidir seu destino. As Erínias fizeram a acusação, e Orestes invocou como justificativa a ordem do oráculo de Delfos. Tendo os votos do tribunal se dividido igualmente, Orestes foi absolvido pelo voto de Minerva.

No Canto IV do "Childe Harold", Byron faz alusão à história de Orestes:

Tu que, jamais, jamais, erros humanos
Ó Nêmesis, poupaste do castigo,
Tu que invocaste as Fúrias nos abismos
E atormentaste Orestes, sem piedade,
Em teu antigo reino, hoje te invoco,
Levanta-te do pó em que tu dormes!

Uma das cenas mais patéticas da tragédia clássica é aquela em que Sófocles representa o encontro de Orestes e Electra, quando ele regressa da Fócida. Orestes, tomando Electra por uma das servas, e querendo manter em segredo sua chegada até à hora da vingança, apresenta a urna em que, supostamente, se encontravam seus restos mortais. Electra, acreditando que ele estivesse realmente morto, recebe a urna, aperta-a nos braços e lamenta-se, com palavras repassadas de ternura e desespero.

Milton diz, em um dos seus sonetos:

Do poeta de Electra a triste ária
Teve o dom de salvar da morte certa
De Atenas a muralha milenária.

Essa alusão se refere ao fato de que, em certa ocasião, a cidade de Atenas esteve à mercê de seus inimigos espartanos e foi proposta sua destruição, mas a idéia foi rejeitada graças à citação acidental, feita por alguém, de um coro de Eurípedes.

Tróia

Depois de tantas referências a Tróia e aos seus heróis, talvez o leitor fique surpreendido ao saber que a localização exata da famosa cidade é, até agora, objeto de controvérsia. Há alguns vestígios de túmulos na planície que mais de perto corresponde à descrição feita por Homero e pelos geógrafos antigos, mas não existe nenhuma outra prova da existência da grande cidade.

Byron assim descreve o aspecto atual da região:

O vento sopra forte, e o mar irado
   Ruge na escuridão.
A noite cobre o solo já regado
   Por tanto sangue em vão.
Da luz de Tróia, a Príamo tão cara,
   Um raio sequer brilha.
De tudo resta só o que cantara
   O vale cego da rochosa ilha.
DA "NOIVA DE ABIDOS".

CAPÍTULO XXIX

O Regresso de Ulisses

Voltaremos, agora, a atenção para o romântico poema da Odisséia, que narra as peregrinações de Ulisses (Odisseu, em grego), em seu regresso de Tróia ao seu reino de Ítaca.

Saindo de Tróia, os navios tocaram primeiro em Ismarus, cidade dos ciconianos, onde, numa escaramuça com os habitantes, Ulisses perdeu seis homens de cada navio. Partindo dali, a frota foi castigada por uma tempestade, que a manteve nove dias no mar, até que foi alcançado o País dos Comedores de Lótus, onde Ulisses, depois de fazer a aguada, mandou três de seus homens descobrir quem eram os habitantes. Estes acolheram os marinheiros hospitaleiramente e ofereceram-lhes seu próprio alimento, o lótus. O efeito desse alimento era tal que aquele que o ingeria se esquecia inteiramente de sua própria terra e desejava permanecer para sempre naquele país. Somente pela força, Ulisses conseguiu levar os marinheiros e teve, mesmo, de amarrá-los nos navios.

Tennyson, no poema "Comedores de Lótus", exprimiu, de maneira encantadora, a impressão de sonho e embriaguez que, segundo se diz, o lótus provoca:

Quanto era doce, ali, de olhos semicerrados,
Ficar quase sonhando, e inda quase acordados!
O murmúrio sutil dos regatos velozes
Ouvir, muito de leve, e o eco de outras vozes
Ouvir discretamente, ouvir quase sonhando.
O lótus ingerindo, o lótus mastigando,
Da praia contemplar a curva sinuosa
Onde a espuma do mar se estende, vagarosa,
Votar o coração e a alma, inteiramente,

A uma melancolia doce e complacente.
Reviver, na memória, tantas antigas vidas.
Da infância recordar as figuras queridas,
Que tão vivas parecem, embora sejam só
Numa urna de bronze um punhado de pó.

Chegaram, em seguida, ao País dos Ciclopes, gigantes que habitavam uma ilha de que eram os únicos possuidores. "Ciclope" quer dizer "olho redondo", e aqueles gigantes eram assim chamados porque tinham um só olho, colocado no meio da testa. Moravam em cavernas e alimentavam-se com o que a ilha produzia e com os produtos de seus rebanhos, pois eram pastores. Ulisses deixou ancorados os navios, com exceção de um, em que foi explorar a Ilha dos Ciclopes à procura de provisões. Desembarcou com os companheiros, levando uma jarra de vinho para oferecer de presente, e encontrando uma grande caverna, lá entrou. A caverna estava vazia, e Ulisses e seus companheiros examinaram-na, verificando que estava repleta de produtos pastoris: grande quantidade de leite, jarros e terrinas de leite, cordeirinhos e cabritos, tudo em muita ordem. Logo depois, chegou o dono da caverna, Polifemo, carregando um imenso feixe de lenha, que atirou diante da entrada da gruta. Em seguida, tocou para dentro da caverna as ovelhas e cabras que seriam ordenhadas e fechou a entrada da gruta com uma pedra enorme, que vinte bois não conseguiriam arrastar. Sentou-se, depois, e ordenhou as ovelhas, preparando uma parte do leite para ser transformada em queijo e deixando a outra parte em estado natural, para ser utilizada como bebida. Voltando, então, o grande olho, viu os estrangeiros e perguntou-lhes, com maus modos, quem eram e de onde haviam vindo. Ulisses respondeu, com muita humildade, que eram gregos, da grande expedição que, recentemente, tanta glória alcançara na conquista de Tróia, e que se encontravam agora de volta à pátria; terminou implorando hospitalidade, em nome dos deuses. Polifemo não se dignou de responder, mas, estendendo o braço, agarrou dois dos gregos, que atirou contra a parede da caverna, esmagando-lhes a cabeça. Tratou, então, de devorá-los com grande deleite, e, após a lauta refeição, estendeu-se no chão da gruta para dormir. Ulisses teve tentação de aproveitar a oportunidade para cravar a espada no gigante enquanto dormia, mas refletiu que isso equivaleria à destruição inevitável dele próprio e de seus companheiros, pois a pedra com que o gigante havia fechado a entrada da caverna não poderia ser removida por eles, que, assim, ficariam irremediavelmente presos.

Na manhã seguinte, o gigante apanhou mais dois gregos e devorou-os da mesma maneira que a seus companheiros, saboreando toda a carne até nada mais restar. Em seguida, retirou a pedra da entrada, saiu conduzindo seus rebanhos e tornou a colocar a pedra cuidadosamente. Ulisses tratou, então, de planejar como se vingaria da morte dos amigos e conseguiria fugir com os companheiros sobreviventes. Fez seus homens prepararem uma pesada haste de madeira cortada pelo ciclope para servir de cajado e que eles haviam encontrado na caverna. Aguçaram a extremidade dessa haste e a temperaram no fogo, escondendo-a depois sob a palha que cobria o chão da gruta. Foram escolhidos, então, quatro dos homens mais audaciosos, aos quais se juntou Ulisses para formar um grupo de cinco. O ciclope voltou à noitinha, retirou a pedra da entrada e recolheu o rebanho, como de costume. Depois de ordenhar as ovelhas e fazer seus preparativos, como anteriormente, agarrou mais dois companheiros de Ulisses, esmagou-lhes o crânio e fez sua refeição, como das outras vezes. Depois que ceara, Ulisses aproximou-se dele e ofereceu-lhe o jarro de vinho, dizendo:

– Ciclope, isto é vinho. Prova e bebe depois de tua refeição de carne humana.

Polifemo pegou a vasilha e bebeu, e, tendo gostado imensamente, pediu mais. Ulisses deu-lhe mais bebida, com o que o gigante ficou tão satisfeito que prometeu que ele seria o último a ser devorado, e perguntou-lhe o nome, ao que Ulisses respondeu:

– Meu nome é Ninguém.

Depois da ceia, o gigante deitou-se para descansar e não tardou a adormecer. Então, Ulisses, com seus quatro companheiros escolhidos, colocou no fogo a extremidade do espeto que haviam feito, até que esta se transformou num carvão em brasa, e, depois, colocando a haste bem exatamente sobre o único olho do gigante, enterraram-na profundamente e a giraram, como um carpinteiro faz com uma pua. Os gritos do monstro ecoaram pela caverna, e Ulisses com seus companheiros mal tiveram tempo de afastar-se de seu caminho e esconderem-se na gruta. Aos gritos, Polifemo chamou todos os ciclopes que moravam nas cavernas em torno, longe e perto. Os ciclopes acorreram e perguntaram que sofrimento horrível provocara tanto barulho e interrompera seu sono.

– Amigo – respondeu Polifemo –, estou morrendo e Ninguém me feriu.

– Se ninguém te feriu – responderam os outros ciclopes –, foste ferido por Jove. Tens de resignar-te.

Assim dizendo, retiraram-se, deixando Polifemo entregue à sua dor.

Na manhã seguinte, o ciclope afastou a pedra da entrada, a fim de deixar que o gado saísse para pastar, mas colocou-se junto da entrada, disposto a impedir que Ulisses e seus companheiros escapassem no meio do rebanho. Ulisses, porém, mandou seus homens disporem os carneiros em fila de três, arreando-os com vime que haviam encontrado no chão da caverna, e fazendo com que os gregos se suspendessem sob os carneiros que iam no meio, de maneira a ficarem protegidos pelos animais que iam dos lados. Enquanto passavam, o gigante apalpava as costas e os lados dos carneiros, mas não se lembrou de apalpar-lhes a barriga. Quando se afastaram alguns passos da caverna, Ulisses e seus amigos livraram-se dos carneiros e levaram uma boa parte do rebanho até a praia, para seu barco. Embarcaram os animais apressadamente, depois afastaram-se da praia e, quando já se encontravam a uma distância suficiente para evitar o perigo, Ulisses gritou:

– Ciclope, os deuses castigaram bem tuas atrocidades. Fica sabendo que é a Ulisses que deves a vergonhosa perda de tua vista.

Ouvindo isto, o ciclope agarrou um rochedo que se projetava da encosta da montanha, e, arrancando-o, atirou com toda a força na direção da voz. A enorme pedra quase roçou a popa do barco e sacudiu as águas do oceano, que levantaram o navio em direção à terra, quase o fazendo ser tragado pelas ondas. Quando, com grande dificuldade, os gregos conseguiram afastar-se da costa, Ulisses dispôs-se a chamar de novo o gigante, mas foi obstado pelos amigos. Ele não se absteve, no entanto, de fazer com que o gigante soubesse que havia errado o projétil, mas esperou até que tivessem chegado a uma distância mais segura que a anterior. O gigante respondeu com pragas, mas Ulisses e seus amigos remaram vigorosamente e, em breve, se juntaram aos companheiros.

Ulisses e Circe (detalhe), P. TIBALDI

A escala seguinte de Ulisses foi a Ilha de Éolo, monarca a quem Júpiter confiara o governo dos ventos, que ele desencadeava ou retinha à vontade. Éolo acolheu Ulisses hospitaleiramente e, por ocasião de sua partida, ofereceu-lhe, dentro de um saco de couro com fechadura de prata, os ventos que poderiam ser prejudiciais ou perigosos, ordenando que ventos favoráveis levassem os barcos rumo à pátria de Ulisses. Por nove dias, os navios velejaram à frente do vento e, durante todo esse tempo, Ulisses esteve no leme, sem dormir. Afinal, inteiramente exausto, adormeceu. Enquanto dormia, a tripulação discutiu a respeito do misterioso saco de couro e chegou à conclusão que ele devia conter tesouros oferecidos pelo hospitaleiro Rei Éolo a seu comandante. Levados pela tentação de garantir uma parte desses tesouros para eles próprios, os marinheiros abriram o saco de couro e, imediatamente, os ventos escaparam. Os navios foram afastados de sua direção e voltaram à ilha de onde haviam partido pouco antes. Éolo ficou tão indignado com a insensatez dos marinheiros que se negou a ajudá-los de novo e, assim, eles foram obrigados a contar apenas consigo mesmos, seguindo viagem pela força dos remos.

A aventura seguinte deu-se com a bárbara tribo dos lestrigonianos. Os barcos entraram todos no porto, atraídos por sua aparência de segurança, cercado de terra por todos os lados; apenas Ulisses ancorou seu navio fora do porto. Logo que os lestrigonianos viram os navios inteiramente à sua mercê, atacaram-nos, atirando enormes pedras, que despedaçaram os barcos e os fizeram naufragar, e, em seguida, com suas lanças, mataram os marinheiros que bracejavam na água. Foram destruídos, com suas tripulações, todos os navios, exceto o de Ulisses, que havia ficado fora do porto, e que, não encontrando salvação a não ser na fuga, exortou seus homens a remar vigorosamente, e assim puderam escapar.

Pesarosos com a morte dos companheiros e, ao mesmo tempo, alegres por terem escapado, prosseguiram viagem e chegaram à Ilha Eana, onde vivia Circe, a filha do Sol. Desembarcando ali, Ulisses subiu a um morro e, olhando ao redor, não viu sinais de habitação, a não ser em um ponto no centro da ilha, onde avistou um palácio rodeado de árvores. Mandou metade da tripulação, sob a chefia de Euríloco, verificar com que hospitalidade poderiam contar. Ao se aproximarem do palácio, os gregos viram-se rodeados de leões, tigres e lobos, não ferozes mas domados pela arte de Circe, que era uma poderosa feiticeira. Todos esses animais tinham sido homens e haviam sido transformados em feras pelos seus encantamentos. Do lado de dentro do palácio, vinham os sons de uma música suave e de uma bela voz de mulher que cantava. Euríloco chamou em voz alta, e a deusa apareceu e convidou os recém-chegados a entrar, o que todos fizeram, de boa vontade, exceto Euríloco, que desconfiou do perigo. A deusa fez seus convivas se assentarem e serviu-lhes vinho e iguarias. Quando se haviam divertido à farta, ela lhes tocou com sua varinha de condão e eles imediatamente se transformaram em porcos, com "a cabeça, o corpo, a voz e as cerdas" de porco, embora conservando a inteligência de homem. Circe prendeu-os em suas pocilgas, dando-lhes para comer bolotas e outros alimentos apreciados pelos suínos.

Euríloco apressou-se em voltar ao navio e contar o que vira. Ulisses, então, resolveu ir ele próprio tentar a libertação dos companheiros. Enquanto se encaminhava para o palácio, encontrou-se com um jovem que a ele se dirigiu familiarmente, mostrando estar a par de suas aventuras. Revelou que era Mercúrio e informou Ulisses acerca das artes de Circe e do perigo de aproximar-se dela. Como Ulisses não desistisse de seu intento, Mercúrio deu-lhe um broto da planta chamada "Moli", dotada de enorme poder para resistir às bruxarias, e ensinou-lhe o que deveria fazer. Ulisses prosseguiu o caminho e, chegando ao palácio, foi cortesmente recebido por Circe, que o obsequiou como fizera a seus companheiros, e, depois que ele havia comido e bebido, tocou-lhe com sua varinha de condão, dizendo:

– Ei! procura teu chiqueiro e vai te espojar com teus amigos.

Em vez de obedecer, porém, Ulisses desembainhou a espada e investiu furioso contra a deusa, que caiu de joelhos, implorando clemência.

Ulisses ditou-lhe uma fórmula de juramento solene de que libertaria seus companheiros e não cometeria novas atrocidades contra eles ou contra o próprio Ulisses. Circe repetiu o juramento, prometendo, ao mesmo tempo, deixar que todos partissem sãos e salvos, depois de os haver entretido hospitaleiramente. Cumpriu a palavra. Os homens readquiriram suas formas, o resto da tripulação foi chamado da praia e todos foram magnificamente tratados durante tantos dias que Ulisses pareceu haver-se esquecido da pátria e ter-se resignado àquela inglória vida de ócio e prazer.

Afinal, seus companheiros apelaram para os seus sentimentos mais nobres, e ele recebeu de boa vontade a censura. Circe ajudou nos preparativos para a partida e ensinou aos marinheiros o que deveriam fazer para passar sãos e salvos pela costa da Ilha das Sereias. As sereias eram ninfas marinhas que tinham o poder de enfeitiçar com o seu canto todos quantos as ouvissem, de modo que os infortunados marinheiros sentiam-se irresistivelmente impelidos a se atirar ao mar onde encontravam a morte. Circe aconselhou Ulisses a tampar com cera os ouvidos de seus marinheiros, de modo que eles não pudessem ouvir o canto, e a amarrar-se a si mesmo no mastro dando instruções a seus homens para não o libertar, fosse o que fosse que ele dissesse ou fizesse, até terem passado pela Ilha das Sereias. Ulisses seguiu estas instruções. Tampou com cera os ouvidos de seus homens e fez com que estes o amarrassem solidamente ao mastro. Ao se aproximarem da Ilha das Sereias, o mar estava calmo e sobre as águas vinham as notas de uma música tão bela e sedutora que Ulisses lutou para se libertar e implorou aos seus homens, por gritos e sinais, que o desamarrassem. Eles, porém, obedecendo às ordens anteriores, trataram de apertar os laços ainda mais.

A imaginação de um poeta moderno, Keats, revela-nos os pensamentos que passaram pelos cérebros das vítimas de Circe, depois de sua transformação. No poema "Endimião", apresenta um deles, um monarca transformado em elefante, assim se dirigindo em linguagem humana, à feiticeira:

Não lamento a coroa que perdi,
A falange que outrora comandei
E a esposa, ora viúva, que deixei.
Não lamento, saudoso, minha vida.
Filhos e filhas, na mansão querida,
Tudo isto esqueci, as alegrias
Terrenas olvidei dos velhos dias.

Outro desejo vem, muito mais forte.
Só aspiro, só peço a própria morte.
Livrai-me desse corpo abominável.
Libertai-me da vida miserável.
Piedade, Circe! Morrer e tão-somente!
Sede, deusa gentil, sede clemente!

Sila e Caríbdis

Ulisses fora advertido por Circe para tomar cuidado com os dois monstros Sila e Caríbdis. Já travamos conhecimento com Sila, na história de Glauco, e sabemos que fora uma linda donzela transformada por Circe num monstro cheio de serpentes. Morava numa caverna no alto rochedo de onde costumava lançar seus longos pescoços (pois tinha seis cabeças) e abocanhar, com cada uma de suas bocas, um marinheiro da tripulação de todos os navios que passavam ao seu alcance. O outro motivo de terror, Caríbdis, era um sorvedouro quase ao nível da água. Três vezes por dia, a água penetrava numa apavorante tenda, e três vezes por dia, era descarregada por ali. Qualquer barco que se aproximasse do sorvedouro com a maré montante tinha, inevitavelmente, de ser tragado; nem o próprio Netuno poderia evitá-lo.

Aproximando-se dos terríveis monstros, Ulisses manteve-se atento para descobri-los. O ruído das águas quando Caríbdis a sorvia anunciava o perigo a distância, mas não havia meios de distinguir Sila. Enquanto contemplavam ansiosos o terrível sorvedouro, Ulisses e seus homens não se podiam manter, ao mesmo tempo, tão vigilantes contra o ataque de Sila, e o monstro, lançando para adiante suas cabeças cobertas de serpentes, apanhou seis de seus homens e os levou rugindo para seu esconderijo. Foi o espetáculo mais triste a que Ulisses já assistira: ver seus amigos assim sacrificados e ouvir seus gritos, impossibilitado de lhes prestar qualquer ajuda.

Circe o havia advertido de outro perigo. Depois de passar por Sila e Caríbdis, a primeira terra a ser tocada seria Trináquio, uma ilha onde era apascentado o gado de Hipérion, o Sol, por suas Lampétia e Faetusa. Aqueles rebanhos não poderiam ser tocados, fossem quais fossem as necessidades dos viajantes. Se fosse transgredida essa regra, os culpados seriam fatalmente destruídos.

Ulisses teria de muito boa vontade passado pela Ilha do Sol sem se deter, mas seus companheiros insistiram tanto na necessidade de ancorar para um descanso e abastecimento, passando a noite em terra, que ele acabou cedendo. Fê-los, contudo, jurar que não tocariam em um só animal dos rebanhos sagrados, contentando-se com a provisão que lhes restava daquela que Circe pusera a bordo. Enquanto essas provisões duraram, os marinheiros foram fiéis ao juramento, mas ventos contrários os detiveram na ilha durante um mês e, depois de consumir toda a provisão, eles tiveram de contar apenas com as aves e com os peixes que conseguiam apanhar. A fome os atormentava e, afinal, certo dia, na ausência de Ulisses, eles mataram alguns animais do rebanho, procurando, em vão, se inocentar com a oferta de uma parte deles às divindades ofendidas. Voltando à praia, e vendo o que acontecera, Ulisses ficou horrorizado e mais ainda ao ver os prodígios que se seguiram. As peles dos animais rastejam pelo chão e a carne caminhava nos espetos enquanto era assada.

Tendo começado a soprar vento favorável, os gregos partiram da ilha. Não haviam ido muito longe quando o tempo mudou, caindo uma tempestade com raios e trovões. Um raio derrubou o mastro que, ao cair, matou o piloto. Afinal, o próprio navio foi despedaçado. Com a quilha e o mastro, flutuando lado a lado, Ulisses formou uma jangada, à qual se agarrou e, tendo o vento mudado, as ondas o levaram à Ilha de Calipso.

No poema "Comus", de Milton, há a seguinte alusão aos fatos a que acabamos de nos referir:

> Vi, muitas vezes, Circe, minha mãe,
> Entre as náiades gentis, com as sereias,
> Escolher, entre as ervas poderosas,
> As que ao Elísio a aprisionada alma
> Levariam. Contendo suas vagas,
> Sila chorava, enquanto murmurante
> A discreta Caríbdis sorria.

Sila e Caríbdis tornaram-se proverbiais para indicar perigos opostos, no caminho de alguém.[1]

CALIPSO

Calipso era uma ninfa do mar, expressão que abrange numerosa classe de divindades femininas de categoria inferior, mas que, ao mesmo tempo, compartilhavam muitos dos atributos dos deuses. Calipso acolheu Ulisses hospitaleiramente, entreteve-o com magnificência, apaixonou-se por ele e procurou retê-lo para sempre, conferindo-lhe a imortalidade. Ele, porém, manteve sua disposição de regressar à pátria, para junto da esposa e do filho. Calipso, afinal, recebeu ordens de Jove para deixá-lo partir. A mensagem foi levada por Mercúrio, que a encontrou em sua gruta, assim descrita por Homero:

---

[1] *Incidit in Scyllam, cupiens, Vitare Charybdim*. Correu para Sila, querendo evitar Caríbdis.

Verdejante, viçosa trepadeira
Forrava os muros da espaçosa gruta.
Em torno, quatro fontes cristalinas
Derramavam na terra a pura linfa,
Que corria em regatos sinuosos,
Entre a verdura tenra, que violetas
Purpúreas enfeitavam. Era um cenário
Que qualquer deus veria com deleite.

Embora com muita relutância, Calipso dispôs-se a obedecer às ordens de Júpiter. Forneceu a Ulisses os recursos para a construção de uma jangada, aprovisionou-o bem e assegurou-lhe um vento favorável. Ulisses viajou satisfatoriamente durante muitos dias, até que, afinal, quando já estava à vista da terra, desencadeou-se uma tempestade, que derrubou o mastro e ameaçou fazer soçobrar a embarcação. Nessa situação crítica, ele foi visto por uma ninfa do mar que, compadecida, pousou na jangada, sob a forma de um corvo marinho, e ofereceu-lhe um cinto, aconselhando-o a colocá-lo, pois, se fosse obrigado a se lançar à água, esse cinto o faria flutuar, permitindo-lhe alcançar a terra a nado.

Em seu romance *Telêmaco*, Fénelon conta-nos as aventuras do filho de Ulisses, quando à procura do pai. Entre outros lugares aonde chegou o jovem, seguindo as pegadas paternas, estava a Ilha de Calipso, e, como no caso anterior, a deusa tentou todos os artifícios para conservá-lo consigo e ofereceu-se para compartilhar com ele a imortalidade. Minerva, porém, que acompanhava o jovem, sob a forma de Mentor, e dirigia todos os seus movimentos, o fez repelir as tentações da deusa e, quando nenhum outro meio foi encontrado para escapar, os dois amigos lançaram-se de um rochedo ao mar e nadaram até um navio que se encontrava ao largo.

Byron faz alusão ao pulo de Telêmaco e Mentor nos seguintes versos:

Surge no mar a Ilha de Calipso
Onde sorri um porto, embora a deusa
Formosa de chorar cessara há muito,
Como cessou de olhar sobre o rochedo
Aquele que escolheu mortal esposa.
Aqui também seu filho ao mar, ousado,
Se atirou, a conselho de Mentor,
Deixando suspirosa a linda deusa.

© JOHNNY VAN HAEFTEN GALLERY, LONDRES

A gruta fantástica com Ulisses e Calipso, BRUEGHEL O VELHO, C .1600

CAPÍTULO XXX
OS FEÁCIOS
DESTINO DOS PRETENDENTES

OS FEÁCIOS

Ulisses manteve-se na jangada enquanto esta não se desintegrou e, quando a embarcação não pôde mais suportá-lo, nadou com o cinto em torno do corpo. Minerva abrandou as ondas diante dele e enviou uma viração que o empurrou para a terra. As vagas quebravam-se com força de encontro aos rochedos e pareciam impedir a aproximação. Finalmente, porém, encontrando águas mais calmas, na foz de um rio, Ulisses atingiu a terra, exausto, ofegante, incapaz de falar e quase morto. Depois de algum tempo, refazendo-se, beijou a terra, sem saber ainda, contudo, que direção tomar. À pequena distância, avistou um bosque, para o qual se dirigiu. Ali, tendo encontrado um abrigo, tanto contra o sol como contra a chuva, formado pelos ramos entrelaçados das árvores, fez uma cama, ajuntando folhas, e nela se estendeu, cobrindo-se também com folhas, e não tardando a adormecer.

A terra onde fora atirado pelo mar era a Esquéria, país dos feácios. Esse povo morava primitivamente perto dos ciclopes, mas, sendo perseguido por aquela raça de selvagens, emigrara para a Ilha de Esquéria, sob a chefia de seu rei, Nausitous. Os feácios eram, diz o poeta, afins dos deuses, que apareciam em pessoa entre eles quando ofereciam sacrifícios e não se escondiam dos pedestres solitários quando os encontravam. Os feácios dispunham de riquezas abundantes e gozavam a vida livre das ameaças de guerras, pois, como moravam longe dos homens cobiçosos, nenhum inimigo jamais se aproximara de suas praias, e eles nem ao menos precisavam usar o arco e a aljava. Sua atividade principal era a navegação. Seus navios, que viajavam com a velocidade das aves, eram dotados

Sarcófago com cenas do mito de Ulisses, séc. III d. C.

de inteligência, conhecendo todos os portos e não necessitando de piloto. O rei atual era Alcinous, filho de Nausitous, soberano sábio e justo, amado por seu povo.

Ora, aconteceu que, na mesma noite em que Ulisses desembarcou na ilha dos feácios, enquanto ele ainda dormia em seu leito de folhas, a filha do rei, Nausica, teve um sonho mandado por Minerva lembrando-lhe que o dia de seu casamento não estava distante e que seria aconselhável, como preparativo daquele acontecimento, lavar toda a roupa da família. Não se tratava de assunto sem importância, pois as fontes ficavam bem distantes e a roupa deveria ser levada para lá. Ao despertar, a princesa foi, sem demora, procurar os pais, a fim de lhes dizer o que tinha em mente, sem falar no próximo casamento, mas encontrando outros motivos igualmente aceitáveis. Seu pai concordou logo e ordenou a seus palafreneiros que entregassem à filha uma carroça. As roupas foram ali postas, e a rainha mãe também lá colocou abundante provisão de víveres e vinho. A princesa sentou-se na carroça e incitou os animais, partindo, acompanhada a pé pelas virgens suas companheiras. Chegando à margem do rio, soltaram as mulas para pastar e descarregar a carroça, levando a roupa para a água. Trabalhando com alegria e disposição, dentro em pouco terminaram o serviço. Depois de terem espalhado as roupas na margem do rio para secar e de terem também se banhado, sentaram-se para fazer a refeição, após o que se levantaram e divertiram-se jogando bola, enquanto a princesa cantava. Mas, quando já haviam recolhido a roupa e estavam prestes a voltar para a cidade, Minerva fez com que a bola lançada pela princesa caísse na água, provocando uma gritaria, que acordou Ulisses.

Agora devemos imaginar Ulisses, um náufrago, que escapara das ondas havia pouco e se achava inteiramente sem roupa, despertando e descobrindo que apenas alguns arbustos se interpunham entre ele e um grupo de jovens donzelas que, por sua atitude e por suas vestes, ele percebeu que não eram simples camponesas, mas pertenciam a uma classe mais elevada. Embora precisadíssimo de ajuda, como poderia aventurar-se nu como estava, a aparecer e revelar suas necessidades? Não havia dúvida de que se tratava de um caso digno da intervenção de sua protetora Minerva, que jamais o abandonara nos momentos críticos. Quebrando um ramo de árvore cheio de folhas, colocou-o diante de si e saiu do bosque. Ao vê-lo, as donzelas correram em todas as direções, exceto Nausica, pois Minerva a amparara e a dotara de coragem e discernimento. Ulisses, mantendo-se respeitosamente afastado, expôs sua triste situação e implorou à bela criatura (se era rainha ou deusa, confessou não saber) alimento e vestuário. A princesa respondeu cortesmente, prometendo ajuda imediata e a hospitalidade de seu pai, quando este fosse posto a par dos fatos. A princesa chamou de novo para junto de si as assustadas donzelas, censurando-as delicadamente pelo medo que haviam tido e lembrando-lhes que os feácios não tinham inimigos a temer. Aquele homem, explicou, era um infeliz peregrino, que tinham por obrigação acolher, pois os pobres e os estrangeiros vêm de Jove. Pediu-lhes que trouxessem alimento e vestuário, pois havia na carroça algumas roupas de seus irmãos. Quando isso foi feito, e Ulisses, retirando-se para um lugar escondido, lavou do corpo a espuma do mar, vestiu-se e retemperou as forças com o alimento, Palas dilatou suas formas e espalhou a graça sobre seu amplo peito e seu rosto viril.

Ao vê-lo, a princesa foi tomada de admiração e não teve escrúpulo em dizer às suas damas que desejaria que os deuses lhe tivessem mandado um marido assim. A Ulisses, recomendou que fosse à cidade, seguindo-a e a seu séqüito, enquanto estivessem nos campos; quando, porém, se aproximassem da cidade, queria que ele não mais fosse visto em sua companhia, pois receava as observações que as pessoas rudes e vulgares pudessem fazer, ao vê-la voltar acompanhada de tão garboso estranho. Para isso, ela o mandou parar num bosque vizinho à cidade, no qual havia uma quinta pertencente ao rei. Depois de dar o tempo suficiente à princesa e às suas companheiras de chegar à cidade, Ulisses prosseguiria seu caminho para lá e, facilmente, qualquer pessoa que encontrasse lhe indicaria o meio de chegar ao palácio real.

Ulisses seguiu as instruções e, oportunamente, dirigiu-se à cidade, em cujas proximidades encontrou uma jovem carregando um pote de água. Era Minerva, que tomara aquela forma. Ulisses dirigiu-se a ela, pedindo-lhe que lhe ensinasse o caminho do palácio do Rei Alcinous. A jovem respondeu respeitosamente, oferecendo-se para servir-lhe de guia, pois, explicou, o palácio ficava próximo à casa de seu pai. Guiado pela deusa, e envolto, graças a ela, em uma nuvem que não o deixava ser notado, Ulisses atravessou a multidão e observou, maravilhado, o porto, os navios, o fórum (a praça dos heróis) e os edifícios, até chegarem ao palácio, onde a deusa o deixou, depois de lhe haver prestado algumas informações sobre o país, o rei e o povo. Antes de entrar no pátio do palácio, Ulisses contemplou a cena. Seu esplendor espantou-o. Muros de bronze estendiam-se da entrada até o edifício interior, cujos portais eram de ouro, as portas, de prata, dintéis de prata ornamentados de ouro. Em ambos os lados ficavam figuras de mastins em ouro e prata, como se estivessem guardando a entrada da casa. Ao longo das paredes, estavam colocados bancos cobertos em toda a sua extensão de panos do mais fino lavor, trabalho das donzelas feácias. Nesses bancos sentavam-se os príncipes, enquanto estátuas de ouro de graciosos jovens traziam nas mãos tochas acesas que iluminavam a cena. Cinqüenta mulheres trabalhavam na casa, algumas empregadas para moer o trigo, outras, para tecer a púrpura ou fiar, pois as mulheres feácias superavam todas as outras mulheres nas artes caseiras, do mesmo modo que os marinheiros do país superavam os do resto do mundo no manejo dos navios. Fora do pátio, havia um espaçoso pomar de quatro acres de extensão, onde cresciam muitas árvores frondosas, romãzeiras, pereiras, macieiras, figueiras e oliveiras. Nem o frio do inverno nem a seca do verão detinham seu crescimento, mas todas floresciam em sucessão constante, algumas brotando enquanto em outras as frutas amadureciam. O parreiral era igualmente fecundo, podiam-se ver as vinhas, algumas florescendo, outras carregadas de uvas maduras e, mais adiante, observar os vinhateiros esmagando as frutas para fazer o vinho. Em torno do pomar, vicejavam, durante o ano inteiro, flores das mais variadas cores dispostas com uma arte perfeita. No meio, duas fontes lançavam suas águas, uma correndo, através dos canais artificiais, por todo o pomar e o jardim, e a outra atravessando o pátio do palácio, onde todos os cidadãos podiam dela se utilizar.

Ulisses deixou-se ficar imóvel, contemplando tudo com admiração, sem ser ele mesmo observado, pois a nuvem que Minerva espalhara em torno dele continuava a protegê-lo. Afinal, depois de haver contemplado a cena por bastante tempo, Ulisses entrou, com passos rápidos, no salão onde se achavam reunidos os chefes e senadores, fazendo libações a Mercúrio, cujo culto seguia-se à ceia. Justamente nesse momento, Minerva dissolveu a nuvem e Ulisses apareceu diante da assembléia dos chefes. Avançando até o lugar onde estava assentada a rainha, ele ajoelhou-se e implorou-lhe favor e assistência, que permitissem seu regresso à terra natal, depois do que se retirou, sentando-se, segundo o costume dos suplicantes, ao lado da lareira.

Durante algum tempo, todos se mantiveram em silêncio. Afinal, um idoso conselheiro disse, dirigindo-se ao rei:

– Não convém que um estrangeiro que vem pedir hospitalidade seja deixado à espera, como um suplicante, sem que ninguém o saúde. Deixemo-lo, portanto, assentar-se entre nós e receber alimento e vinho.

A estas palavras, o rei, levantando-se, ofereceu a mão a Ulisses e conduziu-o a um assento de onde tirou o próprio filho, para ceder lugar ao estrangeiro. Foram colocados diante dele iguarias e vinho, e Ulisses comeu e bebeu.

O rei dispensou, então, seus convidados, avisando-lhes de que os convocaria para conselho, no dia seguinte, a fim de se resolver que decisão tomar acerca do estrangeiro.

Depois que os convidados saíram e Ulisses ficou a sós com o rei e a rainha, esta perguntou-lhe quem ele era e de onde vinha, e (reconhecendo as vestes que ele trazia, pois fora ela própria, com suas damas, que as fizera) de quem recebera aqueles vestuários. Ulisses narrou sua estada na Ilha de Calipso e sua partida de lá; o naufrágio da jangada, como conseguira salvar-se a nado e o socorro que lhe prestara a princesa. O rei e a rainha escutaram com ar de aprovação, e o rei prometeu fornecer um navio para seu hóspede regressar à terra natal.

No dia seguinte, a assembléia dos chefes confirmou a promessa do rei. Foi preparado um barco e escolhida uma tripulação de robustos remadores, e todos se reuniram no palácio, onde foi servido lauto repasto. Depois da festa, o rei sugeriu que os jovens mostrassem ao hóspede sua eficiência em muitos exercícios atléticos, e todos se dirigiram à arena, para a realização de provas de corrida, luta e outros exercícios. Depois de todos terem-se exibido, da melhor maneira possível, Ulisses, convidado a mostrar suas habilidades, recusou-se, a princípio, mas, sendo escarnecido pelos jovens, pegou um disco, muito mais pesado do que qualquer um dos que haviam sido lançados pelos feácios, e atirou muito mais longe do que aqueles haviam lançado os seus. Todos ficaram atônitos e passaram a encarar seu hóspede com redobrado respeito.

Depois dos jogos, todos voltaram ao salão, e o arauto introduziu Demódoco, o bardo cego.

Querido pelas musas, que, contudo,
Tanto ao mal quanto ao bem o destinaram,
Dando-lhe voz divina e não a vista.

O bardo escolheu para tema de sua canção "O Cavalo de Pau", graças ao qual os gregos haviam conseguido entrar em Tróia. Apolo inspirou-o e ele cantou com tanto sentimento os terrores e as façanhas daquela época aventurosa, que todos se deleitaram, mas Ulisses se comoveu até as lágrimas. Observando isso, quando a canção terminou, Alcinous indagou-lhe por que motivo ele se comovia quando Tróia era mencionada. Perdera ali o pai, um irmão ou um amigo querido? Ulisses respondeu revelando seu verdadeiro nome e, a pedido de todos, contou as aventuras por que passara desde que partira de Tróia. Essa narrativa elevou ao mais alto grau a admiração e simpatia, por parte dos feácios, pelo seu hóspede. O rei propôs que todos os chefes lhe oferecessem um presente, dando ele próprio o exemplo. Os chefes obedeceram e cada qual quis destacar-se sobre os outros, oferecendo valiosos presentes ao ilustre estrangeiro.

No dia seguinte, Ulisses partiu no navio dos feácios e, dentro de pouco tempo, chegou são e salvo à Ilha de Ítaca, sua pátria. Quando o navio chegou a terra, ele estava dormindo. Os marinheiros, sem acordá-lo, levaram-no para a praia, desembarcaram uma arca contendo os presentes que lhe haviam sido oferecidos, depois partiram.

Netuno irritou-se tanto com a conduta dos feácios, retirando Ulisses de seu poder, que, quando o navio voltou, transformou-o num rochedo, situado bem em frente à entrada do porto.

A descrição feita por Homero dos navios dos feácios dá a idéia de uma previsão das maravilhas da moderna navegação a vapor. Alcinous diz a Ulisses:

Dize de que cidade, de que terra,
E quais são, dessa terra, os habitantes
E àquele reino hás de chegar asinha
Em milagroso barco que a si mesmo
Move, sem precisar de timoneiro,
E, como se de engenho humano fosse
Dotado, os litorais todos conhece.

ODISSÉIA, LIVRO VIII

Ulisses reconhecido por sua velha ama, SÉC. V A.C., VASO NO ESTILO FIGURA VERMELHA

Lord Carlisle, em seu *Diário das Águas Turcas e Gregas*, assim se refere a Corfu, que acredita ser a antiga ilha dos feácios:

"Sua situação explica a *Odisséia*. O templo do deus do mar não poderia ser melhor localizado, sobre uma verde plataforma de macia relva, no alto de um penedo que domina o porto, o canal e o oceano. Justamente na entrada do porto interior, há um pitoresco rochedo sobre o qual se ergue um pequeno convento, e que, de acordo com a lenda, é o barco de Ulisses que assim se transformou.

"Um dos poucos rios da ilha fica justamente à distância adequada do local onde provavelmente se encontravam a cidade e o palácio do rei, justificando a necessidade da Princesa Nausica precisar de uma carroça e de almoçar fora, quando foi lavar a roupa, com as donzelas da corte."

DESTINO DOS PRETENDENTES

Ulisses estava longe de Ítaca há vinte anos e, quando acordou, não reconheceu a terra natal. Minerva apareceu-lhe, sob a forma de um jovem pastor, revelou-lhe onde estava e contou-lhe como corriam as coisas em seu palácio. Mais de cem nobres de Ítaca e das ilhas vizinhas vinham há anos pretendendo a mão de Penélope, sua esposa, julgando-o morto e se imiscuindo em seu palácio com sua gente, como se fossem donos de ambos. Era necessário que ele não fosse reconhecido, para poder vingar-se daquela gente. Assim, Minerva o metamorfoseou em um feio mendigo e, como tal, ele foi bondosamente recebido por Eumeu, o porqueiro, fiel servidor de sua casa.

Seu filho Telêmaco achava-se ausente à procura do pai. Partira para as cortes dos outros reis que haviam regressado da expedição contra Tróia. Enquanto procurava, recebeu o aviso de Minerva de que deveria regressar à sua terra. Chegando, procurou Eumeu a fim de saber como corriam as coisas no palácio, antes de se apresentar diante dos pretendentes. Encontrando um estrangeiro com Eumeu, tratou-o cortesmente, embora fosse um mendigo, e prometeu-lhe ajuda. Eumeu foi enviado secretamente ao palácio, a fim de anunciar a Penélope a chegada do filho, pois era necessário tomar precauções com referência aos pretendentes, que, segundo Telêmaco soubera, pretendiam interceptá-lo e matá-lo. Depois que Eumeu partiu, Minerva apresentou-se a Ulisses e deu-lhe ordens para se dar a conhecer ao filho. Ao mesmo tempo, tocou-lhe, livrando-o imediatamente de sua aparência de velhice e penúria e dando-lhe o aspecto que era realmente o seu, de um homem no vigor da idade. Telêmaco encarou-o com espanto e, a princípio, achou que ele não deveria ser um simples mortal. Ulisses, porém, apresentou-se como seu pai e explicou a mudança de aparência revelando que era devido a Minerva.

> ... Telêmaco,
> Chorando, aperta o pai de encontro ao peito
> E imperioso anseio de lamento
> Ambos domina.

O pai e o filho discutiram o que deveriam fazer para se livrarem dos pretendentes e castigá-los pelos ultrajes cometidos, tendo ficado combinado que Telêmaco fosse para o palácio e se misturasse com os pretendentes, como anteriormente, ao passo que Ulisses se apresentaria como mendigo, personagem que, nos rudes tempos da Antiguidade, gozava privilégios diferentes dos que hoje lhe concedemos. Como viajante e narrador de histórias, o mendigo era admitido no salão dos chefes e, freqüentemente, tratado como conviva, embora algumas vezes, também, sem dúvida, com rudeza. Ulisses recomendou ao filho que não demonstrasse, por qualquer excessivo interesse por ele, saber que ele não era quem parecia e que, mesmo se o visse injuriado ou espancado, não deveria intervir senão como o faria em defesa de um estranho. No palácio, encontraram as cenas habituais de orgia e tumulto. Os pretendentes fingiram receber Telêmaco com alegria por seu regresso, embora intimamente mortificados por terem falhado seus planos para tirar-lhe a vida. O velho mendigo teve permissão de entrar e deram-lhe o que comer. Um tocante incidente ocorreu, quando Ulisses entrou no pátio do palácio. Ali se achava deitado um velho cão, já quase morto pela idade, que, ao ver entrar um estranho, levantou a cabeça, com as orelhas eretas. Era Argos, o próprio cão de Ulisses, que o levara, outrora, muitas vezes, à caça.

> Ao ver tão perto Ulisses, que há tão longo
> Tempo partira, as orelhas murcham
> E a cauda abana, jubiloso, alegre,
> Mas não se move, que a velhice o tolhe.
> Ao vê-lo, Ulisses, sem que o vejam os outros,
> Rápido enxuga inoportuna lágrima.
> ....
> E o fado libertou, então, o velho
> Argos, que vinte anos esperara
> Para rever o dono.

Enquanto Ulisses comia no salão o que lhe haviam dado, os pretendentes puseram-se a tratá-lo com insolência. Como ele protestasse, delicadamente, um deles levantou um tamborete e com este desfechou-lhe uma pancada. Telêmaco a custo conteve a indignação, ao ver o pai tratado de tal modo em seu próprio palácio, mas, lembrando-se das recomendações paternas, nada mais disse do que lhe competia como dono da casa, embora jovem, e protetor de seus hóspedes.

Penélope adiara tanto uma decisão favorável a qualquer um dos pretendentes que estes já não se mostravam dispostos a nova protelação. A continuada ausência de seu marido parecia provar que o regresso deste não mais deveria ser esperado. Enquanto isso, seu filho havia crescido e já estava em condições de dirigir seus próprios negócios. Ela, portanto, consentiu em submeter a escolha a uma prova de habilidade entre seus pretendentes. A prova consistia em verificar a habilidade no manejo do arco. Colocaram-se em fila 12 argolas, e aquele cuja seta atravessasse todas as 12 teria a mão da rainha como prêmio. Foi trazido um arco oferecido outrora a Ulisses por um dos heróis, seus companheiros, e, com ele, uma aljava cheia de setas foi trazida para o salão. Telêmaco providenciara para que todas as outras armas fossem removidas, sob o pretexto de que, no ardor da competição, havia o perigo de tais armas serem usadas indevidamente, num momento de raiva.

Feitos todos os preparativos para a prova, a primeira coisa a fazer consistia em curvar-se o arco a fim de prender a corda. Telêmaco tentou fazer tal coisa, mas verificou que todos os seus esforços eram infrutíferos, e, confessando modestamente que tentara executar uma tarefa acima de suas forças, passou o arco a outro. Este tentou sem maior sucesso e desistiu, no meio das gargalhadas e zombarias dos companheiros. Outro experimentou, e mais outro; untaram o arco com breu, mas de nada adiantou: não se curvava. Então, Ulisses falou, humildemente, pedindo licença para experimentar.

– Embora mendigo, já fui soldado, e ainda resta alguma força nestes meus velhos braços – disse ele.

Os pretendentes vaiaram-no com desprezo e deram ordens para que ele fosse expulso do palácio, por sua insolência. Telêmaco, porém, falou em seu favor: meramente para satisfazer o velho, deixasse-o tentar. Ulisses pegou o arco e dobrou-o com mão de mestre. Com toda facilidade, colocou a corda e depois, pegando uma seta, lançou-a destramente entre as argolas.

– Agora, outro alvo! – exclamou ele, visando o mais insolente dos pretendentes, que caiu, com o pescoço atravessado pela seta.

Telêmaco, Eumeu e outros fiéis servidores, bem armados, já se encontravam ao lado de Ulisses. Confusos, os pretendentes procuraram armas em torno de si, mas não encontraram nenhuma e nem tiveram meios de escapar, pois Eumeu havia fechado a porta. Ulisses não os deixou por mais tempo na incerteza: apresentou-se como o rei há tanto tempo ausente cuja casa eles haviam invadido, cujos bens haviam dilapidado e cuja esposa e filho tinham perseguido durante tantos anos. Anunciou-lhes, então, que pretendia vingar-se plenamente. Todos foram mortos, e Ulisses ficou senhor do palácio e possuidor de seu reino e de sua esposa.

No poema "Ulisses", Tennyson apresenta o velho herói, depois de passados os perigos que atravessara, e nada mais lhe restando que ficar em casa e ser feliz, como cansado da inércia e disposto a partir em busca de novas aventuras:

> *Vinde a meu lado, amigos. Não é tarde*
> *Para buscar, bem longe, um novo mundo,*
> *Cortando as ondas e vencendo os mares.*
> *Quero além do poente navegar,*
> *Além dos astros que no oeste brilham,*
> *Até que a morte venha procurar-me.*
> *Pode bem ser que o mar nos purifique,*
> *Pode bem ser que à Ilha Afortunada*
> *Consigamos chegar e ainda vejamos*
> *Aquiles, que tão bem nós conhecemos.*

CAPÍTULO XXXI

AVENTURAS DE ENÉIAS
AS HARPIAS – DIDO – PALINURO

AVENTURAS DE ENÉIAS

Acompanhamos um dos heróis gregos, Ulisses, em suas peregrinações quando regressava à sua pátria, vindo de Tróia, e agora nos propomos a compartilhar das aventuras do remanescente do povo vencido, sob a chefia de Enéias, em busca de uma nova pátria, após a destruição da sua cidade. Na noite fatal em que o cavalo de pau vomitou seu conteúdo de homens armados, dando como resultado a captura e destruição da cidade, Enéias conseguiu fugir de Tróia, com seu pai, sua esposa e seu filhinho. O pai, Anquises, estava muito velho para caminhar com a rapidez necessária e Enéias o levou nos ombros.[1] Carregando esse peso, conduzindo o filho e seguido pela esposa, Enéias conseguiu sair da cidade em chamas, mas, na confusão, sua esposa extraviou-se e desapareceu.

Chegando ao lugar de encontro, inúmeros fugitivos de ambos os sexos se reuniram e se puseram sob as ordens de Enéias. Foram gastos alguns meses nos preparativos e, finalmente, embarcaram. O primeiro desembarque foi na costa da Trácia, e os troianos estavam se preparando para construir uma cidade, mas Enéias desistiu da idéia em face de um prodígio. Ao preparar-se para oferecer o sacrifício, arrancou alguns raminhos das árvores e, horrorizado, viu que da parte cortada escorria sangue. Tendo repetido o que fizera, ouviu uma voz vinda do chão que lhe gritava:

– Poupa-me, Enéias. Sou teu parente, Polidoro, aqui assassinado com muitas setas, e aqui nasceu esta moita de arbustos, regada com meu sangue.

---

[1] *Seguitur patrem, nom passibus aequis* – Virgílio. Segue o pai com passos desiguais.

Estas palavras recordaram a Enéias que Polidoro fora um jovem príncipe de Tróia, enviado por seu pai, com grandes tesouros, ao vizinho país, a Trácia, para ali ser criado, longe dos horrores da guerra. O rei a quem ele fora confiado o havia assassinado e se apossado de seus tesouros. Enéias e seus companheiros, considerando que aquela terra estava maldita, manchada por tal crime, apressaram-se em partir.

Aportaram à Ilha de Delos, que havia sido uma ilha flutuante até que Júpiter a prendeu com fortíssimas correntes ao fundo do mar. Apolo e Diana haviam ali nascido, e a ilha era consagrada a Apolo, cujo oráculo Enéias consultou, recebendo uma resposta ambígua, como de costume: "Procura tua antiga mãe; ali a raça de Enéias viverá e reduzirá todas as outras nações ao seu jugo." Os troianos ouviram com alegria estas palavras e imediatamente puseram-se a perguntar uns aos outros: "Onde será a terra a que o oráculo se referiu?" Anquises lembrou-se de que, segundo uma tradição, seus antepassados tinham vindo de Creta, e para ali os troianos resolveram seguir. Chegaram a Creta e começaram a construir a cidade, mas a doença os flagelou e as plantações que haviam feito nada produziram. Nessa situação sombria, Enéias foi advertido, num sonho, a deixar o país e procurar uma região ocidental, chamada Hespéria, de onde havia emigrado Dárdano, o verdadeiro fundador de Tróia. Assim, eles se dirigiram a Hespéria, agora chamada Itália, e somente ali chegaram depois de muitas aventuras e de decorrido um lapso de tempo suficiente a um navegador moderno para dar várias vezes a volta ao mundo.

As Harpias

O primeiro desembarque foi na Ilha das Harpias, aves repelentes, com cabeça de mulher, garras aguçadas e o rosto pálido de fome, que tinham sido mandadas pelos deuses para atormentar um certo Fineu, que Júpiter privara da vista em castigo por sua crueldade. Sempre que era colocado diante dele um alimento, as harpias desciam do alto e o levavam. As aves tinham sido expulsas pelos argonautas e haviam-se refugiado na ilha onde Enéias as encontrou.

Ao entrarem no porto, os troianos viram rebanhos de gado pastando na planície. Mataram tantas reses quanto quiseram e prepararam-se para um banquete. Logo, porém, que haviam sentado à mesa, ouviram-se do alto gritos horríveis e um bando das odiosas harpias desceu, retirando a carne das travessas e fugindo com ela. Enéias e seus companheiros desembainharam as espadas e desfecharam vigorosos golpes contra os monstros, sem resultado, porém, pois estes eram muito destros e suas penas eram como armaduras impenetráveis ao aço. Uma delas, pousando num rochedo próximo, gritou:

– É assim, troianos, que nos tratais, aves inocentes, primeiro matando nosso gado e agora atacando a nós próprias?

Predisse, então, cruéis sofrimentos aos troianos em sua futura viagem, e voou, depois de saciada a sua ira.

Os viajantes trataram de deixar logo a região e dentro em pouco costeavam o litoral do Epiro. Ali desembarcaram e souberam, com espanto, que alguns exilados troianos, que para lá haviam sido levados como prisioneiros, tinham-se transformado em governantes do país. Andrômaca, viúva de Heitor, tornara-se esposa de um dos chefes gregos vitoriosos, a quem dera um filho. Tendo morrido seu marido, ela se tornara regente do país, como tutora do filho,

© MUSEU DO LOUVRE, PARIS

Enéias e os companheiros combatem as Harpias, FRANÇOIS PERRIER, 1646-1647, ÓLEO SOBRE TELA

e casara-se com um companheiro de cativeiro, Heleno, da família real de Tróia. Heleno e Andrômaca trataram os exilados com a maior hospitalidade e despediram-nos carregados de presentes.

Dali, Enéias costeou o litoral da Sicília e passou pelo país dos ciclopes, onde foram recebidos por um ser miserável cujas vestes indicavam que se tratava de um grego. Ele contou que era um dos companheiros de Ulisses, deixado ali por seu chefe, quando este partira apressadamente. Relatou a aventura de Ulisses com Polifemo e pediu aos troianos que o levassem consigo, pois não tinha meios de se sustentar ali onde não havia mais nada além de amoras silvestres e raízes, e vivia sob o temor constante dos ciclopes. Enquanto ele falava, apareceu Polifemo, "um monstro horrível e informe, cujo único olho fora arrancado".[2] O ciclope caminhava cautelosamente, sondando o caminho com um bastão, e chegou até a praia para lavar nas ondas o globo ocular vazio. Chegando à água, nela entrou, pois sua altura imensa lhe permitia caminhar pelo mar adentro até grande extensão, de sorte que os troianos, horrorizados, correram aos seus remos para se afastar do caminho do monstro. Ouvindo o barulho dos remos, Polifemo gritou e sua voz reboou pela costa, fazendo os outros ciclopes saírem das cavernas e dos bosques e se estenderem na praia, como uma fila de pinheiros altíssimos. Os troianos curvaram-se sobre os remos e, dentro em pouco, perderam os ciclopes de vista.

Enéias fora advertido por Heleno que evitasse o estreito guardado pelos monstros Sila e Caríbdis. Como o leitor deve lembrar-se, Ulisses perdera ali seis de seus homens, agarrados por Sila, enquanto os navegadores estavam atentos unicamente em evitar

---

[2] *Monstrum horrendum, informe, ingens, cui lumem ademptum* – Virgílio.

Caríbdis. Seguindo o conselho de Heleno, Enéias deixou de lado a perigosa passagem e costeou a Ilha da Sicília.

Juno, vendo os troianos aproximarem-se do seu destino, sentiu reviver o velho ódio contra eles, pois não podia esquecer-se da injúria que lhe infligira Páris, conferindo a outra o prêmio da beleza. "Tanta ira pode morar nos espíritos celestes?"[3] Assim, procurou Éolo, o rei dos ventos, o mesmo que assegurara a Ulisses ventos favoráveis, dando-lhe os ventos contrários metidos num saco de couro. Éolo obedeceu à deusa e mandou seus filhos, Bóreas, Tífon e outros, encapelar o oceano. Irrompeu uma terrível tempestade, e os navios troianos foram desviados de seu curso para a costa da África. Corriam o perigo iminente de serem destruídos e achavam-se dispersos, de sorte que Enéias julgou que todos estavam perdidos.

Nessa situação crítica, Netuno, ouvindo o rumor da tempestade e sabendo que não dera ordem para que fosse desencadeado um temporal, levantou a cabeça acima das ondas e viu a frota de Enéias impelida pela ventania. Conhecendo a hostilidade de Juno, não lhe foi difícil deduzir a origem daquilo, mas nem por isso foi menor sua irritação, diante da interferência em seus domínios. Chamou os ventos e despediu-os com severa reprimenda. Em seguida, apaziguou as ondas e afastou as nuvens que se encontravam diante da face do sol. Desvencilhou com seu tridente alguns dos navios que haviam encalhado nos rochedos, enquanto Tritão e as ninfas do mar, carregando outros sobre os ombros, puseram-nos a flutuar novamente. Quando o mar se acalmou, os troianos procuraram o litoral mais próximo, que era a costa de Cartago, onde Enéias teve a sorte de verificar que todos os navios ali chegaram a salvo, embora seriamente avariados.

Waller, em seu "Panegírico do Lorde Protetor" (Cromwell), faz alusão a essa atitude de Netuno, amainando a tempestade:

Ergue Netuno a face sobre o mar
E ordena aos rudes ventos amainar,
Da estirpe dos troianos em defesa.
Assim, bem alto erguido, os furacões
Que sobre nós sopraram as ambições
Silencia, com um gesto, Vossa Alteza.

DIDO

Cartago, onde os exilados haviam chegado, era uma região da costa africana em frente à Sicília, onde, na ocasião uma colônia tíria, dirigida pela Rainha Dido, estavam

---

[3] *Tantaene animis coelestibus irae?* – Virgílio.

sendo lançandas as bases de um Estado que se destinava a tornar-se, mais tarde, o rival da própria Roma. Dido era filha de Belo, rei de Tiro, e irmã de Pigmalião, que sucedera seu pai no trono. Era casada com Sicheus, homem riquíssimo, mas Pigmalião, que lhe cobiçava a riqueza, mandou matar. Dido, com numeroso grupo de amigos e partidários, dos dois sexos, conseguiu escapar de Tiro, em diversos barcos, levando os tesouros de Sicheus. Che-

Dido construindo Cartago, JOSEPH MALLORD WILLIAN TURNER, 1815, ÓLEO SOBRE TELA

gando ao lugar que haviam escolhido para sede de sua futura pátria, os tírios pediram aos nativos que lhes concedessem apenas uma extensão de terra que ficasse abrangida pelo couro de um boi. Tendo sido aceita imediatamente essa condição, Dido mandou cortar um couro de boi em tiras muito estreitas e com ele cercou uma extensão onde construiu uma cidade a que chamou Birsa (couro). Em torno desse forte, ergueu-se a cidade de Cartago, que logo se tornou próspera e florescente.

Tal era a situação quando Enéias ali chegou com seus troianos. Dido recebeu amistosa e hospitaleiramente os ilustres exilados. "Estando eu mesma familiarizada com o sofrimento, aprendi a socorrer os infortunados", [4] disse ela. A hospitalidade da rainha manifestou-se em festas, nas quais foram executadas provas de força e habilidade. Os estrangeiros disputaram, em igualdade de condições, as palmas com os súditos da rainha, que declarou que fosse o vencedor grego ou troiano, para ela não faria diferença.[5] No festim que se seguiu aos jogos, Enéias, a pedido da rainha, descreveu os últimos acontecimentos da história troiana e suas próprias aventuras depois da queda da cidade. Dido ficou encantada com a narrativa e cheia de admiração pelas façanhas de Enéias. Apaixonou-se ardentemente por ele, que, de seu lado, parecia bem disposto a aceitar a feliz oportunidade que lhe era oferecida de terminar, de uma vez e venturosamente, suas peregrinações, encontrando um lar, um reinado e uma esposa.

---

[4] *Haud ignara mali, miseris succurrere disco* – Virgílio.
[5] *Tros, Tyriusve, mihi nullo discrimine agetur* – Virgílio.

Passaram-se meses, gastos em agradável convívio, e parecia que estavam esquecidos a Itália e o Império destinado a ser fundado em suas terras. Vendo isso, Júpiter mandou Mercúrio levar uma mensagem a Enéias, relembrando-lhe a responsabilidade de seu alto destino e ordenando-lhe que reiniciasse a viagem.

Enéias separou-se de Dido, embora ela lançasse mão de todas as tentações e argumentos para retê-lo. O golpe foi rude demais para o afeto e o orgulho da rainha, que, quando viu que Enéias partira realmente, subiu a uma pira funerária que mandara erguer e, apunhalando-se, foi consumida pelo fogo. As chamas, levantando-se sobre a cidade, foram avistadas pelos troianos que partiam e, embora sua causa fosse desconhecida, trouxeram a Enéias o pressentimento da desgraça.

Sobre Dido, há o seguinte epigrama latino:

Com teus esposos, Dido, certamente,
Foi bem desventurada a tua sorte,
Pois um, morrendo, te levou à fuga
E o outro, fugindo, te levou à morte.

Palinuro

Depois de tocar na Ilha da Sicília, onde reinava Acestes, príncipe de origem troiana que lhes ofereceu hospitaleira recepção, Enéias e seus companheiros reembarcaram e seguiram caminho para a Itália. Vênus intercedeu, então, junto a Netuno para permitir que seu filho chegasse afinal ao destino e ficasse livre dos perigos do mar. Netuno consentiu, estipulando apenas uma vítima como resgate para os restantes. A vítima foi Palinuro, o piloto. Enquanto ele contemplava as estrelas, segurando o leme, o deus Sono, enviado por Netuno, aproximou-se sob o disfarce de Forbas e disse:

– Palinuro, o vento é favorável, o mar está calmo e o navio segue direito para o seu destino. Deita por algum tempo e goza o merecido descanso. Tomarei conta do leme, em teu lugar.

– Não me fales em mar brando ou ventos favoráveis, a mim acostumado com tantas traições – respondeu Palinuro. Deverei confiar Enéias ao acaso do tempo e dos ventos?

E continuou a segurar o leme, com os olhos fixos nas estrelas. Sono, porém, sacudiu sobre ele um ramo umedecido com água do Letes e seus olhos se fecharam, apesar de todos os esforços. Então, Sono o empurrou para fora do navio e ele caiu, mas, não largando o leme, levou-o consigo. Netuno foi fiel à sua promessa e manteve o navio no rumo certo, sem leme e sem piloto, até que Enéias descobriu a perda e, profundamente pesaroso com a morte de seu fiel timoneiro, assumiu ele próprio a direção do barco.

Os navios chegaram, afinal, ao litoral da Itália e alegremente os aventureiros desembarcaram. Enquanto sua gente tratava de construir um acampamento, Enéias procurou a morada da Sibila, que era uma caverna ligada a um templo e a um bosque, consagrados a Apolo e Diana. Enéias estava contemplando a cena, quando a Sibila aproximou-se dele. Mostrou estar a par das peregrinações do troiano e, sob a influência da divindade do lugar, começou a fazer profecias, apresentando previsões sombrias sobre os trabalhos e perigos que Enéias ainda teria de atravessar para afinal alcançar o sucesso. Terminou com estas palavras animadoras, que se tornaram proverbiais: "Não te curves aos infortúnios, mas avança com maior coragem."[6] Enéias respondeu que estava disposto a enfrentar o que tivesse pela frente. Tinha apenas um pedido a fazer. Como fora instruído, num sonho, a procurar a morada dos mortos, a fim de conversar com seu pai, Anquises, para dele receber uma revelação sobre o futuro seu e de sua raça, pedia ajuda da Sibila para que tivesse possibilidade de executar a tarefa. "A descida para o Averno é fácil", respondeu a Sibila. "A porta de Plutão fica aberta noite e dia. Mas voltar e retornar à atmosfera superior, aí está o trabalho, aí a dificuldade."[7] Aconselhou, em seguida, a Enéias a procurar na floresta uma árvore em que havia um galho de ouro. Este galho deveria ser arrancado e oferecido como presente a Prosérpina. Se o destino fosse propício, ele ficaria na mão de Enéias, deixando o tronco da árvore; do contrário, nenhuma força seria capaz de arrancá-lo. Se arrancado, outro sucederia.[8]

Enéias seguiu as instruções da Sibila. Vênus, sua mãe, mandou duas de suas pombas voar diante dele para ensinar-lhe o caminho e, graças a elas, ele encontrou a árvore, arrancou o galho e com ele voltou para junto da Sibila.

---

[6] *Tu ne cede malis, sed contra audentior ito* – Virgílio.

[7] *Facilis descensus Averni; Noctes atque dies patet atri janua Ditis: Sed revocare gradum superas que evadere ad auras, Hoc opus, hic labor est.* –Virgílio.

[8] *Uno avulso, non deficit alter* –Virgílio. Arrancando um, não falta outro.

CAPÍTULO XXXII
AS REGIÕES INFERNAIS
A SIBILA

AS REGIÕES INFERNAIS

No começo deste livro, apresentamos a versão pagã da criação do mundo e, apro-ximando-se de seu fim, apresentamos uma descrição das regiões dos mortos, exposta por um de seus mais ilustres poetas, que baseou suas doutrinas nos mais estimados fi-lósofos. A região onde Virgílio localiza a entrada dessa morada dos mortos talvez seja, realmente, a mais adequada para dar a idéia do terrífico e do sobrenatural em qualquer ponto da superfície terrestre. É a região vulcânica perto do Vesúvio, toda cortada de fen-das, das quais se levantam chamas sulfúreas, enquanto o solo é sacudido pelo despren-dimento de vapores, e ruídos misteriosos saem das entranhas da terra. Supõe-se que o Lago Averno ocupa a cratera de um vulcão extinto. Tem a forma de um círculo, com meia milha de largura, é muito profundo, e suas margens, muito elevadas, eram cobertas, na época de Virgílio, por densa floresta. Vapores mefíticos levantavam-se de suas águas, de modo que não havia vida em suas margens e nenhuma ave as sobrevoava. Ali, segundo o poeta, encontrava-se a gruta que dava acesso às regiões infernais e ali Enéias ofereceu sacrifícios às divindades infernais – Prosérpina, Hécate e as Fúrias. Logo em seguida, ou-viu-se um rugido vindo das profundidades da terra, os bosques que cobriam os morros foram sacudidos e o ladrido de cães anunciaram a aproximação das divindades.

– Agora – disse a Sibila –, arma-te de toda a tua coragem, pois dela vais precisar.

Desceu à caverna, e Enéias acompanhou-a. Antes do limiar do inferno, passaram por um grupo de seres, que a Sibila revelou serem os Pesares, as vingativas Ansiedades, as pálidas Enfermidades, a melancólica Velhice, o Medo e a Fome que induzem ao crime, o Cansaço, a Miséria e a Morte, formas horríveis de serem vistas. As Fúrias ali estendiam seus leitos, e, do mesmo modo, a Discórdia, cujos cabelos eram formados de serpentes, presas entre si por uma fita sangrenta. Também ali se achavam os monstros: Briareu, de cem braços; as Hidras, que silvavam; e Quimeras, deitando fogo pela boca e pelas narinas. Enéias estremeceu ao ver aquilo, desembainhou a espada e teria atacado, se a Sibila não o impedisse. Dirigiram-se, então, ao negro rio, o Cócito, onde encontraram o barqueiro Caronte, velho e esquálido, mas forte e vigoroso, que recebia em seu barco passageiros de todas as espécies, heróis magnânimos, jovens e virgens, tão numerosos quanto as folhas no outono ou os bandos de aves que voam para o sul quando se aproxima o inverno. Todos se aglomeravam para passar, ansiosos por chegarem à margem oposta. O severo barqueiro, contudo, somente levava aqueles que escolhia, empurrando os restantes para trás. Espantado com o que via, Enéias perguntou à Sibila:

– Qual é o motivo dessa discriminação?

A travessia de Caronte, JOACHIM PATENIER

– Aqueles que são acolhidos a bordo do barco são as almas dos que receberam os devidos ritos fúnebres; os espíritos dos outros, que ficaram insepultos, não podem passar o rio, mas vagueiam cem anos abaixo e acima de sua margem, até que finalmente sejam levados.

Enéias entristeceu-se, lembrando-se dos próprios companheiros que haviam perecido na tempestade. Naquele momento, avistou seu piloto Palinuro, que caíra ao mar e morrera afogado. Ele implorou a Enéias, com veemência, que lhe estendesse a mão e o levasse, em sua companhia, para a margem oposta. A Sibila, porém, o repeliu, pois isso seria transgredir as leis de Plutão, mas consolou-o, revelando-lhe que os habitantes da costa para onde seu corpo fora levado pelas vagas seriam induzidos, por meio de prodígios, a lhe fazer os funerais devidos, e que o promontório tomaria o nome de Cabo Palinuro, que tem até hoje. Deixando Palinuro consolado com essas palavras, os dois aproximaram-se do barco. Caronte, encarando fixamente, com severidade, o guerreiro que se aproximava, perguntou-lhe com que direito ele ali vinha, vivo e armado. A Sibila respondeu que eles não cometeriam qualquer violência, que o único objetivo de Enéias era ver seu pai, e, finalmente, apresentou o galho de ouro, a cuja vista a ira de Caronte fez-se, apressando-se ele a encostar o barco e receber a bordo os dois. A embarcação, acostuma-da apenas com a carga muito leve dos espíritos incorpóreos, gemeu sob o peso do herói, que, juntamente com a Sibila, foi logo transportado para a outra margem.

Ali, encontraram o cão de três cabeças Cérbero, com pescoços eriçados de serpen-tes. O cão latiu por suas três gargantas, até que a Sibila lhe atirou um bolo especialmente preparado por ela, que o animal devorou vorazmente, indo depois estender-se em seu canil, adormecendo profundamente. Enéias e a Sibila desembarcaram. O primeiro som que lhes chegou aos ouvidos foi o choro de criancinhas, mortas no limiar da vida, e perto das quais estavam aqueles que haviam perecido em conseqüência de falsas acusações. Minos os ouvia como juiz e examinava as ações de cada um. A categoria seguinte era a dos que haviam morrido por suas próprias mãos, odiando a vida e procurando refúgio na morte. Com que boa vontade eles agora suportariam a miséria, o trabalho e outras aflições, se pudessem retornar à vida! Vinham, em seguida, regiões da tristeza, dividi-das em aléias isoladas, que atravessavam os espessos bosques de mirto. Por ali vague-avam aqueles que haviam caído vítimas de um amor insatisfeito e que a própria morte não libertara do sofrimento. Entre estes, Enéias julgou reconhecer o vulto de Dido, com ferimento ainda recente. A luz difusa manteve-o na incerteza por um momento, mas, ao aproximar-se, percebeu que na verdade era ela. Lágrimas caíram-lhe dos olhos e a ela se dirigiu, com palavras repassadas de amor:

– Infeliz Dido! Era então verdadeiro o rumor de que havias morrido? E, ah! Fui eu a causa? Invocou o testemunho dos deuses de que me afastei de ti com relutância e em obediência às ordens de Júpiter. E não poderia acreditar que a minha ausência te cus-tasse tanto. Pára, imploro-te, e não me negues o último adeus.

Ela se deteve por um momento, virando o rosto e com os olhos fixados no chão; depois, silenciosamente, passou tão insensível à súplica como um rochedo. Enéias se-guiu-a por algum tempo; depois, com o coração pesado, juntou-se de novo à sua com-panheira e reiniciou a caminhada.

Entraram, em seguida, nos campos por onde vagueiam os heróis caídos na batalha. Ali viram muitas sombras de guerreiros gregos e troianos. Os troianos rodearam Enéias e não se satisfaziam em vê-lo. Indagavam a causa de sua vinda e faziam-lhe numerosas perguntas. Os gregos, porém, à vista de sua armadura, brilhando naquela atmosfera te-nebrosa, reconheciam o herói e, tomados de terror, viravam as costas e fugiam, como costumavam fazer nas planícies de Tróia.

De boa vontade Enéias teria demorado com os amigos troianos, mas a Sibila o in-citou a apressar-se. Chegaram a um lugar onde a estrada se dividia, uma levando ao Elísio, outra, às regiões dos condenados. Enéias viu de um lado as muralhas de uma grande cidade, em torno da qual o Flégeton rola suas águas furiosas. Diante dele estava a porta de bronze, que nem os deuses nem os homens conseguiriam arrombar. Junto à porta, erguia-se uma torre de ferro, onde mantinha guarda Tisífone, a Fúria vingativa. Da cidade vinham gemidos e ranger de dentes, o ruído de ferros e arrastar de correntes. Enéias, horrorizado, perguntou à sua guia que crimes eram aqueles cujos castigos produziam os ruídos que ele ouvia.

– Aqui é o paço de julgamento de Radamanto, que desvenda os crimes praticados em vida e que o criminoso pensou esconder, em vão – respondeu a Sibila. Tisífone aplica seu chicote de escorpiões e entrega o criminoso às suas irmãs, as Fúrias.

Naquele momento, as portas de bronze abriram-se com pavoroso ruído e Enéias viu, no interior, uma hidra com cinqüenta cabeças guardando a entrada.

A Sibila explicou-lhe que o abismo de Tártaro é tão profundo que seus recessos estavam tão abaixo de seus pés quanto o céu estava acima de suas cabeças. No fundo desse poço, jaz prostrada a raça dos titãs, que fez guerra aos deuses. Também Salmoneu, que quis competir com Júpiter, e construiu uma ponte de bronze, sobre a qual conduziu seu carro, cujo ruído parecia o do trovão, atirando ao seu povo tochas ardentes imitando os raios, até que Júpiter o atingiu com um raio de verdade e ensinou-lhe a diferença entre as armas mortais e as divinas. Lá também se encontra o gigante Títio, cujo corpo é tão imenso que, estendido, ocupa mais de nove acres, enquanto o abutre lhe come o fígado, que, mal é devorado, cresce de novo, de modo que o castigo não terá fim.

Enéias viu grupos sentados a mesas cobertas de iguarias, tendo perto uma Fúria, que lhes arrancava o alimento dos lábios, mal se preparavam para saboreá-los. Outros sustentavam sobre a cabeça enormes rochedos que ameaçavam cair, mantendo-os, assim, num estado de constante alarme. Estes eram os que haviam odiado seus irmãos, ultrajado seus pais, iludido os amigos que neles confiavam ou que, tendo-se enriquecido, guardavam o dinheiro apenas para si, sem permitir que outros dele compartilhassem; estes últimos constituíam o grupo mais numeroso. Ali também estavam os que violaram o voto matrimonial, lutaram por uma causa má ou se mostraram infiéis para com seus patrões. Havia um que vendera seu país a troco de ouro, outro que pervertera as leis, fazendo-as dizer uma coisa hoje e outra coisa amanhã.

Íxion lá estava, preso a uma roda que girava incessantemente, e Sísifo, cuja tarefa consistia em rolar uma enorme pedra até o alto de um morro, mas quando já se encontrava bem avançado na encosta, a pedra, impelida por uma força repentina, rolava de novo para a planície. Sísifo a empurrava de novo morro acima, coberto de suor, mas em vão. Tântalo, de pé dentro de uma lagoa, com o queixo ao nível da água, sentia, no entanto, uma sede devoradora, e não encontrava meios de saciá-la, pois, quando abaixava a cabeça, a água fugia, deixando o terreno sob os seus pés inteiramente seco. Frondosas árvores carregadas de frutos – peras, romãs, maçãs e apetitosos figos – abaixavam seus galhos, mas, quando ele tentava agarrá-los, o vento empurrava os galhos para fora de seu alcance.

A Sibila advertiu Enéias de que era tempo de deixarem aquelas regiões melancólicas e procurarem a cidade dos eleitos. Atravessaram uma estrada coberta de trevas e chegaram aos Campos Elísios, onde moram os felizes. Respiraram um ar mais puro e viram todos os objetos envoltos numa luz avermelhada. A região tinha um sol e estrelas próprios. Os habitantes distraíam-se de várias maneiras, alguns praticando exercícios de força e agilidade sobre a relva macia, outros dançando e cantando. Orfeu feria as cordas de sua lira, produzindo sons arrebatadores. Ali viu Enéias os fundadores do Estado troiano, heróis magnânimos, que haviam vivido em épocas mais felizes. Contemplou, com admiração, os carros de guerra e as armas reluzentes, agora descansando sem uso. As lanças estavam cravadas no solo, e os cavalos, desarreados, vagueavam pela planície. O mesmo orgulho pelas esplêndidas armaduras e pelos fogosos corcéis que os antigos heróis sentiam em vida os acompanhava ali. Enéias viu outro grupo jovialmente escutando os acordes da música. Estava num bosque de loureiros, onde o grande Rio Pó tem sua origem. Ali moravam os que haviam morrido em conseqüência de ferimentos recebidos pela causa de sua pátria e também os santos sacerdotes e os poetas que apresentaram pensamentos dignos de Apolo, e outros que contribuíram para alegrar e adornar a vida com suas descobertas nas artes úteis e tornaram sua memória abençoada, prestando serviços à humanidade. Traziam em torno da testa fitas brancas como a neve.

A Sibila dirigiu-se a esse grupo, indagando onde Anquises poderia ser encontrado. Foram encaminhados para onde deveriam procurá-lo e, dentro em pouco, o encontraram num vale verdejante, onde ele contemplava a multidão de seus descendentes, seus destinos e os fatos notáveis que praticariam nos tempos vindouros. Ao reconhecer Enéias, avançou, de braços estendidos, enquanto as lágrimas lhe escorriam pelas faces.

– Vieste afinal – exclamou – há tanto esperado, e eu te contemplo depois de tantos perigos? Ó meu filho, quanto tremi por ti enquanto observava teus passos!

– Ó meu pai! – replicou Enéias. – Tua imagem esteve sempre diante de mim para guiar-me e proteger-me.

Tentou, então, apertar seu pai entre os braços, mas apenas encontrou uma imagem incorpórea.

Enéias avistou depois, diante de si, um amplo vale, com árvores que a brisa sacudia de leve, uma paisagem tranqüila, por onde corria o Rio Letes. Em suas margens, andava uma incontável multidão, numerosa como insetos num dia estival. Surpreso, Enéias indagou quem eram aqueles e Anquises respondeu:

– São as almas que devem receber os corpos em tempo oportuno. Enquanto isso, vivem à margem do Letes e bebem o esquecimento de sua vida anterior.

– Ó pai! – exclamou Enéias. – É possível que alguém tenha tanto amor à vida a ponto de querer deixar estas tranqüilas regiões pelo mundo superior?

Anquises respondeu explicando o plano da criação. O Criador, disse ele, fez originalmente o material do qual se compõem as almas com os quatro elementos – o fogo, o ar, a terra, e a água que, quando unidos, tomam a forma da parte mais excelente –, (o fogo) e se transformam em chama. Esse material espalhara-se como a semente, entre os corpos celestes – o sol, a lua e as estrelas. Dessa semente, os deuses inferiores criaram o homem e todos os outros animais, misturando-a, em várias proporções, com a terra, que temperava e reduzia a sua pureza. Quanto mais a terra predomina na composição, menos puro é o indivíduo, e vemos homens e mulheres com os corpos plenamente desenvolvidos sem a pureza da infância. Desse modo, a impureza contraída pela parte espiritual está em proporção com o tempo de união do corpo com a alma. Essa impureza pode ser purgada após a morte, o que é feito ventilando as almas na corrente atmosférica, ou imergindo-as na água, ou queimando suas impurezas no fogo. Alguns poucos, dos quais Anquises dá a entender de que faz parte, são admitidos imediatamente ao Elísio, para ali ficar. Os restantes, porém, depois de purgados das impurezas da terra, são devolvidos à vida, dotados de novos corpos, com a lembrança de sua antiga vida inteiramente apagada, graças à lavagem com as águas do Letes. Existem ainda, contudo, alguns tão profundamente corrompidos que não podem receber corpos humanos e são transformados em animais – leões, tigres, gatos, cães, macacos etc. Isso é o que os antigos chamavam de metempsicose, ou transmigração de almas, doutrina ainda sustentada pelos naturais da Índia, que têm escrúpulo em destruir a vida dos mais insignificantes animais, por não saber se contêm alguma pessoa de seu conhecimento, sob uma forma alterada.

Após todas essas explicações, Anquises passou a mostrar a Enéias os indivíduos de sua raça, que ainda nasceriam, e a relatar-lhe as empresas que eles deveriam executar no mundo. Depois, voltou ao presente e contou ao filho os acontecimentos que o esperavam antes que ele e seus companheiros se estabelecessem definitivamente na Itália. Seriam travadas guerras, disputadas batalhas, uma esposa seria conquistada e, como resultado, fundado um Estado troiano, do qual surgiria o poder humano, que acabaria soberano no mundo.

Enéias e a Sibila despediram-se, então, de Anquises, e regressaram, por algum atalho que o poeta não explica qual foi, ao mundo superior.

CAMPOS ELÍSIOS

Como vimos, Virgílio coloca os Campos Elísios embaixo da terra, atribuindo-lhe papel de morada dos espíritos dos eleitos. Em Homero, porém, o Elísio não faz parte do reino dos mortos, sendo colocado na parte ocidental da Terra, perto do Oceano, e é descrito como uma terra venturosa, sem neve, sem frio, sem chuva e sempre ventilada pela deliciosa brisa de Zéfiro. Para ali iam os heróis, sem morrer, e viviam felizes, sob o governo de Radamanto. O Elísio de Hesíodo e Píndaro fica nas Ilhas dos Eleitos ou Ilhas Afortunadas, no Oceano Ocidental, donde surgiu a lenda da ditosa Ilha da Atlântida. Essa região abençoada pode ter sido inteiramente imaginária, mas também é possível que tenha tido origem nas narrativas de alguns marinheiros que, arrastados pelas tempestades, avistaram a costa da América.

J. R. Lowell, em um de seus poemas, reclama para o nosso tempo alguns dos privilégios da época afortunada. Dirigindo-se ao Passado, assim diz:

> *Qualquer que fosse a vida que trazias,*
> *Ela corre, ainda hoje, como sangue,*
> *No organismo viril de nossa idade.*
> ....
> *Em meio do oceano encapelado*
> *Dos esforços, flutuam as verdes "Ilhas*
> *Afortunadas", onde o espírito*
> *De teus heróis conosco compartilha*
> *As ânsias, os labores e os martírios.*
> *Do presente o progresso é resultado*
> *Da bravura, do bem e da beleza*
> *Que tão grandes fizeram os velhos tempos.*

Milton também faz alusão à mesma lenda, no Livro III do *Paraíso Perdido*:

> *Como os jardins da Hespéria do passado,*
> *Campos risonhos e floridos vales,*
> *Três vezes venturosos.*

E, no Livro II, ele caracteriza os rios do Érebo de acordo com a significação de seus nomes em grego:

> *Detestável Estige, de odiosas*
> *E mortais águas; Aqueronte triste*
> *De profundez inóspita e sombria;*
> *Cócito, que o nome toma dos lamentos*

Das vítimas, cruel; feroz Flégeton
De corrente de fogo que o ódio inflama.
Bem longe deles rola, vagaroso
E em silêncio mortal, Letes, o rio
Do esquecimento. Quem beber da água
Que por seu fluido labirinto corre
Não mais se lembra do que fora antes,
O mal e o bem e a dor e o riso esquece.

A SIBILA

– Sejas tu uma deusa ou mortal amada dos deuses, por mim serás sempre reverenciada – disse Enéias à Sibila, enquanto voltavam à Terra. – Quando chegar à atmosfera superior, mandarei erguer um templo em tua honra e eu mesmo oferecerei os sacrifícios.

– Não sou deusa – disse a Sibila –, não reclamo sacrifícios nem oferendas. Sou mortal. No entanto, se tivesse aceito o amor de Apolo, poderia ter sido imortal. Ele prometeu-me satisfazer minha vontade, se eu tivesse concordado em ser sua. Tomei um punhado de areia e estendendo o braço que o segurava disse: "Concede-me ver tantos aniversários quantos grãos de areia há em minha mão." Infelizmente, esqueci-me de pedir a juventude perene. Também isso ele me teria concedido, se eu tivesse aceitado o seu amor, mas, ofendido com a minha recusa, ele deixou que eu envelhecesse. Minha juventude e a força da juventude de há muito passaram. Vivi setecentos anos e, para igualar o número de grãos de areia, terei ainda de ver trezentas primaveras e trezentos outonos. Meu corpo enfeza-se à medida que os anos passam, e, com o tempo, perderei a vista, mas minha voz permanecerá e as idades futuras respeitarão minha palavra.

Estas últimas afirmações da Sibila constituem uma alusão a seus poderes proféticos. Em sua caverna, ela costumava escrever, em folhas apanhadas das árvores, os nomes e destinos dos indivíduos. As folhas assim escritas eram arranjadas em ordem dentro da caverna e podiam ser consultadas pelos devotos, mas, se ao abrir a porta o vento entrava e dispersava as folhas, a Sibila não podia restaurá-las de novo, e o oráculo ficava irreparavelmente perdido.

A lenda da Sibila que vamos narrar em seguida é atribuída a uma época posterior. Durante o reinado de um dos Tarquínios, uma mulher procurou o rei e ofereceu-lhe nove livros para venda. O rei negou-se a comprá-los, e a mulher retirou-se e queimou três dos livros, voltando, depois, para oferecer os livros restantes pelo mesmo preço que pedira pelos nove. O rei rejeitou de novo, mas, quando a mulher, depois de queimar mais três livros, voltou e pediu pelos três restantes o mesmo preço que antes pedira pelos nove, sua curiosidade foi tanta que o rei comprou os livros. Verificou-se que eles narravam os destinos do Estado romano. Foram guardados no templo de Júpiter Capitolino, conservados numa arca de pedra, onde só podiam ser examinados por funcionários especialmente nomeados para aquele fim, que nas grandes ocasiões os consultavam e interpretavam seus oráculos para o povo.

Houve várias Sibilas, mas a mais célebre foi a de Cumas, mencionada por Ovídio e Virgílio. A história que Ovídio apresenta de sua vida, abrangendo mil anos, pode ter a intenção de representar as diversas Sibilas como sendo apenas o reaparecimento da mesma pessoa.

A Sibila de Delfos, MICHELÂNGELO, C. 1506-1509

capítulo XXXIII

enéias na itália
camila – evandro
niso e euríalo
mezêncio – turno

Depois de separar-se da Sibila e voltar para sua frota, Enéias com ela costeou o litoral da Itália e ancorou na foz do Tibre. Tendo levado seu herói até aquele lugar, onde deveriam terminar suas peregrinações, o poeta invoca sua Musa para contar o estado de coisas naquela memorável ocasião. Governava o país Latino, da terceira geração descendente de Saturno. Estava velho e sem filho varão, mas tinha uma linda filha, Lavínia, cuja mão era pretendida por muitos chefes vizinhos, um dos quais, Turno, rei dos Rútulos, era o favorito de seus pais. Latino, contudo, foi advertido, num sonho, por seu pai, Fauno, que o marido destinado a Lavínia deveria vir de uma terra estrangeira e que da sua união nasceria uma raça destinada a dominar o mundo.

Nossos leitores deverão lembrar-se de que, no conflito com as harpias, uma daquelas aves semi-humanas ameaçara os troianos de duros sofrimentos. Predissera, em particular, que antes de cessarem suas peregrinações, eles seriam levados, pela fome, a devorar suas próprias mesas. Esse portento tornou-se então verdade. Fazendo sua frugalíssima refeição sentados sobre a grama, os homens colocaram sobre os joelhos as duras bolachas e sobre as mesmas tudo que haviam conseguido colher no bosque. Tendo devorado estes últimos alimentos, trataram de comer as bolachas e, ao ver isto, Iulo observou, jovialmente:

– Vede: estamos comendo nossas mesas.

Enéias concordou com o augúrio.

– Salve terra prometida! – exclamou. Este é o nosso lar, esta, a nossa pátria.

Tratou, então, de descobrir quem eram os habitantes do país e quem os governava. Cem homens escolhidos foram enviados à aldeia de Latino, levando presentes e solicitando amizade e aliança. Foram amistosamente acolhidos. Latino concluiu imediatamente que o herói troiano não era outro senão o prometido genro, anunciado pelo oráculo. De boa vontade concordou com a aliança e enviou os mensageiros de volta cavalgando corcéis de suas estrebarias e levando presentes e mensagens amistosas.

Juno, vendo as coisas tão favoráveis aos troianos, sentiu reviver sua velha animosidade. Convocou Alecto, do Érebo, e mandou-a espalhar a discórdia. Em primeiro lugar, a Fúria apossou-se da rainha, Amata, e levou-a a se opor, por todos os meios, à nova aliança. Em seguida, Alecto correu à cidade de Turno e, tomando a forma de uma velha sacerdotisa, anunciou-lhe a chegada dos estrangeiros e as tentativas de seu príncipe para roubar-lhe a noiva. Finalmente, dirigiu sua atenção para o acampamento dos troianos. Ali viu o jovem Iulo e seus companheiros divertindo-se em caçar. Aguçou, então, o faro dos cães e levou-os a descobrir no bosque um cervo manso, muito querido de Sílvia, filha de Tirreu, o pastor do rei. Um dardo atirado por Iulo feriu o animal, que só teve força para correr até a casa e morrer aos pés de sua dona. Os gritos e lágrimas desta comoveram seus irmãos e os pastores, e eles, pegando todas as armas que encontraram à mão, atacaram furiosamente o grupo de caçadores. Estes foram protegidos por seus amigos e os pastores foram afinal repelidos, depois de terem perdido dois dos seus.

Estes fatos eram suficientes para provocar a guerra, e a rainha, Turno e os camponeses, todos, insistiram com o rei para que expulsasse os estrangeiros do país. Ele resistiu o mais que pôde, mas, verificando ser inútil sua oposição, desistiu afinal e afastou-se para um retiro.

ABERTURA DAS PORTAS DO TEMPLO DE JUNO

Era costume do país, quando se tratava uma guerra, que o chefe dos magistrados, trajando vestes adequadas, abrisse, solenemente, as portas do templo de Juno, que eram conservadas fechadas enquanto durava a paz. O povo exigiu que o velho rei executasse essa solenidade, mas ele se recusou a fazê-lo. Enquanto discutiam, a própria Juno, descendo do céu, bateu nas portas, com força irresistível, e as abriu. Imediatamente, as chamas da guerra cobriram o país. O povo acorreu de todos os lados, não pensando em outra coisa senão na luta.

Turno foi reconhecido por todos como chefe; outros se juntaram às forças como aliados, o principal dos quais foi Mezêncio, soldado bravo e capaz, mas de crueldade execrável. Fora chefe de uma das cidades vizinhas, mas seu povo o expulsara. Com ele, estava seu filho Lauso, jovem generoso, merecedor de um chefe melhor.

camila

Camila, favorita de Diana, caçadora e guerreira, à feição das amazonas, chegou com seu bando de cavaleiros e alguns soldados do seu próprio sexo para se colocar ao lado de Turno. Essa donzela não acostumara as mãos ao manejo da roca, mas aprendera a enfrentar os trabalhos da guerra e, em rapidez, ultrapassava o vento. Dava a impressão de que passava sobre os trigais sem esmagá-los ou sobre a superfície da água sem afundar. A história de Camila foi singular desde o começo. Seu pai, Metábus, expulso de sua cidade pela guerra civil, levou com ele, em sua fuga, a filha ainda criança. Fugindo através dos bosques, perseguido de perto pelos inimigos, chegou à margem do Rio Amazenos, que, muito engrossado pelas chuvas, impedia a passagem. Metábus parou por um momento e, depois, decidiu o que fazer. Amarrou a criança em sua lança, com tiras de casca de árvore, e, erguendo a arma no braço estendido, assim se dirigiu a Diana:

– Deusa dos bosques! Consagro a ti esta donzela.

Em seguida, lançou a arma com sua carga à outra margem do rio. A lança voou sobre as águas rugidoras. Os perseguidores de Metábus já o haviam alcançado, mas ele mergulhou no rio e o atravessou a nado, encontrando, na outra margem, a lança com a criança sã e salva. Dali para diante, ele viveu entre os pastores e ensinou à filha as artes rurais. Desde criança, ela aprendeu a manejar o arco e a lançar o dardo. Com sua funda, era capaz de abater o grou ou o cisne selvagem. Seu vestido era uma pele de tigre. Muitas mães a desejavam para nora, mas ela continuava fiel a Diana e repelia a idéia de casamento.

Evandro

Tais eram os formidáveis aliados que se juntaram contra Enéias. Era noite, e ele dormia ao ar livre, na margem do rio. Pareceu-lhe, então, que o deus daquelas águas, o Pai Tibre, levantava a cabeça acima das ondas e exclamava:

– Ó filho de deusa, destinado a possuir os reinos latinos, esta é a terra prometida, aqui será tua pátria, aqui terminará a hostilidade das divindades celestes, se tu perseverares fielmente. Há amigos não muito distantes. Prepara teus braços e sobe o meu curso; eu te levarei a Evandro, o chefe árcade. Ele vem de há muito lutando contra Turno e os ruídos, e está disposto a tornar-se teu aliado. Levanta! Faze teus votos a Juno e apazigua sua ira. Quando tiveres alcançado tua vitória, pensa, então, em mim.

Enéias acordou e, imediatamente, obedeceu à visão amigável. Sacrificou a Juno e invocou o deus do rio e todas as fontes tributárias para que o ajudassem. Então, pela primeira vez uma embarcação conduzindo guerreiros armados flutuou na corrente do Tibre. O rio aplacou suas ondas e fez suas águas deslizarem de leve, enquanto, impelidos pelos rigorosos movimentos dos remadores, o barco subia rapidamente o seu curso.

Enéias com o Rei Evandro, PIETRO DE CARTONA, SÉC. III

Cerca de meio-dia, os troianos avistaram as casas dispersas da cidade nascente, onde em tempos posteriores surgiu a orgulhosa cidade de Roma, cuja glória atingiu o céu. Por acaso, o velho Rei Evandro estava naquele dia celebrando as solenidades anuais em honra de Hércules e de todos os deuses. Com ele se encontravam seu filho Palas e todos os chefes da pequena comunidade. Ao verem o alto navio deslizando perto do bosque, assustaram-se e levantaram-se das mesas. Palas, porém, impediu que a solenidade fosse interrompida e, pegando uma urna, encaminhou-se para a margem do rio, onde gritou, perguntando aos recém-vindos quem eram e qual era o seu objetivo. Segurando um ramo de oliveira, Enéias retrucou:

– Somos troianos, amigos vossos e inimigos dos rútulos. Procuramos Evandro e oferecemo-nos para juntar nossas armas às vossas.

Palas, espantado ao ouvir tão grande nome, convidou-os a desembarcar e, quando Enéias chegou à terra, apertou-lhe calorosamente a mão, por muito tempo. Atravessando o bosque, os troianos foram até onde estavam o rei e sua gente, sendo acolhidos da maneira mais amistosa. Sentaram-se em torno da mesa e o repasto prosseguiu.

ROMA INFANTE

Terminadas as solenidades, todos se dirigiram à cidade. O rei, já curvo de velhice, caminhava entre seu filho e Enéias, apoiando-se no braço de um ou de outro, e conversando sobre vários assuntos, o que parecia tornar mais curta a caminhada. Enéias via e ouvia deleitado, observando todas as belezas do cenário e aprendendo muita coisa sobre os renomados heróis dos velhos tempos.

– Estes extensos bosques foram outrora habitados por faunos e ninfas e uma rude raça de homens que nasceram das próprias árvores e não tinham leis nem cultura social. Não sabiam como arar a terra com a ajuda de uma junta de bois, nem fazer as colheitas, nem tirar partido da abundância presente para suprir a escassez futura. Viviam como animais sob as árvores e alimentavam-se vorazmente das presas caçadas. Tais eram quando Saturno, expulso do Olimpo por seus filhos, apareceu entre eles e, agrupando aqueles selvagens, formou uma sociedade, e deu-lhes leis. Seguiu-se uma época de tanta paz e fartura que, desde então, os homens chamaram de Idade do Ouro o reinado de Saturno. Pouco a pouco, as coisas se mudaram e prevaleceram a sede de ouro e a sede de sangue. A terra foi presa de sucessivos tiranos, até que a fortuna e o irresistível destino aqui me trouxeram, exilado de minha terra natal, a Arcádia.

Depois de assim falar, mostrou a Enéias a rocha Tarpéia e o selvagem lugar então coberto de mato onde, mais tarde, se ergueria o Capitólio, com toda a sua magnificência. Apontou, em seguida, para algumas muralhas desmanteladas, explicando:

– Ali ficava o Janículo, construído por Jano, e ali Satúrnia, a cidade de Saturno.

Assim falando, chegaram à cabana do pobre Evandro e de lá avistaram rebanhos pastando na planície onde hoje se ergue o orgulhoso e imponente Fórum. Entraram e dentro havia uma cama feita para Enéias, bem recheada de folhas, e coberta com a pele de um urso líbio.

Na manhã seguinte, acordado pelo amanhecer e pelo canto dos pássaros sob o telhado da casa, o velho Evandro levantou-se. Vestido de uma túnica, com uma pele de pantera sobre os ombros, sandálias nos pés e a espada suspensa ao lado, foi procurar seu hóspede. Seguiam-no dois mastins, seu único séquito e guarda-costas. Encontrou o herói em companhia de seu fiel Acates, e tendo Palas logo se juntado a eles, o velho rei assim falou:

– Ilustre troiano, pouca coisa podemos fazer para tão grande causa. Nosso Estado é fraco, apertado de um lado pelo rio e do outro pelos rútulos. Proponho-me, porém, aliar contigo um povo numeroso e rico, para o qual o destino te trouxe no momento propício. Os etruscos ocupam a região que fica além do rio. Seu rei era Mezêncio, um monstro de crueldade, que inventava tormentos indizíveis para satisfazer suas vinganças. Prendia os mortos aos vivos, com as mãos nas mãos e os rostos nos rostos, e deixava as desgraçadas vítimas morrer naquele horrível amplexo. Afinal, o povo expulsou-o de sua casa, incendiando-lhe o palácio e matando seus amigos. Ele escapou e refugiou-se junto de Turno, que o protege com suas armas. Os etruscos exigem que ele receba o merecido castigo e estão dispostos a sustentar pela força sua exigência; os sacerdotes, no entanto, os retêm, dizendo-lhes que é vontade do céu que nenhum natural desta terra os leve à vitória e que o chefe que lhes é destinado deve vir pelo mar. Eles me ofereceram a coroa, mas estou muito velho para assumir tão sérios compromissos e meu filho aqui nasceu, o que impede que ele seja escolhido. Tu, tanto pelo nascimento como pela idade e pela fama como guerreiro, apontado pelos deuses, terás apenas que aparecer para ser saudado como seu chefe. Contigo juntarei Palas, meu filho, minha única esperança e consolo. Sob tua direção, ele aprenderá a arte da guerra e se esforçará para imitar seus grandes feitos.

O rei ordenou, então, que fossem fornecidos cavalos aos troianos, e Enéias, com um grupo escolhido de seguidores e acompanhado de Palas, montou a cavalo e dirigiu-se à cidade etrusca,[1] tendo deixado o resto de seus homens nos navios. Chegou com seu grupo são e salvo ao acampamento etrusco e foram recebidos de braços abertos por Tarchon e seus concidadãos.

NISO e EURÍALO

Neste ínterim, Turno reunira seus bandos e fizera todos os preparativos necessários à guerra. Juno mandou-lhe, por intermédio de Íris, uma mensagem incitando-o a tirar proveito da ausência de Enéias e surpreender o acampamento troiano. Assim foi feito, mas os troianos estavam precavidos e tinham recebido severas ordens de Enéias de não combater em sua ausência; mantiveram-se, portanto, em suas trincheiras e resistiram a todos os esforços dos rútulos para os lançar ao campo. Chegando a noite, o exército de Turno, com o moral muito elevado pela suposta superioridade, festejou e divertiu-se e, afinal, os soldados estenderam-se no campo e dormiram confiantes.

No acampamento dos troianos, a situação era muito diferente. Todos mostravam-se vigilantes, ansiosos e impacientes pelo regresso de Enéias. Niso montava guarda na entrada do acampamento e estava em sua companhia Euríalo, um jovem que se destacara acima de todos no exército por sua simpatia pessoal e altas qualidades. Os dois eram amigos e irmãos de armas.

– Notaste a confiança e o descuido que revela o inimigo? – perguntou Niso ao seu amigo. Seus fogos são poucos e fracos e os soldados parecem todos dominados pelo vinho ou pelo sono. Sabes com quanta ansiedade desejam nossos chefes se comunicar com Enéias a fim de receberem suas ordens. Ora, estou muito inclinado a atravessar o acampamento inimigo para ir procurar o nosso chefe. Se for bem-sucedido, a glória do feito me será recompensa suficiente e, se julgarem que o serviço prestado merece mais alguma coisa, que te paguem.

Euríalo, inflamado pelo amor à aventura, replicou:

– Irias tu, Niso, recusar que eu compartilhasse contigo tua façanha? E poderei eu deixar-te enfrentar sozinho tal perigo? Não foi para isso que meu valente pai me criou nem pretendi tal coisa para mim, quando me juntei ao estandarte de Enéias, disposto a fazer pouco da vida, quando comparada com a honra.

– Não duvido disso, meu amigo – replicou Niso. – Sabes, porém, quanto é duvidoso o êxito de tal empreendimento e, seja o que for que me aconteça, desejo que fiques e nada te aconteça. És mais moço do que eu e tens mais que esperar na vida. Não posso

---

[1] Virgílio coloca neste ponto um famoso verso que, segundo se acredita, destina-se a imitar o ruído do galope de cavalos e que pode assim ser traduzido: "Então, feriram o chão os cascos dos corcéis, com um ruído de quatro patas." *Quadrupedante putrem sonitu quatiti ungula campum* – Virgílio.

ser a causa de tal dor para tua mãe, que preferiu ficar contigo, aqui no acampamento, a viver em paz com as outras mulheres, na cidade de Acesta.[2]

– Não digas mais nada – retrucou Euríalo. – Em vão procurarás argumentos para me dissuadir. Já tomei a resolução de ir contigo. Não percamos tempo.

Chamaram a guarda e, entregando-lhe o posto de sentinela, dirigiram-se à tenda do general. Encontraram em conferência os chefes principais, que deliberavam sobre a maneira de comunicar a situação a Enéias. O oferecimento dos dois amigos foi recebido prazerosamente e ambos foram cobertos de louvores e lhes foram prometidas as mais liberais recompensas em caso de sucesso. Iulo, em particular, dirigiu-se a Euríalo afirmando-lhe sua inquebrantável amizade.

– Tenho apenas uma coisa a pedir – replicou Euríalo. – Minha velha mãe está comigo no acampamento. Por mim ela deixou a terra troiana e não quis ficar com as outras matronas na cidade de Acesta. Vou partir sem me despedir dela. Não poderia suportar as suas lágrimas nem repelir seus pedidos. Tu, porém, peço-te, consola-a em seu sofrimento. Promete-me isso e enfrentarei audaciosamente quaisquer perigos que possa encontrar.

Iulo e os outros chefes comoveram-se até as lágrimas e prometeram fazer tudo que ele pedira.

– Tua mãe será a minha – disse Iulo – e tudo que te prometi lhe será entregue se não voltares para recebê-lo.

Os dois amigos saíram do acampamento e entraram logo no meio dos inimigos. Não encontraram vigias nem sentinelas, mas, por toda a parte, soldados dormindo estendidos na relva e entre as carroças. As leis da guerra naquele tempo não proibiam um homem valente de matar o inimigo adormecido, e os dois troianos mataram, ao passar, tantos inimigos quanto puderam, sem provocar alarme. Euríalo retirou de uma tenda um brilhante elmo de ouro e plumas. Os dois haviam passado através das linhas inimigas sem serem descobertos, quando, de súbito, apareceu diante deles uma tropa que, sob o comando de Volceno, se aproximava do acampamento. O brilhante elmo de Euríalo chamou a atenção de Volceno, que saudou os dois jovens e perguntou-lhes quem eram e de onde vinham. Em vez de responder, os dois correram para o bosque. Os cavaleiros espalharam-se em todas as direções para interceptar-lhes a fuga. Niso iludiu os perseguidores e livrou-se do perigo, mas tendo Euríalo se extraviado, voltou para procurá-lo. Entrou de novo no bosque e logo ouviu algumas vozes. Olhando através das árvores, viu todo o bando que cercava Euríalo, interrogando-o ruidosamente. Que fazer?

---

[2] Aconselhado pela sombra de Anquises, Enéias fundara, na Sicília, a cidade de Acesta, onde deixara os velhos e as mulheres (Virgílio, "Eneida", Livro V, versos 700 a 778).

Enéias com as armas de Mezêncio,
PETER PAUL RUBENS

Como livrar o jovem, ou seria melhor morrer com ele?

Levantando os olhos para a lua, que brilhava muito clara, exclamou:

– Favorece-me, deusa!

Assim dizendo, lançou o dardo contra um dos chefes do grupo, atingindo-o nas costas e atirando-o ao chão mortalmente ferido. No meio do espanto que se seguiu, outra arma partiu e outro guerreiro caiu morto. O chefe, Volceno, não sabendo de onde haviam partido os dardos, avançou contra Euríalo, de espada desembainhada.

– Pagarás por ambos! – exclamou, e ia mergulhar a espada em seu peito quando Niso, percebendo de seu esconderijo o perigo que corria o amigo, avançou gritando:

– Fui eu, fui eu! Voltai contra mim vossas espadas, rútulos. Fui eu que fiz isso. Ele apenas me acompanhou como amigo.

Enquanto falava, a espada avançou e atravessou o peito de Euríalo. Sua cabeça caiu sobre o ombro, como uma flor cortada pelo arado. Niso investiu contra Volceno, mergulhando a espada em seu corpo, e foi ele próprio morto, no mesmo instante, recebendo inúmeros ferimentos.

MEZÊNCIO

Enéias chegou à cena da ação com seus aliados etruscos a tempo de socorrer o acampamento sitiado. Agora, sendo os dois exércitos aproximadamente equivalentes em poderio, a guerra se travou com mais fúria. Não temos espaço para descrever todos os pormenores, mas devemos simplesmente registrar o destino dos principais personagens que apresentamos aos nossos leitores. Vendo-se empenhado em combate contra seus súditos revoltados, o tirano Mezêncio lutou como um animal feroz. Matava todos que ousavam enfrentá-lo e punha a multidão em fuga sempre que aparecia. Afinal, encontrou-se com Enéias, e os exércitos deixaram de lutar para assistir ao encontro dos dois. Mezêncio atirou sua lança, que, atingindo o escudo de Enéias, desviou-se e feriu Antores, um grego que deixara sua cidade natal, Argos, para acompanhar Evandro à Itália. De maneira comovente, Virgílio falou a seu respeito, em versos que se tornaram proverbiais: "Caiu o infeliz, ferido por uma arma que visava outro, olhou o céu e morreu lembrando-se de sua querida Argos."[3] Enéias atirou, então, sua lança, que atravessou o escudo de Mezêncio e o feriu na coxa. Seu filho Lauso, sem poder assistir à cena, correu para diante, colocando-se em frente ao pai, enquanto seus partidários rodeavam Mezêncio e o afastavam. Enéias manteve a espada suspensa sobre Lauso, demorando a ferir, mas o furioso jovem investiu, e ele foi compelido a desfechar o golpe fatal. Lauso caiu, e Enéias curvou-se sobre ele, compadecido.

– Infeliz jovem, que posso fazer por ti, digno de teu valor? – disse. – Conserva estas armas que soubeste usar e não temas que teu corpo deixe de ser entregue a teus amigos e de receber as devidas honras fúnebres.

Assim dizendo, chamou os tímidos companheiros do jovem e entregou-lhes o corpo.

Enquanto isso, Mezêncio era levado até a margem do rio e nele lavado seu ferimento. Dentro em pouco, chegou ao seu conhecimento a morte de Lauso, e o ódio e o desespero tomaram o lugar do vigor. Cavalgando seu corcel, ele avançou para o meio da batalha, procurando Enéias. Tendo-o encontrado, pôs-se a correr em torno dele em círculo, atirando um dardo em seguida do outro, enquanto Enéias se defendia com o escudo, girando para não receber os dardos pelas costas. Afinal, depois de Mezêncio ter dado três voltas, Enéias arremessou sua lança diretamente sobre a cabeça do cavalo, atingindo-o na testa e atirando ao chão o cavaleiro, enquanto um grito subiu de ambos os exércitos até o céu. Mezêncio não implorou misericórdia, mas apenas que seu corpo fosse poupado aos insultos dos súditos rebeldes e enterrado no mesmo túmulo de seu filho. Recebeu com coragem o golpe fatal, e sua vida e seu sangue deixaram o corpo ao mesmo tempo.

palas, camila, turno

Enquanto ocorriam tais fatos em uma parte do campo de batalha, em outra Turno enfrentava o jovem Palas. A luta entre dois campeões tão desproporcionalmente dotados não poderia ser duvidosa. Palas bateu-se com bravura, mas caiu trespassado pela lança de Turno. O vencedor quase se aplacou ao ver o valente jovem morto aos seus pés e renunciou a usar o privilégio de vencedor, despojando-o de suas armas. Apenas retirou e colocou em torno do próprio corpo o boldrié, adornado de rebites e entalhes de ouro, deixando o resto para os amigos do morto.

---

[3] *Sternitur infelix alieno vulnere, columque, Aspicit, et dulces moriens reminiscitur Argus* – Virgílio.

Depois da batalha, houve uma cessação das hostilidades durante alguns dias, a fim de que os exércitos pudessem enterrar os mortos. Nesse intervalo, Enéias desafiou Turno para decidir a luta em um combate singular, mas Turno fugiu ao desafio. Seguiu-se outra batalha, na qual se distinguiu particularmente a virgem guerreira Camila. Seus feitos de valor ultrapassaram os dos mais bravos guerreiros, e muitos troianos e etruscos caíram atravessados por seus dardos ou atingidos por seu machado de guerra. Afinal, um etrusco chamado Aruno, que a observava há muito tempo, procurando uma ocasião propícia, viu-a perseguindo um inimigo fugitivo, cuja esplêndida couraça oferecia uma presa tentadora. Atenta apenas à perseguição, a virgem não percebeu o perigo que corria, e o dardo de Aruno atingiu-a e feriu-a mortalmente. Caiu e deu o último suspiro nos braços das donzelas que a acompanhavam. Diana, porém, que assistiu ao seu destino, não tolerou que sua morte ficasse impune. Aruno, enquanto fugia, alegre mas amedrontado, foi atingido por uma seta oculta, desfechada por uma das ninfas do séqüito de Diana, e morreu ignóbil e anonimamente.

Afinal, teve lugar a luta entre Enéias e Turno. Turno evitara o encontro enquanto pudera, mas, por fim, impelido pelo insucesso de suas armas e pelo murmúrio de seus partidários, lançou-se ao combate. Este não podia ser duvidoso. Enéias tinha a seu favor o decreto expresso do destino, a ajuda da deusa sua mãe em qualquer emergência e a impenetrável armadura que Vulcano, a seu pedido, fizera para o filho. Turno, por outro lado, fora abandonado pelos aliados celestiais, tendo sido Juno expressamente proibida por Júpiter de continuar ajudando-o. Turno atirou sua lança, mas esta caiu inofensiva, depois de chocar-se com o escudo de Enéias. O herói troiano atirou, então, a sua, que atravessou o escudo de Turno e feriu-o na coxa. A coragem de Turno abandonou-o, e ele implorou misericórdia; Enéias ia conceder-lhe a vida, mas, nesse instante, seus olhos pousaram no boldrié de Palas, que Turno tomara do jovem morto. Sua raiva renasceu, então, e ele o atravessou com sua espada, exclamando:

– É Palas que te imola!

Neste ponto termina a "Eneida", e somos levados a deduzir que Enéias, tendo triunfado sobre seus inimigos, obteve a mão de Lavínia. A tradição acrescenta que ele fundou uma cidade a que chamou Lavinium, em homenagem à esposa. Seu filho Iulo fundou Alba Longa, berço de Rômulo e Remo e da própria Roma.

CAPÍTULO XXXIV

PITÁGORAS
DIVINDADES EGÍPCIAS
ORÁCULOS

PITÁGORAS

Os ensinamentos de Anquises e Enéias, a respeito da natureza da alma humana, estavam conforme a doutrina pitagórica. Pitágoras, nascido em 540 a.C., era natural da Ilha de Samos, mas passou a maior parte de sua vida em Crotona, na Itália. Assim é chamado, às vezes, "o Sâmio" e, outras vezes, "o filósofo de Crotona". Quando jovem, viajou muito e, segundo a tradição, esteve no Egito, onde os sacerdotes lhe transmitiram todos os seus conhecimentos, e, mais tarde, andou pelo Oriente, visitando os magos persas e caldeus e os brâmanes da Índia.

Em Crotona, onde finalmente se fixou, suas extraordinárias qualidades fizeram reunir-se em torno dele inúmeros discípulos. Os habitantes da cidade eram conhecidos pelo seu luxo e licenciosidade, mas, em breve, se tornaram palpáveis os efeitos da influência de Pitágoras. Predominaram a sobriedade e a temperança. Seiscentos dos habitantes tornaram-se seus discípulos e alistaram-se em uma sociedade destinada a ajudar uns aos outros na procura da sabedoria, tornando seus bens uma propriedade comum para benefício de todos. Os pitagóricos tinham de mostrar a maior pureza e simplicidade de costumes. A primeira lição que aprendiam era o *silêncio*: durante algum tempo tinham de se resignar apenas a ouvir, tendo de aceitar como suficiente por si mesma, sem provas, a palavra de Pitágoras. "Ele assim disse" (*Ipse dixit*). Apenas os discípulos mais adiantados, depois de anos de paciente submissão, tinham licença para fazer perguntas e apresentar objeções.

Nephtis e sua irmã Isis, PAPIRO EGÍPCIO, C. 1300 A.C.

Pitágoras considerava os *números* como a essência de todas as coisas, e atribuía-lhes uma existência real e distinta; assim, na sua opinião, eles eram os elementos com os quais se construiu o universo. Jamais foi satisfatoriamente explicado como ele concebia esse processo. Pitágoras partia das diversas formas e fenômenos do mundo para chegar aos números, que eram sua base e essência. Considerava a "Mônada", ou *unidade*, como a fonte de todos os números. O número *Dois* era imperfeito e a causa do aumento e da divisão. *Três* era chamado o número completo, porque tinha começo, meio e fim. *Quatro*, representando o quadrado, constituía o grau mais perfeito, e o *Dez*, contendo a soma dos quatro primeiros números, compreendia todas as proporções musicais e aritméticas, e representava o sistema mundial.

Assim como os números procediam da Mônada, Pitágoras considerava a pura e simples essência da Divindade como a fonte de todas as formas da natureza. Deuses, demônios e heróis eram emanações do Supremo, e havia uma quarta emanação, a alma humana. Esta é imortal e, quando libertada do corpo, passava à habitação dos mortos, onde permanecia até voltar ao mundo, para morar em algum corpo humano ou animal, e, finalmente, depois de suficientemente purificada, voltada à fonte de onde procedia. Essa doutrina da transmigração de almas (metempsicose), egípcia de origem e ligada à doutrina da recompensa e castigo das ações humanas, constituía o motivo principal de os pitagóricos não matarem os animais. Ovídio apresenta Pitágoras dirigindo-se aos seus discípulos com as seguintes palavras: "As almas não morrem jamais, mas sempre deixam uma morada para passar a outra. Eu mesmo me lembro de que, na época da Guerra de Tróia, fui Eufórbio, filho de Pantos, e caí pela lança de Menelau. Há pouco, visitando o templo de Juno em Argos, reconheci meu escudo pendurado entre os troféus. Todas as coisas mudam, nada perece. A alma passa daqui para ali, ocupando ora este corpo, ora aquele, indo do corpo de um animal para o de um homem, e deste para o de um animal, novamente. Do mesmo modo que se gravam na cera certas figuras, depois se derrete a cera e se gravam outras, assim a alma, sendo sempre a mesma, apresenta, contudo, em ocasiões diferentes, formas diferentes. Portanto, se o amor do próximo não estiver extinto em vossos corações, abstende, recomendo-vos, de violar a vida daqueles que podem ser vossos próprios parentes."

No *Mercador de Veneza*, Shakespeare faz uma alusão à metempsicose, quando Graciano diz a Shylock:

Levas-me quase a renegar a fé
E a crença pitagórica adotar
Segundo a qual dos animais a alma
Em corpo humano entra; teu espírito,
Vindo de um lobo, morto por castigo
De homicídio, em teu corpo refugiou-se.
É lupino, rapaz, sanguinolento.

A relação entre as notas musicais e os números, em virtude da qual a harmonia resulta de vibrações em tempos iguais, e a desarmonia, do inverso, levou Pitágoras a aplicar a palavra "harmonia" à criação visível, querendo dizer com isso a justa adaptação das partes umas às outras. Esta é a idéia que Dryden expressa no começo de sua "Canção para o Dia de Santa Cecília":

Da celeste harmonia, da harmonia
Originou-se esse sistema eterno.
De harmonia em harmonia,
Toda a escala das notas percorreu
Até o Homem, suprema melodia.

No centro do universo (ensinava Pitágoras) havia um fogo central, o princípio da vida, que era cercado pela Terra, pela Lua, pelo Sol e pelos cinco planetas. As distâncias dos vários corpos celestes entre si eram concebidas para corresponder às proporções da escala musical. Os corpos celestes, com os deuses que os habitavam, executavam, segundo se supunha, uma dança coral em torno do ponto central, "não sem cantos". É a essa doutrina que Shakespeare faz alusão, quando Lourenzo ensina astronomia a Jessica, à sua moda:

Olha, Jessica, como a superfície
Do céu de ouro é toda revestida.
Mesmo a menor esfera que contemplas
Em seu rolar entoa, como os anjos,
Um canto que acalenta o querubim,
Essa harmonia as almas imortais

> *Ouvem, porém ouvi-la não podemos*
> *Sem despirmos o invólucro mortal.*
>
> MERCADOR DE VENEZA

As esferas, segundo se concebia, eram de um material cristalino ou vítreo, dispostas umas sobre as outras como um conjunto de tigelas emborcadas. Supunha-se que, na substância de cada esfera, estava preso um, ou mais de um, corpo celeste, que se movia com ela. Como as esferas eram transparentes, os corpos celestes que continham e seu movimento podiam ser vistos pelo homem. Como, porém, essas esferas não podiam mover-se sem se atritarem umas nas outras, esse atrito produzia um som muito harmonioso, delicado demais para ser apreendido por ouvidos mortais. Milton, em seu "Hino à Natividade", assim alude à música das esferas:

> *Soai, esferas de cristal, soai!*
> *Os ouvidos humanos deleitai*
> *(Se podeis os sentidos deleitar).*
> *Que soem vossos carrilhões de prata*
> *Com ritmo que encanta e que arrebata*
> *E que o órgão do Céu possa soar*
> *E com a vossa nônupla harmonia*
> *O concerto da angélica harmonia.*

Atribui-se a Pitágoras a invenção da lira. Longfellow, no poema "Versos a uma Criança", assim relata o episódio:

> *Pitágoras, o sábio, certo dia,*
> *Ouvindo, junto à porta de um ferreiro,*
> *As diferentes notas produzidas*
> *Pelos malhos batendo na bigorna,*
> *Os variados sons com que vibrava*
> *Cada haste de ferro, ele o segredo*
> *Roubou das cordas de metal sonoras*
> *E a lira construiu de sete cordas.*

SÍBARIS E CROTONA

Síbaris, cidade vizinha a Crotona, era célebre pelo seu luxo e licenciosidade do mesmo modo que Crotona o era pelos motivos contrários. Seu nome se tornou proverbial.

Tendo irrompido uma guerra entre as duas cidades, Síbaris foi conquistada e destruída. Milo, o célebre atleta, comandou o exército de Crotona. Há muitas anedotas relativas à imensa força de Milo, tal como o fato de carregar nas costas uma vitela de quatro anos e comê-la inteira depois, no mesmo dia. Sua morte é contada da seguinte maneira: ao passar por uma floresta, ele viu o tronco de uma árvore parcialmente cortado por lenhadores e tentou alargar a fenda, mas a madeira fechou sobre suas mãos e o prendeu, e, naquela situação, foi atacado e devorado por lobos.

DIVINDADES EGÍPCIAS

A divindade suprema dos egípcios era Amun, depois chamado Zeus ou Júpiter Amon. Amun manifestou-se por sua palavra ou vontade, que criou Kneph e Ator, de sexos diferentes, e dos quais procederam Osíris e Ísis. Osíris era cultuado como o deus do Sol, fonte do calor, da vida e da fecundidade, além do que era também considerado como deus do Nilo, que anualmente visitava sua esposa, Ísis (a Terra), por meio de uma inundação. Serápis ou Hermes é, às vezes, representado como idêntico a Osíris e, outras vezes, como divindade diferente, senhor do Tártaro e deus da Medicina. Anúbis era o deus guardião, representado com uma cabeça de cão, símbolo de sua fidelidade e vigilância. Hórus ou Harpócrates era filho de Osíris, sendo representado sentado sobre uma flor de lótus, com o dedo nos lábios, como deus do Silêncio.

Mito de Osíris e Ísis

Osíris e Ísis foram, certa vez, induzidos a descer à Terra levando dádivas e bênçãos a seus habitantes. Ísis ensinou-lhes primeiro o uso do trigo e da cevada, e Osíris construiu os instrumentos da lavoura e ensinou aos homens como se utilizarem deles, assim como atrelar os bois ao arado. Depois, deu-lhes as leis, a instituição do matrimônio e uma organização civil, e também os instruiu no culto dos deuses. Após ter transformado, assim, o Vale do Nilo em um venturoso país, reuniu um grupo com o qual partiu a levar seus benefícios ao resto do mundo. Conquistou por toda parte as nações, mas não com armas, e sim apenas com a música e a eloqüência. Vendo isso, seu irmão, Tífon, encheu-se de inveja e, maliciosamente, tratou, durante a sua ausência, de usurpar o trono. Mas Ísis, que sustentava as rédeas do governo, frustrou seus planos. Mais enraivecido ainda, Tífon resolveu matar o irmão, o que fez da seguinte maneira: tendo organizado uma conspiração de setenta e dois cúmplices, compareceu com eles à festa realizada em homenagem ao regresso do rei. Mandou depois trazer uma caixa ou arca, que fora feita exatamente do tamanho de Osíris, e anunciou que daria aquela caixa de madeira preciosa a quem nela coubesse. Todos os outros tentaram em vão; porém, mal Osíris entrou na caixa, Tífon e seus companheiros a fecharam e a lançaram ao Nilo. Quando soube do bárbaro assassinato, Ísis chorou e lamentou-se, e, depois, com os cabelos cortados, vestida de preto e esmurrando o peito, procurou diligentemente o corpo do marido, ajudada por Anúbis, filho de Osíris e Néftis. Procuraram em vão durante algum tempo. Quando a caixa levada pelas ondas para a Praia de Biblos prendeu-se nos juncos que cresciam à beira d'água, o poder divino que morava no corpo de Osíris transmitiu ao arbusto tal força que ele se transformou em árvore frondosa, envolvendo com seu tronco o ataúde do deus. Essa árvore, com seu sagrado depósito, foi, pouco depois, derrubada e levantada, como uma coluna, no palácio do rei da Fenícia. Afinal, porém, com a ajuda de Anúbis e das aves sagradas, Ísis ficou a par desses fatos e dirigiu-se à cidade real. Ali, ofereceu-se como criada no palácio e, tendo sido aceita, lançou fora seu disfarce e apareceu como deusa, cercada de trovões e relâmpagos. Tocando a coluna com sua vara de condão, fê-la abrir-se e entregar o ataúde sagrado, do qual ela se apoderou e com ele regressou, escondendo-o no meio de uma floresta. Tífon, porém, descobriu-o e, tendo cortado o corpo em quatorze pedaços, espalhou-os por diversos lugares. Depois de tediosa procura, Ísis encontrou treze pedaços do corpo, tendo os peixes do Nilo devorado o restante, que foi substituído por uma imitação em madeira de Sicômoro. O corpo foi enterrado em Fíloe, que se tornou a partir de então o lugar em que eram sepultadas as grandes personagens da nação e o centro da peregrinação, para onde acorria gente vinda de todas as partes do país. Foi ali erguido em honra do deus um templo de inexcedível magnificência, e em todos os lugares onde haviam sido encontradas as partes do seu corpo foram erguidos templos menores ou túmulos para comemorar o fato. Osíris tornou-se depois a divindade tutelar dos egípcios. Supunha-se que sua alma habitava o corpo do Boi Ápis, e que, com a morte deste, se transferia para o corpo de seu sucessor.

Ápis, o Boi de Mênfis, era cultuado com a maior veneração pelos egípcios. O animal escolhido para ser Ápis era reconhecido por certos sinais. Era essencial que ele fosse inteiramente preto com um sinal branco e quadrado na testa, outro em forma de águia nas costas e, debaixo da língua, um caroço de forma semelhante a um escaravelho ou besouro. Logo que era encontrado um touro com esses sinais pelos homens enviados à sua procura, ele era colocado num edifício voltado para o nascente e alimentado com leite, durante quatro meses. Expirado esse prazo, os sacerdotes, por ocasião da lua nova, dirigiam-se à sua habitação, com grande pompa, e o proclamavam Ápis. Ele era, então, levado para uma embarcação magnificamente decorada e transportado sobre o Nilo até Mênfis, onde lhe estava destinado um templo com duas capelas e um pátio para exercício. Eram-lhe oferecidos sacrifícios e, todos os anos, quando o Nilo começava a crescer, atirava-se ao rio uma taça de ouro e realizava-se um grande festival, para celebrar o nascimento do Boi Ápis. O povo acreditava que, durante esse festival, os crocodilos esqueciam-se de sua ferocidade natural e tornavam-se inofensivos. Havia, porém, um senão nesse feliz destino do boi: ele não tinha permissão de viver além de um certo tempo e, quando atingia a idade de 25 anos, os sacerdotes o afogavam na cisterna sagrada e o enterravam, depois, no templo de Serápis. Por ocasião da morte desse boi, fosse ela natural ou violenta, todo o país se enchia de pesar e lamentações, que duravam até que fosse encontrado seu sucessor.

Encontramos em um jornal a seguinte notícia:

"*O Túmulo de Ápis.* – As escavações que estão sendo realizadas em Mênfis levam a crer que aquela cidade soterrada é tão interessante quanto Pompéia. O monstruoso túmulo de Ápis está descoberto, depois de ter permanecido oculto durante séculos."

No "Hino à Natividade", Milton faz alusão às divindades egípcias, não como seres imaginários, mas como verdadeiros demônios, postos em fuga pelo advento de Cristo:

Do Nilo os deuses tão grosseiros fogem,
Ísis e Hórus e o canino Anúbis.
Não mais se vê Osíris
Sobre os campos de Mênfis,
Pisando a grama que não molha a chuva [1]
Nem repouso consegue
Em sua urna sagrada.
Acolhe-o apenas o profundo inferno.
Em vão, gritando imprecações sombrias,
Os feiticeiros sua arca adoram.

Osíris, deus da agricultura e vegetação, CAVERNA DE SENNUTEM, SÉC. XIV a.C.

oráculos

Oráculo era uma expressão usada para designar o lugar onde se supunha que as divindades consultadas davam respostas a respeito do futuro, assim como para designar a própria resposta dada.

O mais antigo oráculo grego era o de Júpiter, em Dodona. Segundo uma versão, ele surgiu da seguinte maneira: "Duas pombas pretas partiram de Tebas, no Egito, e uma

---

[1] Como não chove no Egito, a grama não é molhada e o país depende, para sua fertilidade, das cheias do Nilo. A alusão à arca se deve ao fato de as pinturas que ainda existem nas paredes dos templos egípcios mostrarem que a mesma era carregada pelos sacerdotes nas procissões religiosas. Provavelmente representava a urna em que Osíris foi colocado.

delas voou para Dodona, no Épiro, e, pousando num bosque de carvalhos, anunciou, em linguagem humana, aos habitantes do lugar que eles deveriam estabelecer ali um oráculo de Júpiter. A outra voou para o templo de Júpiter Amon, no Oásis Líbio, e transmitiu ali a mesma ordem. Outra versão é a de que não foram pombas, mas sacerdotisas, que, levadas de Tebas, no Egito, pelos fenícios, estabeleceram os oráculos do Oásis e de Dodona. As respostas do oráculo eram dadas nas árvores, pelo ruído que faziam as folhas movidas pelo vento, sendo esses sons interpretados por sacerdotes.

O mais célebre dos oráculos gregos, contudo, era o de Apolo, em Delfos, cidade construída nas encostas do Parnaso, na Fócida.

Tinha-se observado, desde longo tempo, que as cabras que pastavam no Parnaso eram atacadas de convulsões quando se aproximavam de uma certa gruta bem profunda, situada de um lado da montanha. Isso se devia a um determinado vapor que saía da caverna, e um dos pastores foi levado a experimentar, ele próprio, seus efeitos. Aspirando o ar intoxicante, ele foi afetado do mesmo modo que as cabras, e os habitantes da região vizinha, não podendo explicar o fato, atribuíram as convulsões a uma inspiração divina. A notícia se espalhou rapidamente e foi construído um templo no local. A influência profética foi, a princípio, atribuída ora à deusa Terra, ora a Netuno, ora a Têmis, ou a outras divindades, mas, finalmente, a Apolo, e somente a ele. Uma sacerdotisa, chamada Pítia, teve o encargo de aspirar o ar corrompido. Era preparada para executar suas funções por uma prévia ablução na Fonte de Castália, e, depois de coroada de louro, assentava-se numa trípode igualmente adornada, que era colocada sobre a fenda de onde saía a emanação sagrada. Suas palavras, inspiradas desse modo, eram interpretadas pelos sacerdotes.

Oráculo de Trofônio

Além dos oráculos de Júpiter e Apolo, em Dodona e Delfos, era grandemente estimado o oráculo de Trofônio, na Beócia. Trofônio e Agamedes eram irmãos, notáveis arquitetos, que construíram o templo de Apolo em Delfos e o tesouro para o Rei Irieu. Na parede dessa tesouraria, colocaram uma pedra de modo que pudesse ser retirada e, graças a isso, de tempos em tempos, o tesouro era roubado. Irieu ficou intrigado, pois todas as fechaduras e trancas estavam intactas e, no entanto, suas riquezas diminuíam constantemente. Afinal, ele armou uma cilada para o ladrão, e Agamedes foi apanhado.

Trofônio, não podendo livrar o irmão, e receando que este, quando encontrado, fosse obrigado, pela tortura, a revelar o nome de seu cúmplice, cortou-lhe a cabeça. O próprio Trofônio foi, segundo a lenda, engolido pela terra, pouco depois.

O oráculo de Trofônio ficava em Lebadéia, na Beócia. Contava-se que, durante uma prolongada seca, os beócios foram aconselhados pelo deus, em Delfos, a procurar a ajuda de Trofônio em Lebadéia. Para ali se dirigiram, mas não encontraram o oráculo.

Tendo, contudo, um dos homens avistado um enxame de abelhas, seguiu-o até uma fenda aberta na terra, que verificou ser o lugar procurado.

Cerimônias peculiares deveriam ser executadas pela pessoa que ia consultar o oráculo. Depois dessas preliminares, a pessoa penetrava na caverna por uma estreita passagem, somente podendo entrar à noite. Voltava pelo mesmo caminho, mas caminhando de costas. Mostrava-se melancólica e abatida, e daí a expressão proverbial que se aplicava a uma pessoa triste e desanimada: "Esteve consultando o oráculo de Trofônio."

Oráculo de Esculápio

Havia numerosos oráculos de Esculápio, mas o mais célebre era o de Epidauro. Ali os enfermos procuravam respostas e a cura para suas enfermidades, dormindo no templo. Pelas descrições que possuímos, é de se deduzir que o tratamento aplicado àqueles doentes constituía o que hoje se chama de magnetismo animal ou mesmerismo.

As serpentes eram consagradas a Esculápio, provavelmente devido à superstição de que aqueles animais têm a faculdade de readquirir a juventude, mudando de pele.

O culto de Esculápio foi introduzido em Roma por ocasião de uma grande epidemia, quando se enviou uma embaixada ao templo de Epidauro para implorar a ajuda do deus. Esculápio mostrou-se propício e, quando o navio voltou, acompanhou-o sob a forma de uma serpente. Chegando ao Tibre, a serpente desceu do navio e tomou posse de uma ilha no rio, onde foi erguido um templo ao deus.

Oráculo de Ápis

Em Mênfis, o boi sagrado Ápis respondia àqueles que o consultavam, pela maneira com que recebia ou rejeitava o que lhe era apresentado. Se o boi recusava alimento da mão do consultante, tal fato era considerado como sinal desfavorável, e vice-versa.

Tem sido motivo de controvérsia saber se as respostas dos oráculos devem ser atribuídas a mera simulação humana ou à maquinação de espíritos malignos. Esta última opinião foi a mais aceita no passado. Uma terceira hipótese foi aventada depois que o fenômeno do mesmerismo despertou a atenção: a de que as pitonisas eram tomadas de uma espécie de transe mesmérico e que realmente entrava em ação a faculdade da clarividência.

Outro problema consiste em saber quando os oráculos pagãos cessaram de dar suas respostas, e autores cristãos antigos afirmam que eles se calaram com o nascimento de Cristo. Milton adota esse ponto de vista, em seu "Hino à Natividade", e, em versos de sóbria e elevada beleza, pinta a consternação dos ídolos pagãos diante do advento do Salvador:

Calaram-se os oráculos.
Não mais voz ou sussurro

Se faz ouvir no templo solitário.
Apolo a divindade
Perdeu e, com saudade,
De Delfos abandona o santuário.

No poema de Cowper "O Carvalho de Yardley", há algumas belas alusões mitológicas, sendo as duas primeiras à lenda de Castor e Pólux, e a última mais apropriada ao assunto de que estamos tratando agora. Falando ao fruto do carvalho, diz ele:

Amadureces, cais e, na terra fecunda,
Tomado pela força interior que o inunda,
O óvulo se rompe tal como se rompeu
O ovo dentro do qual, hoje estrelas no céu,
A este mundo vieram os gêmeos legendários.
Dois lóbulos iguais cresceram, solidários.
A uma folha sucede uma outra folha. E, a custo,
A plantinha de então transformou-se em arbusto.
Quem vivia então, carvalho secular?
Como a árvore de Dodona, pudesses tu falar!
Eu não iria, então, indagar o futuro,
Mas, antes, sondaria o passado obscuro.

CAPÍTULO XXXV

ORIGEM DA MITOLOGIA
ESTÁTUAS DE DEUSES E DEUSAS
POETAS DA MITOLOGIA

ORIGEM DA MITOLOGIA

Tendo chegado ao fim de nossas narrativas de episódios da mitologia pagã, impõe-se uma pergunta: "De onde vieram aquelas lendas? Têm algum fundamento na verdade, ou são apenas sonhos da imaginação?". Os filósofos têm aventado sobre o assunto várias teorias:

1. Teoria Bíblica

De acordo com esta teoria, todas as lendas mitológicas têm sua origem nas narrativas das Escrituras, embora os fatos tenham sido distorcidos e alterados. Assim, Deucalião é apenas um outro nome de Noé, Hércules, de Sansão, Árion, de Jonas etc. "*Sir* Walter Raleigh, em sua *História do Mundo*, diz: Jubal, Tubal e Tubal Caim são Mercúrio, Vulcano e Apolo, inventores do pastoreio, da fundição e da música. O Dragão que guarda os pomos de ouro era a serpente que enganou Eva. A torre de Nemrod foi a tentativa dos Gigantes contra o Céu." Há, sem dúvida, muitas coincidências curiosas como estas, mas a teoria não pode ser exagerada até o ponto de explicar a maior parte das lendas, sem se cair no contra-senso.

2. Teoria Histórica

Por essa teoria, todas as personagens mencionadas na mitologia foram seres humanos reais, e as lendas e tradições fabulosas a elas relativas são apenas acréscimos e embelezamentos, surgidos em épocas posteriores. Assim, a história de Éolo, rei e deus dos ventos, teria surgido do fato de Éolo ser o governante de alguma ilha do Mar Tirreno, onde reinou com justiça e piedade e ensinou aos nativos o uso da navegação a vela e como predizer, pelos sinais atmosféricos, as mudanças do tempo e dos ventos. Cadmo, que, segundo a lenda, semeou a terra com dentes de dragão, dos quais nasceu uma safra de homens armados, foi, na realidade, um emigrante vindo da Fenícia, que levou à Grécia o conhecimento das letras do alfabeto, ensinando-o aos naturais daquele país. Desses conhecimentos rudimentares nasceu a civilização, que os poetas se mostraram sempre inclinados a apresentar como a decadência do estado primitivo do homem, a Idade de Ouro, em que imperavam a inocência e a simplicidade.

3. Teoria Alegórica

Segundo essa teoria, todos os mitos da Antiguidade eram alegóricos e simbólicos, contendo alguma verdade moral, religiosa ou filosófica, ou algum fato histórico, sob a forma de alegoria, mas que, com o decorrer do tempo, passaram a ser entendidos literalmente. Assim, Saturno, que devora os próprios filhos, é a mesma divindade que os gregos chamavam de Cronos (Tempo), que, pode-se dizer, na verdade destrói tudo que ele próprio cria. A história de Io é interpretada de maneira semelhante. Io é a lua, e Argos, o céu estrelado, que se mantém desperto para velar por ela. As fabulosas peregrinações de Io representam as contínuas revoluções da lua, que também sugeriram a Milton a mesma idéia:

> Contemplas lá no alto a lua errante
> Do apogeu, pouco a pouco aproximar-se,
> Como alguém que tivesse se perdido
> Nas vastidões do céu, sem rumo andando.
> Il Penseroso

4. Teoria Física

Para esta teoria, os elementos ar, fogo e água foram, originalmente, objeto de adoração religiosa, e as principais divindades eram personificações das forças da natureza. Foi fácil a transição da personificação dos elementos para a idéia de seres sobrenaturais dirigindo e governando os diferentes objetos da natureza. Os gregos, cuja imaginação era muito viva, povoaram toda a natureza de seres invisíveis e supuseram que todos os objetos, desde o sol e o mar até a menor fonte ou riacho, estavam entregues aos cuidados de alguma divindade particular. Wordsworth, em seu poema "Excursão", apresentou de maneira muito feliz esse modo de encarar a mitologia grega:

Nessa terra gentil, o pastor solitário,
Na maciez da relva, estendido, indolente,
Repousa, no verão, o dia quase inteiro,
Com música pastoril se embalando, na sombra
E aconteceu que, em pausa em que o simples ruído
Do próprio respirar calara-se de todo,
Ele escutar julgou, ao longe, melodia
Mais doce, muito mais, que os acordes da rude
Avena pastoril que ele próprio tocara.
A fantasia, então, foi procurar no carro,
No rico e flamejante carro do deus Sol,
Um jovem que, tangendo alaúde de ouro,
De harmonia e esplendor encheu o campo em torno,
Para a lua crescente o terno olhar erguendo,
A grande caçadora invoca, poderosa,
A linda divindade errante, que concede,
Sem relutância, a luz que os campos ilumina.
Uma deusa radiosa, então, com suas ninfas
Atravessando o prado e o bosque penumbroso
(Seguida pelos sons de notas melodiosas
Que o eco reproduz nos rochedos e grutas)
Correu a perseguir a caça, ao mesmo tempo
Que, no céu nebuloso, a lua e as estrelas
Corriam, enquanto o vento as nuvens agitava.
O viajante a sede ao saciar na fonte
De linfa cristalina, à náiade agradecendo,
Raios de sol brilhando em montanhas distantes
E, entre sombras, depois, o espaço percorrendo,
Com a ajuda sutil da leve fantasia
Transforma seu olhar em danças de oréades.
Os zéfiros que passam, abrindo as leves asas,
Não deixam de encontrar, em seu caminho,
Criaturas que escutam, ternas, complacentes,
As palavras de amor murmuradas no ouvido.
Troncos de árvores já secos e de grotesco
Aspecto e de suas folhas já despidos,
De um solitário val na profundez ocultos

Ou perdidos na verde encosta das montanhas,
E, às vezes, junto aos quais de um bode solitário
A barbicha se avista, ou de um veado os galhos,
Um bando folgazão de sátiros alegres
Ou o próprio Pã parecem, aos olhos do pastor.

Todas estas quatro teorias mencionadas são verdadeiras até certo ponto. Seria, portanto, mais correto dizer-se que a mitologia de uma nação vem de todas aquelas fontes combinadas, e não de uma só em particular. Podemos acrescentar, também, que há muitos mitos originados pelo desejo do homem de explicar fenômenos naturais que ele não pode compreender e que não poucos surgiram do desejo semelhante de explicar a origem de nomes de lugares e pessoas.

ESTÁTUAS DE DEUSES E DEUSAS

Apresentar adequadamente aos olhos as idéias destinadas a serem levadas ao espírito sob o nome das diversas divindades era tarefa que exigia o exercício das mais elevadas potencialidades do gênio e da arte. Das muitas tentativas, quatro se tornaram as mais célebres, sendo as duas primeiras conhecidas apenas pela descrição dos antigos e as outras ainda existindo e representando realmente obras-primas da escultura.[1]

A estátua do Júpiter Olímpico, obra de Fídias, era considerada como a mais perfeita realização da escultura grega. Tinha dimensões colossais e era o que os antigos chamavam "criselefantina", isto é, composta de marfim e de ouro, sendo as partes representando a carne feitas de marfim montado sobre uma base de madeira ou pedra, ao passo que as vestes e outros ornamentos eram feitos de ouro. A altura da estátua era de quarenta pés e ficava sobre um pedestal de doze pés de altura.[2] O deus era representado sentado em seu trono. Estava coroado com um ramo de oliveira e tinha na mão direita um cetro e na esquerda uma estátua da Vitória. O trono era de cedro, adornado de ouro e pedras preciosas.

A idéia que o autor procurava apresentar era a da divindade suprema da nação helênica, entronizada como vencedora em um estado de perfeita majestade e repouso, e governando com um aceno de cabeça o mundo subjugado. Fídias revelou que tomara a idéia de Homero, na seguinte passagem da *Hinda, Ilíada*, Livro I:

---

[1] Bulfinch escreveu seu livro em meados do século passado. Hoje, a opinião praticamente unânime de leigos e entendidos considera como obras-primas, entre os exemplares da escultura grega ainda existentes, a Vitória da Samotrácia e a Vênus de Milo, embora estejam ambas mutiladas. Essas estátuas estão no Museu do Louvre.

[2] Um pé corresponde a aproximadamente trinta centímetros.

Calou-se, e inclina a majestosa fronte
Que sombreiam os cabelos anelados
E todo o Olimpo treme ante o seu gesto.[3]

A Minerva do Partenon

Era também obra de Fídias e ficava no Partenon o templo de Minerva em Atenas. A deusa era representada de pé, com a lança em uma das mãos e a imagem da Vitória na outra. Seu elmo, profusamente decorado, era encimado por uma esfinge. A estátua tinha quarenta pés de altura[4] e, como a de Júpiter, era feita de marfim e de ouro. Os olhos eram de mármore e, provavelmente, pintados, para representar a íris e a pupila. O Partenon, onde ficava essa estátua, também foi construído sob a orientação e direção de Fídias. Sua parte externa era ornada de esculturas, muitas delas de Fídias. Os mármores de Elgin, atualmente no Museu Britânico, fazem parte delas.[5]

Tanto o Júpiter como a Minerva de Fídias estão perdidos, mas há bons motivos para acreditar que temos em diversos bustos e estátuas, ainda existentes, a concepção do artista sobre a fisionomia de ambos. Ela se caracteriza pela beleza grave e digna, livre de qualquer expressão transitória, que, em linguagem artística, se chama *repouso*.

A Vênus de Médici

A Vênus de Médici é assim chamada por ter pertencido aos príncipes daquele nome, em Roma, quando despertou pela primeira vez a atenção, há cerca de duzentos anos. Uma inscrição em sua base revela que é obra de Cleômenes, escultor ateniense de 200 a.C., mas a autenticidade da inscrição é duvidosa. Existe uma versão segundo a qual o artista foi encarregado de apresentar a perfeição da beleza feminina, e para que pudesse executar a tarefa foram postas à sua disposição as mais belas mulheres da cidade.

O Apolo do Belvedere

O mais apreciado de todos os remanescentes da antiga escultura grega é a estátua de Apolo, chamada do Belvedere, nome do apartamento do palácio do Papa em Roma, onde ela foi colocada. O artista é desconhecido. Supõe-se que se trata de uma obra de arte romana, aproximadamente do primeiro século de nossa era. É uma figura de pé, em mármore, com mais de sete pés de altura,[6] nua, com exceção de um manto preso

---

[3] No original inglês, os versos de Homero são apresentados nas versões de Cowper e Pope, e, ainda, em uma versão atribuída a Addison.
[4] Aproximadamente cinco metros.
[5] Ver nota da p. 149.
[6] Cerca de dois metros e meio

em torno do pescoço e que cai sobre o braço esquerdo estendido. Supõe-se que representa o deus no momento em que acabara de lançar a seta para matar o monstro Píton (ver Capítulo III). A divindade vitoriosa está dando um passo para diante. O braço esquerdo, que parece ter sustentado o arco, está estendido e a cabeça voltada para a mesma direção. No que diz respeito à atitude e à proporção, é inexcedível a graciosa majestade da figura. O efeito é completado pela fisionomia, onde a perfeição da beleza juvenil e divina reflete a consciência de um deus triunfante.

A Diana à la Biche

A Diana da Corça, no Museu do Louvre, pode ser considerada como a contraparte do Apolo do Belvedere. Sua atitude assemelha-se muito à de Apolo, os tamanhos se correspondem e também o estilo da execução. É uma obra do maior valor, embora de modo algum igual ao Apolo. A atitude é a de um movimento rápido e decidido; a fisionomia, a de uma caçadora na excitação da caça. O braço esquerdo está estendido sobre a cabeça da corça, que caminha ao seu lado, enquanto o braço direito se move para trás sobre o ombro, a fim de tirar uma seta da aljava.

poetas da mitologia

Homero, de cujos poemas "Ilíada" e "Odisséia" tiramos a maior parte dos nossos capítulos sobre a Guerra de Tróia e o regresso dos gregos, é um personagem quase tão mítico quanto os heróis que celebra. A versão tradicional é que ele era um menestrel vagabundo, cego e velho, que viajava de um lugar para outro, cantando seus versos ao som da harpa, nas cortes dos príncipes ou nas cabanas dos camponeses, e vivendo do que lhe davam voluntariamente os ouvintes. Byron o chama de "o velho cego da rochosa Ilha de Sio" e um bem conhecido epigrama alude à incerteza quanto à sua terra natal:

De ser berço de Homero a glória rara
Sete cidades disputaram em vão.
Cidades onde Homero mendigara
Um pedaço de pão.

Essas cidades eram Esmirna, Sio, Rodes, Colofon, Salamina, Argos e Atenas.

Eruditos modernos põem em dúvida o fato de os poemas de Homero serem obras da mesma pessoa, em vista da dificuldade de se acreditar que poemas tão grandes pudessem ser da época em que se supõe terem sido escritos, época essa anterior às mais antigas inscrições ou moedas existentes e quando os materiais capazes de conter tão longas produções ainda não existiam. Por outro lado, indaga-se como poemas tão longos poderiam ter chegado até nós, vindos de uma época em que só poderiam ter sido conservados pela memória. Esta última dúvida é explicada pelo fato de que havia, então, um corpo de profissionais, chamados rapsodos, que recitavam os poemas de outros e tinham por encargo decorar e declamar, a troco de pagamento, as lendas nacionais e patrióticas.

Atualmente, a opinião da maioria dos eruditos parece ser a de que o esboço e grande parte da estrutura dos poemas pertencem a Homero, mas que há muitos acréscimos feitos por outras mãos.

Segundo Heródoto, Homero viveu cerca de oito séculos e meio antes de Cristo.

Virgílio

Virgílio, também chamado pelo seu sobrenome de Marão, e de cujo poema, "Eneida", tiramos a história de Enéias, foi um dos grandes poetas que tornaram o reinado do imperador romano Augusto tão célebre. Virgílio nasceu em Mântua, no ano de 70 a.C. Seu grande poema é considerado inferior apenas aos de Homero, no mais elevado gênero de composição poética, o épico. Virgílio é muito inferior a Homero em originalidade e invenção, mas superior em correção e elegância. Para os críticos de origem inglesa, somente Milton, entre os poetas modernos, parece digno de ser classificado entre aqueles ilustres antigos.[7] Seu poema *Paraíso Perdido*, que citamos tantas vezes, é igual sob muitos aspectos, e superior em alguns, a qualquer uma das grandes obras da Antiguidade.

Ovídio

Freqüentemente chamado pelo seu outro nome de Nasão Ovídio nasceu em 43 a.C. Foi educado para a vida pública e exerceu alguns cargos importantes, mas a poesia era o que lhe interessava e resolveu a ela dedicar-se. Assim, procurou a companhia dos poetas contemporâneos, tendo travado conhecimento com Horácio e mesmo com Virgílio, embora este último tivesse morrido quando Ovídio ainda era demasiadamente jovem e obscuro para que houvesse amizade entre os dois. Ovídio viveu em Roma gozando fartamente a vida, graças a uma renda razoável. Desfrutava a intimidade da família de Augusto e dos seus, e supõe-se que alguma ofensa grave cometida contra algum membro da família imperial foi a causa de um acontecimento

Os filhos de Níobe são assassinados por Apolo e Artemísia, GRAVURA PUBLICADA EM UMA EDIÇÃO ILUSTRADA DAS METAMORFOSES DE OVÍDIO, PUBLICADA EM 1683, EM AMSTERDÃ

---

[7] Ver nota da p.156.

que pôs fim à felicidade do poeta e amargurou a última parte de sua vida. Quando contava 50 anos de idade, Ovídio foi banido de Roma, recebendo ordem de ir viver em Tomi, à margem do Mar Negro. Ali, entre um povo bárbaro e sujeito a um clima severo, o poeta, que estava acostumado aos prazeres de uma luxuosa capital e ao convívio dos mais ilustres de seus contemporâneos, passou os últimos dez anos de sua vida devorado pelo sofrimento e pela ansiedade. Seu único consolo no exílio foi dirigir cartas, escritas em forma de poesia, à esposa e aos amigos. Embora esses poemas ("Os "Tristes" e as "Cartas do Ponto") não falassem em outra coisa a não ser nas mágoas do poeta, seu bom gosto e a habilidosa invenção livraram-nos da pecha de tediosos e são lidos com prazer e mesmo com simpatia.

As duas grandes obras de Ovídio são as "Metamorfoses" e os "Fastos". São ambos poemas mitológicos, e tiramos do primeiro a maior parte dos episódios narrados neste livro sobre a mitologia grega e romana.

Um escritor moderno assim caracteriza esses poemas:

"A rica mitologia da Grécia ofereceu a Ovídio, como ainda pode oferecer ao poeta, ao pintor e ao escritor, os materiais para a sua arte.

Com raro bom gosto, simplicidade e emoção, ele narrou as fabulosas tradições das idades primitivas e deu-lhes uma aparência de realidade que somente a mão de um mestre conseguiria. Suas descrições da natureza são vivas e verdadeiras; escolhe com cuidado o que é adequado; rejeita o superficial; e, quando completa sua obra, essa não apresenta nem insuficiência nem redundância. As 'Metamorfoses' são lidas com prazer pelos jovens e relidas com maior prazer ainda pelos mais idosos. O poeta aventurou-se a prever que seu poema lhe sobreviveria e seria lido enquanto o nome de Roma fosse conhecido."

A aludida previsão está nos últimos versos de "Metamorfoses":

Assim eis terminada a minha obra
Que destruir não poderão jamais
A cólera de Jove, o ferro, o fogo
E a passagem do tempo. Quando o dia
Em que pereça a minha vida incerta
Chegar, o que em mim há de melhor
Não há de perecer. Subindo aos astros
Meu nome por si mesmo viverá.
Em toda a parte onde o poder de Roma
Se estende sobre as terras submissas,
Os homens me lerão, e minha fama
Há de viver, por séculos e séculos,
Se valem dos poetas os presságios.

CAPÍTULO XXXVI

MONSTROS MODERNOS
A FÊNIX – O BASILISCO
O UNICÓRNIO – A SALAMANDRA

MONSTROS MODERNOS

Há seres imaginários sucessores das "cruéis Górgonas, Hidras e Quimeras" das velhas superstições e que, como não têm relação direta com os falsos deuses do paganismo, continuaram a existir na crença popular depois do advento do cristianismo. Podem ser mencionados pelos escritores clássicos, mas sua popularidade é maior nos tempos modernos. Procuramos basear nossas descrições dos mesmos não tanto na poesia antiga como nos velhos livros de história natural e nas narrativas de viajantes.

A FÊNIX

Ovídio nos fala da seguinte maneira sobre a Fênix: "A maior parte dos seres nasce de outros indivíduos, mas há uma certa espécie que se reproduz sozinha. Os assírios chamam-na de fênix. Não vive de frutos ou flores, mas de incenso e raízes odoríferas. Depois de ter vivido quinhentos anos, faz um ninho nos ramos de um carvalho ou no alto de uma palmeira. Nele ajunta cinamomo, nardo e mirra, e com essas essências constrói uma pira sobre a qual se coloca, e morre, exalando o último suspiro entre os aromas. Do corpo da ave surge uma jovem fênix, destinada a viver tanto quanto a sua antecessora. Depois de crescer e adquirir forças suficientes, ela tira da árvore o ninho (seu próprio berço e sepulcro de seu pai) e leva-o para a cidade de Heliópolis, no Egito, depositando-o no templo do "Sol".

Tal é a narrativa de um poeta. Vejamos a de um historiador filosófico. "No consulado de Paulo Fábio (34 de nossa era), a milagrosa ave conhecida no mundo pelo nome de fênix, que havia desaparecido há longo tempo, tornou a visitar o Egito" – diz Tácito. "Era esperada em seu vôo por um grupo de diversas aves, todas atraídas pela novidade e contemplando maravilhadas tão bela aparição." Depois de uma descrição da ave, que não difere muito da antecedente, embora acrescente alguns pormenores, Tácito continua: "O primeiro cuidado da jovem ave, logo que se impluma e pode confiar em suas asas, é realizar os funerais do pai. Esse dever, porém, não é executado precipitadamente. A ave ajunta uma certa quantidade de mirra e, para experimentar suas forças, faz freqüentes excursões, carregando-a nas costas. Quando adquire confiança suficiente em seu próprio vigor, leva o corpo do pai e voa com ele até o altar do Sol, onde o deixa, para ser consumido pelas chamas odoríferas." Outros escritores acrescentam alguns pormenores. A mirra é compacta, em forma de um ovo, dentro do qual é encerrada a fênix morta. Da carne da morta nasce um verme, que quando cresce se transforma em ave. Heródoto descreve a ave, embora observe: "Eu mesmo não a vi, exceto pintada. Parte de sua plumagem é de ouro e parte carmesim; quanto a seu formato e tamanho, são muito semelhantes aos de uma águia."

O primeiro escritor que duvidou da crença na existência da fênix foi *Sir* Thomas Browne, em seus *Erros Vulgares*, publicado em 1646. Suas dúvidas foram repelidas, alguns anos depois, por Alexander Ross, que diz, em resposta à alegação de que a fênix aparecia tão raramente: "Seu instinto lhe ensina a manter-se afastada do tirano da criação – o homem –, pois, se fosse apanhada por ele, seria sem dúvida devorada por algum ricaço glutão, até que não houvesse nenhuma delas no mundo." No Livro V do *Paraíso Perdido*, Milton compara a uma fênix o Anjo Rafael descendo à Terra:

Assim, cortando o céu, voa ligeiro,
Entre mundos e mundos navegando,
Ora os ventos polares enfrentando,
Ora cortando, calmo, o róseo espaço,
Até que alcança as altaneiras águias.
Crêem ver nele as aves uma fênix
Que cortasse os espaços, solitária,
Em procura da Tebas egipciana,
Para os restos mortais no radioso
Templo do Sol guardar.

O Basilisco

Esse animal era chamado o rei das serpentes, tendo na cabeça, para confirmar essa realeza, uma crista em forma de coroa. Supunha-se que nascia do ovo de um galo, chocado por sapos ou serpentes. Havia várias espécies de basilisco. Uma delas queimava todo aquele que dela se aproximava. Uma segunda assemelhava-se à cabeça da Medusa, e sua visão causava tal horror que provocava a morte imediata. No *Ricardo III* de Shakespeare, Lady Ana, em resposta ao galanteio de Ricardo acerca de seus olhos, retruca: "Fossem eles os do basilisco, para te rir de morte!"

Medusa, Caravaggio, 1590-1600, óleo sobre madeira

O basilisco era chamado rei das serpentes porque todas as outras cobras, comportando-se como bons súditos e muito sensatamente não desejando serem queimadas ou fulminadas, fugiam logo que ouviam a distância o silvo de seu rei, ainda que estivessem se banqueteando com a mais deliciosa presa, deixando o manjar para o monstruoso monarca.

O naturalista romano Plínio assim descreve o basilisco: "Não arrasta o corpo, como as outras serpentes, por meio de uma flexão múltipla, mas avança firme e ereto. Mata os arbustos, não somente pelo contato, mas respirando sobre eles, e fende as rochas, tal é o poder maligno que nele existe." Acreditava-se que, se o basilisco fosse morto pela lança de um cavaleiro, o poder do seu veneno, conduzido através da arma, matava não somente o cavaleiro mas até o cavalo. Lucano faz alusão a esse fato nos versos:

> Ele matou o basilisco em vão,
> Deixando-o inerte no arenoso chão.
> Corre o veneno através da lança
> E mata o mouro, quando a mão alcança.

Tal prodígio não podia deixar de penetrar nas lendas dos santos. Assim, conta-se que um santo homem, indo a uma fonte no deserto e vendo, de repente, um basilisco, levantou logo os olhos para o céu e, graças a um piedoso apelo à Divindade, fez o monstro cair morto a seus pés.

Os poderes maravilhosos dos basiliscos são atestados por vários sábios, como Galeno, Aviceno, Scaliger e outros. Por vezes, algum deles duvidava de uma parte da lenda, mas admitia o resto. Jonston, um médico letrado, observa sensatamente: "Seria difícil de acreditar que ele mata com o olhar, pois, assim sendo, quem o teria visto e continuado vivo para contar o caso?" O digno sábio não sabia que aqueles que iam caçar o basilisco dessa espécie levavam consigo um espelho, que fazia refletir a horrível imagem sobre o original, fazendo o basilisco matar-se com sua própria arma.

Mas quem seria capaz de atacar esse terrível monstro? Há um velho dito segundo o qual "tudo tem seu inimigo", e o basilisco intimidava-se diante da doninha. Por mais amedrontador que fosse o aspecto da serpente, a doninha não se preocupava e entrava na luta ousadamente. Quando mordida, retirava-se por algum tempo para ingerir a arruda, que era a única planta que o basilisco não fazia murchar, e voltava a atacar com redobrado vigor e coragem, não deixando o inimigo enquanto não o estendia morto no chão. O monstro, como se consciente da estranha maneira pela qual vinha ao mundo, votava, também, extrema antipatia ao galo e estava sujeito a exalar o último suspiro tão logo ouvisse o canto daquela ave.

O basilisco tinha alguma utilidade depois de morto. Sabemos, assim, que sua carcaça era colocada no templo de Apolo, e em casas residenciais, por ser um remédio soberano contra aranhas, e que também era posta no templo de Diana, motivo pelo qual nenhuma andorinha se atrevia a penetrar no recinto sagrado.

É de se supor que, a uma hora destas, o leitor já esteja cansado de absurdos, mas, de qualquer maneira, deveria estar interessado em saber qual era o aspecto do basilisco. Shelley, em sua "Ode a Nápoles", cheio de entusiasmo ao ter notícia da proclamação de um governo constitucional naquela cidade, em 1820, faz a seguinte alusão ao basilisco:

> Blasfemar-te atreveram-se, impudentes,
> E a liberdade blasfemar? A sorte
> Tenham de Actéon, que, nos dentes
> De seus próprios mastins achou a morte!
> Vencendo os desafios e o perigo
> Da tirania, em cada momento,
> Sê como o basilisco, que o inimigo
> Mata por invisível ferimento.

o unicórnio

Plínio, o naturalista romano, cuja descrição do unicórnio serve de base à maior parte das descrições feitas pelos modernos, pinta-o como um ferocíssimo animal, semelhante no resto do corpo a um cavalo, com a cabeça de cervo, patas de elefante, cauda de javali, voz retumbante e o único chifre preto, de dois côvados de comprimento, no meio da testa. Acrescenta que o unicórnio "não pode ser apanhado vivo" e, de certo modo, tal desculpa devia ser apresentada naqueles dias pelo fato de o unicórnio não aparecer nas arenas dos anfiteatros.

O unicórnio constituía um problema para os caçadores, que não sabiam como se apoderar de tão valiosa presa. Alguns descreviam seu chifre como podendo mover-se à vontade do animal, uma espécie de espada, em resumo, a qual nenhum caçador que não fosse habilíssimo na esgrima teria possibilidade de enfrentar com sucesso. Outros afirmavam que toda a força do animal estava no chifre e que, quando perseguido de perto, ele se atirava do alto dos mais elevados rochedos, com o chifre para a frente, de maneira a cair sobre ele, e, depois, tranqüilamente, levantava-se, sem nada haver sofrido com a queda.

Finalmente, porém, acabou-se achando um meio de vencer o pobre unicórnio. Descobriu-se que ele era grande admirador da pureza e da inocência e que cedia terreno quando encontrava em seu caminho uma jovem virgem. Vendo-a, o unicórnio se aproximava cheio de reverência, ajoelhava-se diante dela, e, pondo a cabeça em seu regaço, adormecia. A traiçoeira virgem fazia, então, sinal aos caçadores, que se aproximavam e capturavam o simplório animal.

Os modernos zoólogos, naturalmente descrentes de tais lendas, não levam a sério a existência do unicórnio. Existem, contudo, animais que têm na cabeça uma protuberância óssea mais ou menos semelhante a um chifre, que podem ter dado origem à lenda. O chifre do rinoceronte, como é chamado, é uma dessas protuberâncias, embora de tamanho bem pequeno e não correspondendo de modo algum à descrição do chifre do unicórnio. O que há de mais semelhante a um chifre no meio da testa é a protuberância óssea que existe na cabeça da girafa, mas, também esta é muito curta e rombuda, e não constitui o único chifre do animal, e sim um terceiro chifre, em frente dos dois outros. Em resumo, embora possa ser excessivo negar-se a existência de outro quadrúpede de um só chifre, além do rinoceronte, pode-se afirmar com segurança que a existência de um chifre comprido e resistente na testa de um animal semelhante ao cavalo e ao veado constitui perfeita impossibilidade.

A salamandra

Na *Vida de Bevenuto Cellini*, artista italiano do século XVI, escrita por ele mesmo, há o seguinte trecho: "Quando eu tinha cerca de cinco anos de idade, meu pai, estando num pequeno quarto, onde estava fogo de madeira de carvalho, olhou as chamas e viu um animalzinho semelhante a um lagarto, que podia viver na parte mais quente do elemento. Percebendo imediatamente do que se tratava, chamou-me e a minha irmã, e, depois de nos ter mostrado a criatura, deu-me um tabefe no ouvido. Caí, chorando, enquanto ele, consolando-me com carícias, disse estas palavras: 'Meu querido filho, não te dei este tabefe por alguma coisa errada que tiveste feito, mas para que te lembres que a criaturinha que viste no fogo é uma salamandra, tal como nenhuma outra foi vista por mim até hoje.' Assim dizendo, beijou-me e deu-me algum dinheiro."

Parece-nos desarrazoado duvidar de um caso em que o Signor Cellini foi uma testemunha tanto ocular como de ouvido. Ajunte-se a essa a autoridade de inúmeros e sábios filósofos, à frente dos quais estão Aristóteles e Plínio, afirmando aquele poder da salamandra. De acordo com eles, a salamandra não somente resistia ao fogo, mas o apagava e, quando via a chama, avançava contra ela, como um inimigo que sabia vencer.

Não nos devemos maravilhar com o fato de que a pele de um animal possa resistir à ação do fogo. Assim, chegamos à conclusão de que a pele da salamandra (pois existe realmente tal animal, é uma espécie de lagarto) era incombustível e de grande utilidade para servir de invólucro a artigos muito valiosos para serem protegidos por material comum. Foram realmente produzidos panos à prova de fogo, que se diziam feitos da pele de salamandra, embora os conhecedores verificassem que a substância de que eram feitos era o amianto, um mineral cujos filamentos muito finos podem ser aproveitados para a fabricação de tecidos.

O fundamento das lendas acima relatadas parece provir do fato de a salamandra realmente secretar pelos poros do corpo um líquido leitoso, que, quando ela se irrita, é produzido em grande quantidade e que pode, sem dúvida, durante alguns momentos, protegê-la contra o fogo. Além disso, a salamandra é um animal hibernante, que, durante o inverno, se refugia em algum tronco oco de árvore ou em outra cavidade, e ali permanece em estado de torpor, até que a primavera a desperte de novo. É possível, portanto, que seja levada ao fogo junto com a lenha e só desperte a tempo de recorrer a suas faculdades defensivas. Seu suco viscoso lhe seria, então, de grande valor e todos quantos a têm visto admitem que ela trata de sair do fogo o mais depressa possível, com exceção de um caso, em que as patas e outras partes do corpo do animal ficaram seriamente queimadas.

CAPÍTULO XXXVII
MITOLOGIA ORIENTAL
ZOROASTRO
MITOLOGIA HINDU, CASTAS
BUDA – DALAI LAMA

ZOROASTRO

Nosso conhecimento da religião dos antigos persas baseia-se principalmente no Zendavesta, o livro sagrado daquele povo. Zoroastro foi o fundador de sua religião, ou melhor, o reformador da religião que o precedeu. A época em que viveu é duvidosa, mas é certo que seu sistema se tornou a religião dominante na Ásia Ocidental a partir do tempo de Ciro (550 a.C.) até a conquista da Pérsia por Alexandre Magno. Durante a monarquia macedônia, as doutrinas de Zoroastro foram consideravelmente corrompidas pela introdução de elementos estrangeiros, mas recuperaram depois sua ascendência.

Zoroastro ensinava a existência de um ser supremo, que criou dois outros seres poderosos e dividiu com eles sua própria natureza até o ponto que lhe pareceu conveniente. Desses dois, Ormuzd (chamado pelos gregos de Oromasdes) permaneceu fiel ao seu criador e foi considerado a fonte de todo o bem, ao passo que Ariman (Arimanes) rebelou-se e tornou-se o autor de todo o mal que há na Terra. Ormuzd criou o homem e deu-lhe todos os recursos para ser feliz, mas Ariman frustrou essa felicidade, introduzindo o mal do mundo e criando as feras, plantas e répteis venenosos. Em conseqüência disso, o mal e o bem se misturaram em todas as partes do mundo, e os seguidores do bem e do mal – os adeptos de Ormuzd e Ariman – passaram a travar uma incessante guerra. Esse estado de coisas, porém, não durará para sempre. Chegará a ocasião em que os adeptos de Ormuzd

O nascimento de Zoroastro, LEIBIG, SÉC. XIX

serão vitoriosos, e Ariman e seus sequazes serão condenados às trevas eternas.

Os ritos religiosos dos antigos persas eram muito simples. Não usavam eles templos, altares ou imagens, limitando-se a fazer sacrifícios no alto das montanhas. Adoravam o fogo e o sol, como emblemas de Ormuzd, a fonte de toda a luz e de toda a pureza, mas não os consideravam como divindades independentes. Os ritos e cerimônias religiosas ficavam ao encargo de sacerdotes chamados magos. Os conhecimentos dos magos relacionavam-se com a astrologia e os encantamentos, em que se tornaram tão célebres, que seu nome passou a se aplicar a toda sorte de mágicos e feiticeiros.

Wordsworth assim se refere ao culto dos persas:

O persa – tão zeloso em rejeitar
Imagem e altar e as paredes e os tetos
Dos templos construídos pelo homem –
Galgando os altos píncaros dos montes,
Com simples mirto a fronte coroada,
A lua e as estrelas adorava
E os ventos e a matéria primitiva
E todo o firmamento, para ele
Ao mesmo tempo Deus e natureza.

Em "Childe Harold", Byron expressa-se da seguinte maneira sobre a religião dos persas:

Não era sem razão que o persa antigo
Seus altares erguia nas montanhas
Mais altas e, num templo sem paredes,
Adorava o Espírito, que despreza
Os templos pelos homens construídos,
Comparai, comparai com as colunas
E as moradas dos ídolos, que os gregos
E os godos levantaram, esses altares
Erguidos pela própria Natureza,

Só pela terra e pelo ar rodeados,
Onde não há paredes nem abóbadas
Que possam aprisionar a vossa prece.

A religião de Zoroastro continuou a florescer mesmo depois do advento do cristianismo, e no século III era a religião predominante no Oriente, até que surgisse a religião maometana e a Pérsia fosse conquistada pelos árabes, no século VII, o que obrigou a maior parte de persas a renunciar à sua antiga fé. Os que se negaram a abandonar a religião dos seus antepassados fugiram para o deserto de Querman e para o Hindustão, onde ainda existem, com o nome de parses, derivado de Pars, denominação primitiva da Pérsia. Os árabes chamam-nos de guebros, de um vocábulo árabe que significa infiel. Em Bombaim, os parses constituem uma classe muito ativa, esclarecida e próspera, destacando-se pela pureza de sua vida, honestidade e benevolência. Possuem inúmeros templos do Fogo, que adoram como símbolo da divindade.

MITOLOGIA HINDU

A religião dos hindus foi fundada, segundo está expressamente admitido, pelos Vedas. Os hindus atribuem a maior santidade a esses livros, afirmando que o próprio Brahma os escreveu. A disposição atual dos Vedas, porém, é atribuída ao sábio Viasa, que viveu há cerca de cinco mil anos.

Indubitavelmente, os Vedas ensinam a crença em um Deus supremo. O nome dessa divindade é Brahma. Seus atributos são representados pelos três poderes personificados da *criação, conservação* e *destruição*, que sob os nomes respectivos de Brahma, Vishnu e Shiva formam a Trimuri, ou trindade dos principais deuses hindus. Dos deuses inferiores, os mais importantes são: 1. Indra, deus do céu, do trovão, do relâmpago, da tempestade e da chuva; 2. Agni, deus do fogo; 3. Iama, deus das regiões infernais; e 4. Suria, deus do sol.

Brahma é o criador do universo e a fonte de onde emanaram todas as divindades individuais e pela qual elas serão, finalmente, absorvidas. "Assim como o leite se transforma em coalho, e a água, em gelo, assim Brahma se transformou e se diversificou em várias coisas, sem qualquer ajuda de recursos exteriores." A alma humana, de acordo com os Vedas, constitui uma parte do poder supremo, do mesmo modo que uma faguilha pertence ao fogo.

Vishnu

Vishnu ocupa o segundo lugar da trindade dos hindus e é a personificação do espírito conservador. Para proteger o mundo em várias épocas de perigo, Vishnu desceu à

Terra, em diferentes encarnações, ou formas corpóreas, sendo essas descidas chamadas avatares. Os avatares são numerosos, mas dez deles são mais freqüentemente menciona-dos. O primeiro avatar foi o de Matsia, o Peixe, forma sob a qual Vishnu preservou Manu, o antepassado da raça humana, durante um dilúvio universal. O segundo avatar foi sob a forma de uma Tartaruga, que Vishnu assumiu para proteger a Terra quando os deuses estavam agitando o mar, à procura de uma bebida que dava a imortalidade, Anrita.

Omitiremos os outros avatares, que tinham a mesma finalidade geral, isto é, de pro-teger o bem ou punir os maus, e chegaremos ao nono, que é o mais celebrado dos ava-tares de Vishnu, no qual ele apareceu sob a forma humana de Krishna, um guerreiro invencível, que, por suas façanhas, livrou a Terra dos tiranos que a oprimiam.

Os adeptos do bramanismo consideraram Buda como uma encarnação ilusória de Vishnu, assumida por ele a fim de induzir os Asuras, adversários dos deuses, a abandonar os ensinamentos sagrados dos Vedas, graças ao que eles perderiam sua força e supremacia.

Calque é o nome do décimo avatar, no qual Vishnu aparecerá no fim da época pre-sente do mundo para destruir todos os vícios e malvadezas e restituir à humanidade a virtude e a pureza.

Shiva

Shiva é a terceira pessoa da trindade hindu. É a personificação do princípio des-truidor. Embora venha em terceiro lugar, no que diz respeito ao número de adoradores e à extensão do culto, é mais importante que os outros dois. Nas Puranas (escrituras da moderna religião hindu), não há alusão ao poder original desse deus como destrui-dor, não devendo tal poder ser exercido senão após haverem transcorrido 12 milhões de anos, quando o universo deverá acabar. Maadeva (outro nome de Shiva) representa mais a regeneração que a destruição.

Os adoradores de Vishnu e Shiva formam duas seitas, cada uma das quais proclama a superioridade de sua divindade favorita, negando as pretensões da outra, ao passo que Brahma, o criador, tendo completado sua obra, já não é considerado como um deus em atividade e só possui um templo na Índia, enquanto Maadeva e Vishnu têm inúme-ros. Os adoradores de Vishnu destacam-se, geralmente, por maior apego à vida e con-seqüente abstinência de alimentos de origem animal e um culto menos cruel que o dos adoradores de Shiva.

Jagatai

Os entendidos discordam quanto à maneira de classificar os adoradores de Jaga-tai como seguidores de Vishnu ou de Shiva. O templo dessa seita fica perto da costa do mar, a cerca de trezentas milhas a sudoeste de Calcutá. O ídolo é um bloco esculpido de madeira, com um rosto pavoroso, pintado de preto e uma enorme boca vermelha. Nos dias de festa, o trono da imagem é colocado numa torre de sessenta pés de altura,[1] que se move sobre rodas. A essa torre são amarradas seis compridas cordas, graças às quais a torre é puxada. Os sacerdotes e seus ajudantes ficam de pé em torno do trono e, de vez em quando, dirigem-se ao povo com canções e gestos. Enquanto a torre avança, muitos dos fanáticos adoradores deitam-se no chão diante dela, a fim de serem esmagados por suas rodas, e a multidão grita aplaudindo esse ato, considerado agradável ao ídolo. Todos os anos, particularmente por ocasião das duas grandes festividades em março e julho, acorrem ao templo multidões de peregrinos. Segundo se diz, setenta a oitenta mil pessoas visitam o lugar naquelas ocasiões, quando todas as castas se misturam.

Castas

A divisão dos hindus em castas, com ocupações fixadas, existia desde os tempos mais remotos. Alguns supõem que teve sua origem na conquista, sendo as três primeiras castas compostas de uma raça estrangeira, que subjugou os naturais do país e os reduziu a uma casta inferior. Outros atribuem o fato à vontade de perpetuar, pela transmissão de pai a filho, certos ofícios ou profissões.

A tradição hindu explica da seguinte maneira a origem das diversas castas: na época da criação, Brahma resolveu dar à Terra habitantes que fossem emanações diretas de seu próprio corpo. Assim, de sua boca saiu o filho mais velho, Brâmane (o sacerdote), ao qual ele confiou os quatro Vedas. Do braço direito, saiu Xátria (o guerreiro), e do braço esquerdo, a esposa do guerreiro. Suas coxas produziam os Vaissias, do sexo masculino e feminino (agricultores e comerciantes) e, finalmente, de seus pés surgiram os Sudras (mecânicos e trabalhadores).

Os quatro filhos de Brahma, tão significativamente vindos ao mundo, tornaram-se os pais do gênero humano e fundadores das respectivas castas. Tiveram ordem de considerar os quatro Vedas como contendo todas as regras de sua fé e tudo que era necessário para guiá-los em suas cerimônias religiosas.

© MUSEU BRITÂNICO, LONDRES

Brahma criador do universo com sua consorte Sarasvat, BIHAR, 1802

---

[1] Cerca de vinte metros.

Também eram obrigados a se conservar dentro da classe a que pertenciam por nascimento, sendo os brâmanes os superiores, por terem nascido da cabeça de Brahma.

Uma profunda linha divisória foi traçada entre as três primeiras castas e os sudras
Aquelas têm permissão de se instruírem nos Vedas, o que era negado aos sudras. Os
brâmanes gozam o privilégio de ensinar os Vedas e nos tempos primitivos estavam na
posse exclusiva de todos os conhecimentos. Embora o soberano do país fosse escolhido na classe dos xátrias, os brâmanes dispunham do poder real e eram os conselheiros
do rei, os juízes e os magistrados do país; suas pessoas e seus bens eram invioláveis e,
ainda que cometessem os piores crimes, não podiam ser banidos do reino. Deviam ser
tratados pelos soberanos com o maior respeito, pois "um brâmane, seja sábio ou igno-
rante, é uma divindade poderosa".

Quando um brâmane atingia a idade madura, tinha a obrigação de casar. Devia ser
sustentado pelas contribuições dos ricos e não era obrigado a exercer qualquer atividade laboriosa ou produtiva para sua subsistência. Como, porém, nem todos os brâmanes
podem ser sustentados pela parte trabalhadora da comunidade, tornou-se necessário
permitir-lhes o exercício de funções remuneradas.

Não há muita coisa a dizer das duas classes intermediárias, cujos privilégios e situação facilmente podem ser imaginados levando-se em conta suas ocupações. Os sudras, a quarta classe, estão obrigados a uma dependência servil às outras três castas
superiores, especialmente aos brâmanes, mas podem exercer ocupações mecânicas e
as artes práticas, tais como a pintura e a literatura, ou tornarem-se comerciantes. Em
conseqüência, alguns deles enriquecem, do mesmo modo que, às vezes, os brâmanes
são reduzidos à pobreza. Quando isso ocorre, a conseqüência natural é que o brâmane
tem de trabalhar para ganhar a vida e acontece que um sudra rico emprega brâmanes
pobres em ocupações servis. Há uma classe ainda inferior à dos sudras, pois não é uma
das castas originais puras, mas sim resultante de uniões ilícitas entre indivíduos de
classes diferentes. São os párias, empregados nos serviços mais baixos e tratados com a
maior severidade. São obrigados a fazer o que nenhum outro pode fazer sem se poluir.
Não apenas são considerados impuros, como tornam impuro todo aquele em que to-
cam. São privados de todos os direitos civis e estigmatizados por leis particulares, que
regulam seu modo de vida, sua casa e os móveis de que podem dispor. Não têm permissão de entrar nos pagodes ou templos das outras castas, devendo ter seus próprios
pagodes e cultos religiosos. Não são admitidos em casa de membros de outras castas e,
se ali penetram, por descuido ou necessidade, o local tem de ser purificado por meio de
cerimônia religiosa. Os intocáveis não devem aparecer nos mercados públicos e têm de
usar poços particulares, que são obrigados a cercar com ossos de animais para advertir
os demais, no sentido de não os usar. Moram em habitações miseráveis, distantes das

cidades e aldeias, e não estão sujeitos a restrições no que diz respeito à alimentação, o que não constitui um privilégio, mas um sinal de ignomínia, pois isso quer dizer que estão tão degradados que coisa alguma pode poluí-los. As três castas superiores são rigorosamente proibidas de comer carne. A quarta casta pode comer todas as espécies de carne, exceto a de vaca, mas apenas a casta inferior tem permissão para se alimentar de qualquer coisa.

Buda

Buda, que os Vedas apresentam como uma encarnação ilusória de Vishnu, foi, segundo seus seguidores, um sábio mortal, cujo nome era Gautama, também chamado pelos epítetos laudatórios de Saquiamúni, o Ieão, e Buda, o Sábio.

Comparando-se as várias épocas em que se coloca seu nascimento, é de se deduzir que ele viveu cerca de mil anos antes de Cristo.

Era filho de um rei e quando, na conformidade dos costumes do país, foi, alguns dias após o nascimento, apresentado ao altar de uma divindade, a imagem, segundo se diz, inclinou a cabeça, como presságio da futura grandeza do profeta recém-nascido. A criança logo desenvolveu extraordinariamente suas faculdades e distinguiu-se, também, por sua beleza pouco comum. Mal atingira a maturidade, Buda começou a refletir profundamente sobre a depravação e miséria do gênero humano e concebeu a idéia de afastar-se da sociedade e dedicar-se à meditação. Seu pai em vão se opôs aos seus intentos. Buda livrou-se da vigilância de seus guardas e, tendo encontrado um retiro seguro, viveu durante seis anos em devotas contemplações, sem ser perturbado. Terminado aquele período, dirigiu-se a Benares, como pregador religioso. A princípio, alguns dos que o ouviram duvidaram de sua sanidade mental. Dentro em pouco, porém, sua doutrina adquiriu tal crédito e se propagou tão rapidamente que Buda ainda viveu bastante para vê-la espalhada por toda a Índia. Morreu aos 80 anos de idade.

Os budistas negam inteiramente a autoridade dos Vedas e as observâncias religiosas neles prescritas e seguidas pelos hindus. Também não aceitam a separação dos homens em castas e proíbem todos os sacrifícios sanguinolentos e o uso de alimentos de origem animal. Seus sacerdotes são escolhidos em todas as classes; devem-se sustentar mendigando, e, entre outras coisas, têm obrigação de procurar utilizarem-se de objetos jogados fora como inúteis por outros e descobrirem o poder medicinal das plantas. No Ceilão, contudo, são reconhecidas três ordens de sacerdotes; os que pertencem à ordem superior são, em geral, homens instruídos e bem-nascidos e ligados aos templos principais, a maior parte dos quais recebeu riquíssimos donativos dos monarcas do país.

Durante alguns séculos após o aparecimento de Buda, sua seita parece ter sido tolerada pelos brâmanes, e o budismo se espalhou pelo Hindustão em todas as direções,

chegando até o Ceilão e a península oriental. Posteriormente, porém, o budismo so
freu na Índia tenaz perseguição, que o eliminou inteiramente no país onde teve su;
origem, mas o fez propagar-se pelos países vizinhos. Segundo parece, o budismo foi in
troduzido na China aproximadamente no ano 65 de nossa era. Da China, ele se propa
gou, mais tarde, para o Japão, Coréia e Java.

Dalai Lama

Do mesmo modo que os hindus bramanistas, os budistas acreditam que o con
finamento da alma humana, como emanação do espírito divino, no corpo humano
constitui um estado de sofrimento, conseqüência das fraquezas e pecados cometi
dos durante existências anteriores. Sustentam, porém, que têm aparecido na Terra
de tempos em tempos, indivíduos que não se encontram sujeitos à necessidade da
existência terrena, mas que desceram à Terra voluntariamente, para promover o bem
da humanidade. Esses indivíduos, pouco a pouco, assumiram o caráter de reapare
cimentos do próprio Buda, e essa sucessão continuou até o presente, através dos vá
rios Lamas, no Tibete, China e outros países onde predomina o budismo. Em conse
qüência da vitória de Gêngis Khan e de seus sucessores, o Lama residente no Tibete
foi elevado à dignidade de sumo-pontífice da seita. Foi-lhe destinada uma província
naquele território e, além de sua dignidade espiritual, ele se tornou, de certo modo,
um monarca temporal, sendo chamado Dalai Lama.

Os primeiros missionários cristãos que visitaram o Tibete ficaram surpresos ao en
contrar no coração da Ásia uma corte pontifical e várias outras instituições eclesiásticas
semelhantes às da Igreja Católica Romana, como conventos para ambos os sexos e pro
cissões e formas de cultos realizados com grande pompa e esplendor. Em vista dessas
semelhanças, muitos deles foram levados a considerar o lamaísmo como uma espécie de
catolicismo degenerado. Não é impossível que os Lamas tenham copiado algumas des
sas práticas dos cristãos nestorianos, que se haviam estabelecido na Tartária, quando o
budismo foi introduzido no Tibete.

Prestes João

Uma antiga descrição, provavelmente transmitida por mercadores viajantes, de
um Lama ou chefe espiritual dos tártaros, parece ter feito surgir na Europa a lenda
de um Presbítero, ou Prestes João, pontífice cristão residente na África superior. O Pa
pa enviou uma missão em sua procura e o mesmo fez Luís IX da França, alguns anos
depois, porém, ambas as missões foram malsucedidas, embora as pequenas comuni
dades de cristãos nestorianos que encontraram levassem a Europa a manter a crença
na existência de tal personagem em algum lugar do Oriente. Afinal, no século XV, um

viajante português, Pedro Covilhã, ouvindo dizer que havia um príncipe cristão no país dos abissínios (Abissínia), perto do Mar Vermelho, concluiu que ele deveria ser o verdadeiro Prestes João. Assim, para ali se dirigiu, chegando à corte do rei, a quem chamou de Négus. Milton faz alusão a ele no Livro XI do *Paraíso Perdido*, quando diz, descrevendo a visão de Adão de suas várias nações e cidades, espalhadas sobre a face da Terra:

Não deixaram seus olhos de avistar
O império do Négus é o mais longínquo
De seus portos, Ercoco, e outros reinos
Mais distantes do mar, como Mombaca
E Quiloa e Melinde.

capítulo xxxviii

mitologia nórdica
valhala
as valquírias

mitologia nórdica

As histórias que atraíram até agora nossa atenção relacionam-se com a mitologia dos países meridionais. Há, contudo, outro ramo de antigas superstições que não pode ser ignorado de todo, especialmente porque pertence a nações às quais está ligada nossa origem, através de nossos antepassados ingleses: é a mitologia dos povos nórdicos, chamados escandinavos, que habitavam os países hoje conhecidos como Suécia, Dinamarca, Noruega e Islândia. Essas narrativas mitológicas estão contidas em duas coleções chamadas as Edas, a mais antiga das quais é em poesia e data de 1056, e a mais moderna, em prosa, de 1640.

Segundo as Edas, não havia, no princípio, nem céu em cima nem terra embaixo, mas apenas um abismo sem fundo e um mundo de vapor no qual flutuava uma fonte. Dessa fonte saíram doze rios, e, depois de eles terem corrido até muito distante de sua origem, congelaram-se e, tendo as camadas de gelo se acumulado umas sobre as outras, o grande abismo se encheu.

Ao sul do mundo de vapor havia um mundo de luz, do qual uma viração quente soprou sobre o gelo, derretendo-o. Os vapores elevaram-se no ar e formaram nuvens, das quais surgiu Ymir, o gelo gigante, e sua geração, e a vaca Audumbla, cujo leite alimentou o gigante. Essa vaca, alimentava-se lambendo o gelo de onde retirava a água e o sal. Certo dia, quando ela estava lambendo as pedras de sal, surgiram os cabelos

A bárbara caçada de Odin, P. N. Arbo, c. 1872, óleo sobre tela

de um homem; no segundo dia, toda a cabeça; e, no terceiro, todo o corpo que tinha grande beleza, agilidade e força. O novo ser era um deus, e dele e de sua esposa, filha da raça dos gigantes, nasceram os três irmãos Odin, Vili e Ve, que mataram o gigante Ymir, formando com seu corpo a terra; com seu sangue, os mares; com seus ossos, as montanhas; com seus cabelos, as árvores; com seu crânio, o céu; e com seu cérebro, as nuvens carregadas de neve e granizo. Com a testa de Ymir, os deuses formaram a Midgard (terra média), destinada a tornar-se a morada do homem.

Odin estabeleceu, depois, os períodos do dia e da noite, e as estações, colocando no céu o Sol e a Lua e lhes determinando os respectivos cursos. Logo que o Sol começou a lançar seus raios sobre a Terra, fez brotarem e crescerem os vegetais. Pouco depois de terem criado o mundo, os deuses passearam junto ao mar, satisfeitos com sua obra recente, mas verificaram que ela ainda estava incompleta, pois faltavam seres humanos. Tomaram, então, um freixo e dele fizeram um homem, e de um amieiro fizeram uma mulher, chamando o homem de Aske e a mulher de Embla. Odin deu-lhes, então, a vida e a alma; Vili, a razão e o movimento; e Ve, os sentidos, a fisionomia expressiva e o dom da palavra. A Midgard foi-lhes, então, dada para moradia, e eles se tornaram os progenitores do gênero humano.

Supunha-se que todo o universo era sustentado pelo gigantesco freixo Ygdrasil, que nascera do corpo de Ymir e tinha raízes imensas, uma das quais penetrava no Asgard (morada dos deuses), outra no Jotunheim (morada dos gigantes) e a terceira no Niffleheim (regiões das trevas e do frio). Ao lado de cada raiz havia uma fonte que a regava. A raiz que penetrava no Asgard era cuidadosamente tratada pelas três Norns, deusas consideradas como donas do destino. Eram Urdur (o passado), Verdande (o presente) e Skuld (o futuro). A fonte do lado de Jotunheim era o poço de Ymir, no qual se escondiam a sabedoria e inteligência, mas a do lado de Niffleheim alimentava Nidhogge (escuridão), que corroía a raiz perpetuamente. Quatro veados corriam sobre os ramos da árvore e mordiam os brotos; representam os quatro ventos. Sob a árvore ficava estendido o Ymir, e, quando ele tentava livrar-se de seu peso, a terra tremia.

Asgard é o nome da morada dos deuses, para onde se tem acesso somente atravessando a ponte Bifrost (arco-íris). Asgard consiste em palácios de ouro e prata, morada dos deuses, mas o mais belo deles é o Valhala, morada de Odin, que, quando sentado em seu trono, avista todo o Céu e toda a Terra. Em seus ombros pousam os corvos Hugin e Munin, que voam durante todo o dia sobre o mundo e, quando voltam, contam ao deus tudo que viram e ouviram. A seus pés estão deitados dois lobos, Geri e Freki, aos quais Odin dá toda a carne que é colocada diante dele, uma vez que ele próprio não tem necessidade de se alimentar, a não ser com o hidromel, que lhe serve tanto de comida como de bebida. Odin inventou os caracteres rúnicos, com os quais as Norns gravam os destinos numa chapa metálica. Do nome de Odin, às vezes pronunciado Woden, vêm *Wednesday*, nome do quarto dia da semana.

Odin é freqüentemente chamado de Alfadur (todo pai), mas esse nome é, às vezes, usado de maneira que mostra que os escandinavos tinham a idéia de uma divindade superior a Odin, incriada e eterna.

AS ALEGRIAS DO VALHALA

Valhala é o grande palácio de Odin, onde ele se diverte em festins com os heróis escolhidos, aqueles que morreram valentemente em combate, pois são excluídos todos os que morreram pacificamente. É-lhe servida a carne do javali Schrinnir, que chega fartamente para todos, pois, embora o javali seja cozido todas as manhãs, fica inteiro novamente todas as noites. Para bebida, os heróis dispõem de abundante hidromel, fornecido pela cabra Heidrum. Quando não se encontram nos festins, os heróis se divertem lutando. Todos os dias, dirigem-se ao pátio ou campo e lutam até se fazerem em pedaços uns aos outros. Este é seu passatempo, mas, chegando a hora da refeição, eles se restabelecem dos ferimentos e voltam ao festim no Valhala.

AS VALQUÍRIAS

As Valquírias eram virgens guerreiras, que cavalgavam corcéis, armadas de elmos e lanças. Odin, desejoso de reunir grande número de heróis no Valhala, a fim de poder enfrentar os gigantes quando chegasse o dia da luta decisiva, mandava escolher em todos os campos de batalha os que deveriam ser mortos. As Valquírias eram suas mensageiras, e seu nome significa "as que escolhem os mortos". Quando galopavam em suas cavalgadas, o brilho de seus escudos produzia nos céus nórdicos uma luz estranha, a chamada aurora boreal.

THOR E OUTROS DEUSES

Thor, o senhor dos trovões, filho mais velho de Odin, é o mais forte dos deuses e homens, e possui três coisas preciosíssimas. A primeira é um martelo que tanto o Gelo como os gigantes da Montanha aprenderam a respeitar, quando o viram lançado contra eles no ar, pois o martelo rompeu muitos crânios de seus pais e parentes. A segunda preciosidade que Thor possuía era chamada cinto da força, que, quando usado pelo seu dono, dotava-o de um redobrado poder divino. A terceira preciosidade era o par de luvas de ferro que Thor usava para se tornar mais eficiente. Do nome de Thor vem *Thursday*, o quinto dia da semana.

A cavalgada das Valquírias, ANÔNIMO

Frei era um dos deuses mais celebrados, responsável pela chuva, pelo brilho do sol e por todos os frutos da terra. Sua irmã Freia era a mais propícia das deusas. Amava a música, a primavera e as flores e, em particular, os Elfos. Apreciava muito as canções amorosas e todos os amantes poderiam invocá-la com proveito.

Bragi era o deus da poesia, e seus cantos recordavam os feitos dos guerreiros. Sua esposa, Iduna, guardava a caixa de maçãs que os deuses, quando sentiam aproximar-se a velhice, provavam para recuperar, imediatamente, a mocidade.

Heindall era o vigia dos deuses e, portanto, colocado na fronteira do céu, para impedir os gigantes de passar pela ponte Bifrost (arco-íris). Heindall dormia menos que um pássaro e enxergava tanto de noite quanto de dia num raio de cem milhas.[1] Tinha tão bons ouvidos que podia ouvir o ruído da relva crescendo e da lã crescendo em um carneiro.

LOKI E SUA DESCENDÊNCIA

Havia uma outra divindade considerada o caluniador de deuses e articulador de todas as fraudes e atos condenáveis. Chamava-se Loki. Era belo e bem-feito de corpo, mas de temperamento caprichoso e maus instintos. Pertencia à raça dos gigantes, mas se metera à força na companhia dos deuses e se comprazia em colocá-los em dificuldades, e livrá-los, depois, do perigo, graças às suas artimanhas, inteligência e habilidade. Loki tinha três filhos. O primeiro era o lobo Fenris, o segundo, a serpente Nidgard e o terceiro Hela (Morte). Os deuses não ignoravam que esses monstros estavam crescendo e que

---

[1] Cerca de 160Km. (N. do T.)

acabariam fazendo muito mal aos deuses e aos homens. Assim, Odin achou convenien-te mandar buscá-los. Lançou, então, a serpente no profundo oceano pelo qual a terra é cercada. O monstro, porém, crescera a tal ponto que, enfiando a cauda na boca, rodeia toda a Terra. Hela foi atirada por Odin ao Niffleheim e recebeu o poder de dominar no-ve mundos ou regiões, nos quais distribui aqueles que lhe são enviados, isto é, os que morrem em conseqüência da velhice ou da doença. Seu palácio chamava-se Elvidner. Sua mesa era a Fome; sua faca, a Inanição; o Atraso, seu criado; a Vagareza, sua criada; o Precipício, sua porta; a Preocupação, sua cama; e os Sofrimentos formavam as paredes dos aposentos. Hela podia ser facilmente reconhecida, pois seu corpo era metade cor-de-carne e metade azul, e tinha uma fisionomia horrível e amedrontadora.

O lobo Fenris deu muito trabalho aos deuses, antes que estes conseguissem acor-rentá-lo; rompia as correntes mais fortes como se fossem teias de aranha. Finalmente, os deuses enviaram um mensageiro aos espíritos da montanha, que fizeram para eles a corrente chamada Gleipnir, que se compunha de seis coisas, a saber: o ruído produzido pelo andar de um gato, a barba das mulheres, as raízes das pedras, a respiração dos pei-xes, os nervos (sensibilidade) dos ursos e o cuspo das aves. Depois de pronta, a corrente ficou tão lisa e macia como se fosse de seda. Quando, porém, os deuses pediram ao lobo que se deixasse amarrar naquela fita aparentemente tão frágil, ele desconfiou de suas intenções, receando que houvesse ali algum encantamento. Assim, só consentiu em ser amarrado se um deus enfiasse a mão em sua boca para garantia de que a fita seria reti-rada mais tarde. Somente Tir (o deus da batalha) teve coragem suficiente para isto. Mas, quando o lobo verificou que não podia livrar-se e que os deuses não iriam soltá-lo, cor-tou com os dentes a mão de Tir, que ficou maneta desde então.

como thor pagou seu salário ao gigante da montanha

Certa vez, quando os deuses estavam construindo suas moradas e já haviam aca-bado a construção do Midgard e do Valhala, apareceu um artífice, oferecendo-se para construir uma morada tão bem fortificada que nela os deuses ficariam perfeitamente protegidos contra os ataques dos gigantes do Gelo e dos gigantes da Montanha. Exigia, porém, como pagamento, a deusa Freia, juntamente com o Sol e a Lua. Os deuses con-cordaram com suas condições, contanto que ele executasse o trabalho sem ajuda de ninguém e durante um só inverno. Se alguma coisa ainda estivesse por acabar no pri-meiro dia de verão, ele teria de desistir do pagamento pedido. Ao ouvir essa proposta, o artífice exigiu que pudesse utilizar-se de seu cavalo Svadilfair. Isso lhe foi concedido, graças à opinião de Loki. O artífice, assim, começou a trabalhar no primeiro dia do in-verno e, durante a noite, deixava seu cavalo carregando pedras para a construção. O enorme tamanho das pedras encheu de assombro os deuses, que perceberam, clara-mente, que o cavalo executava mais da metade do trabalho. A combinação, porém, já estava feita e confirmada por juramento solene, pois, sem essas precauções, um gigante não poderia considerar-se em segurança no meio dos deuses, especialmente quando estava próximo o regresso de Thor de uma expedição que empreendera contra os demô-nios malignos.

À medida que se aproximava o fim do inverno, a construção ia progredindo, e os ba-luartes já eram suficientemente altos e maciços para tornar o lugar inexpugnável. Em resumo, quando faltavam apenas três dias para o verão, só faltava ser acabada a cons-trução da porta. Os deuses, então, se reuniram para discutir, a fim de saber se seria pos-sível livrarem-se da obrigação de entregar Freia ou de mergulhar o céu na escuridão, permitindo que o gigante levasse o Sol e a Lua.

Todos concordaram que somente Loki, o autor de tantas ações condenáveis, poderia ter dado tão maus conselhos e que ele deveria ser submetido a uma morte desapiedada, se não contribuísse, de algum modo, para evitar que o artífice completasse sua obra e ob-tivesse a recompensa estipulada. Naquela mesma noite, quando o homem saiu com Sva-dilfair para carregar as pedras, uma égua saiu correndo, de repente, de uma floresta e co-meçou a relinchar. O cavalo, então, arrebentou os arreios e correu para a floresta, atrás da égua, o que obrigou o homem a correr também atrás do cavalo e, assim, a noite inteira foi perdida, de modo que, ao amanhecer, o trabalho não progredira no ritmo costumeiro. Vendo que não podia completar a tarefa, o homem reassumiu sua estatura gigantesca e os deuses perceberam, então, que se tratava, na verdade, de um gigante das montanhas que viera para o meio deles. Achando que não mais estavam presos ao juramento, chamaram Thor, que, imediatamente, correu a ajudá-los e, levantando seu malho, pagou ao trabalha-dor seu salário, não com o Sol e a Lua e nem enviando-o de volta ao Jotunheim, pois, com a primeira pancada do martelo, despedaçou a cabeça do gigante e o atirou ao Niffleheim.

A Recuperação Do Martelo

Aconteceu certa vez que o martelo de Thor caiu em poder do gigante Thryn, que o enterrou sob as rochas de Jotunheim numa profundidade de oito braças.[2] Thor mandou Loki negociar com Thryn, mas Loki somente conseguiu obter uma promessa do gigante de restituir a arma se Freia consentisse em casar-se com ele. Loki voltou para informar o resultado de sua missão, mas a deusa do amor ficou horrorizada à idéia de oferecer os seus encantos ao rei dos gigantes do Gelo. Nessa emergência, Loki persuadiu Thor a me-ter-se nas vestes de Freia e acompanhá-lo ao Jotunheim. Thryn recebeu sua noiva, que

---

[2] Braça era uma antiga medida de comprimento, equivalente a aproximadamente dois metros. (N. do T.)

estava com o rosto coberto por um véu, com a devida cortesia, mas ficou muito surpreso ao vê-la devorar oito salmões e um boi inteiro, além de outros petiscos, e bebendo, por cima, três tonéis de hidromel. Loki, porém, afirmou-lhe que ela não comia há oito noites, tão grande era seu desejo de ver o amante, o famoso rei de Jotunheim. Afinal, Thryn teve curiosidade de olhar sob o véu de sua noiva, mas recuou, espantado, e perguntou por que os olhos de Freia brilhavam como fogo. Loki deu a mesma desculpa e o gigante se satisfez. Deu ordem para que fosse trazido o martelo, e colocou-o no regaço da donzela. Thor, então, livrando-se do disfarce, agarrou sua terrível arma e matou Thryn e todos os seus sequazes.

Frei também possuía uma arma maravilhosa, uma espada que espalhava sozinha a carnificina em um campo de batalha, quando o seu dono o desejasse. Frei perdeu sua espada, porém, menos feliz que Thor, não a recuperou. O fato se passou da seguinte maneira: certo dia, Frei subiu ao trono de Odin, do qual se pode ver todo o universo, e, olhando em torno, avistou no reino dos gigantes uma linda donzela, e desde então foi tomado de tanta tristeza que não pode mais dormir, beber ou falar. Afinal, Skirnir, seu mensageiro, conseguiu arrancar-lhe o segredo e dispôs-se a obter-lhe a donzela em casamento, se ele lhe desse a espada como recompensa. Frei consentiu e deu-lhe a espada. Skirnir partiu para a sua viagem e obteve da donzela a promessa de que, dentro de nove noites, iria a um determinado lugar e ali desposaria Frei. Quando Skirnir anunciou o êxito de sua missão a Frei, este exclamou:

Uma noite é bem longa
E duas mais longas ainda.
Como, porém, suportarei três noites?
O espaço de um mês
Antes me parecia
Mais curto que a metade desse tempo.

Assim, Frei conseguiu Gerda, a mais bela de todas as mulheres, para esposa, mas perdeu sua espada.

CAPÍTULO XXXIX
A VISITA DE THOR A JOTUNHEIM, O PAÍS DOS GIGANTES

A VISITA DE THOR A JOTUNHEIM, O PAÍS DOS GIGANTES

Certo dia, o deus Thor, com seu criado Tialfi e acompanhado por Loki, partiu para uma viagem ao país dos gigantes. Tialfi era o mais veloz de todos os homens na carreira. Carregava a mochila de Thor, que continha as suas provisões. Quando chegou a noite, eles se viram numa imensa floresta e procuraram, em todos os lados, um lugar onde pudessem se abrigar, chegando, afinal, a um grande palácio, com uma entrada que ocupava uma de suas fachadas inteira. Ali se deitaram para dormir, mas à meia-noite foram alarmados por um tremor de terra que sacudiu todo o edifício. Thor, levantando-se, chamou os companheiros para procurarem, com ele, um lugar seguro. À direita encontraram um aposento adjacente, no qual os outros entraram, enquanto Thor ficava à porta empunhando seu malho, disposto a defender-se se acontecesse alguma coisa. Ouviu-se, durante a noite, um terrível rugido e, ao amanhecer, Thor saiu e encontrou estendido perto de si um enorme gigante que dormia e roncava, produzindo o rugido que o assustara tanto. Conta-se que, pela primeira vez, Thor teve medo de se utilizar de seu malho e, como o gigante tivesse acordado, limitou-se a perguntar-lhe o nome.

Thor, o deus do trovão, representado com o martelo que, segundo a lenda, emite o som do trovão

– Chamo-lhe Skrymir – disse o gigante. Mas não preciso perguntar teu nome, pois sei que tu és o deus Thor. O que aconteceu, porém, com a minha luva?

Thor percebeu, então, que aquilo que tomara, durante a noite, por um palácio, era a luva do gigante, e o quarto onde seus companheiros se haviam refugiado, o dedo polegar da luva. Skrymir propôs, então, que viajassem juntos e, tendo Thor concordado, eles se assentaram para fazer a refeição matinal, depois do que Skrymir arrumou todas as suas provisões em uma mochila, que atirou às costas, e pôs-se a caminhar à frente dos outros, que só a custo acompanhavam seus passos enormes.

Assim viajaram durante todo o dia; ao anoitecer, Skrymir escolheu um lugar para passarem a noite, sob um grande carvalho, e disse aos outros que iria deitar-se para dormir, acrescentando:

– Ficai com a minha mochila e preparai vossa ceia.

Dentro em pouco, o gigante estava dormindo e roncando, mas Thor, tentando abrir a mochila, verificou que Shrymir a amarrara tão bem que era impossível desatar um único nó. O deus acabou se irritando e, agarrando o malho com ambas as mãos, desfechou uma furiosa pancada na testa do gigante. Skrymir, acordando, limitou-se a perguntar se havia caído alguma folha em sua cabeça e se eles haviam ceado e já iam dormir. Thor respondeu que já iam dormir e, assim dizendo, foi se estender embaixo de uma outra árvore. Não conseguiu, porém, conciliar o sono, e quando Skrymir recomeçou a roncar com tanta força que o ruído ecoava pela floresta, ele se levantou e, segurando o malho, desfechou uma pancada com tanta força no crânio do gigante que produziu uma profunda depressão.

– Que aconteceu? – gritou Skrymir acordando. – Há pássaros empoleirados nessa árvore? Senti um pouco de musgo dos ramos cair em minha cabeça. Que tens, Thor?

Thor tratou de afastar-se rapidamente, dizendo que acabara de acordar, e que, como era apenas meia-noite, ainda havia tempo para dormir. Estava disposto, porém, a chegar a uma decisão, se tivesse oportunidade de desfechar uma terceira pancada.

Pouco antes do amanhecer, percebeu que Skrymir dormira de novo e, mais uma vez, pegou o malho e deu uma pancada com tal violência que o mesmo penetrou na cabeça do gigante até o cabo. Skrymir, porém, sentou-se e esfregando a cabeça, exclamou:

– Uma bolota caiu em minha cabeça. O quê? Estás acordado, Thor? Acho que já é hora de nos levantarmos e nos vestirmos. Mas não tendes de andar muito para chegardes à cidade chamada Utgard. Eu vos ouvi sussurrando uns para os outros que não sou um homem de pequenas dimensões. Ao chegardes em Utgard, porém, vereis muitos homens mais altos do que eu. Aconselho-vos, portanto, quando ali chegardes, a não terdes confiança demasiada em vós mesmos, pois os seguidores de Utgard-Loki não admitirão fanfarronadas de criaturinhas tão pequenas quanto vós. Deveis ir pela estrada que segue para leste e a minha vai para o norte. Portanto, devemos aqui nos separar.

Assim dizendo, atirou a mochila aos ombros e, virando as costas, entrou na floresta, deixando Thor sem nenhuma vontade de detê-lo e pedir-lhe para continuar fazendo-lhes companhia.

Thor e seus companheiros seguiram viagem e, por volta de meio-dia, avistaram uma cidade no meio de uma planície. Era tão alta que eles foram obrigados a dobrar a cabeça até quase os ombros para poder avistá-la até em cima. Continuaram a andar e entraram na cidade, e avistando diante deles um grande palácio com a porta escanca-rada, nele penetraram e ali encontraram um certo número de homens de estatura pro-digiosa, sentados em bancos, em um salão. Continuando a caminhar, chegaram diante do rei, Utgard-Loki, a quem saudaram com grande respeito.

– Se não me engano, este rapazola ali deve ser o deus Thor – disse o rei, encarando-os com um sorriso zombeteiro.

Depois, dirigindo-se a Thor acrescentou:

– Talvez valhas mais do que pareces. Em que tu e teus companheiros vos destacais, pois não tem permissão de permanecer aqui quem não se destaca, desse ou daquele modo, sobre os outros homens?

– O que sei com perfeição – disse Loki – é comer mais depressa do que qualquer ou-tra pessoa, e estou disposto a oferecer uma prova, enfrentando qualquer um que seja es-colhido para competir comigo.

– Será uma qualidade levada em conta, se conseguires fazer o que prometes, e va-mos tentar agora mesmo – replicou o Utgard-Loki.

Ordenou, então, que se aproximasse e experimentasse sua capacidade, em com-paração com Loki, um homem que estava sentado na extremidade do banco e que se chamava Logi. Tendo sido colocado no salão um recipiente cheio de carne, Loki colo-cou-se de um lado do mesmo e Logi de outro lado, e cada um começou a comer tão de-pressa quanto podia, até os dois se encontrarem no meio do recipiente. Verificou-se, porém, que Loki comera apenas a carne, ao passo que seu adversário devorara tanto a carne quanto os ossos. Assim, todos os presentes proclamaram que Loki fora vencido.

Utgard-Loki perguntou, então, que façanha seria capaz de executar o jovem que acompanhava Thor. Tialfi respondeu que correria a tal velocidade que ninguém seria ca-paz de se emparelhar com ele. O rei observou que tal capacidade era algo que realmente podia ser apresentado, mas que, para vencer a competição, o jovem precisaria ser muito ágil. Levantou-se, então, e dirigiu-se, com todos os presentes, a uma planície onde ha-via um bom terreno para corrida, e, chamando um jovem por nome Hugi, ordenou-lhe que disputasse uma corrida com Tialfi. Na primeira corrida, Hugi ficou tão à frente de seu concorrente que o alcançou por trás, não muito distante do ponto de partida. Cor-reram uma segunda e uma terceira vez, mas Tialfi não foi melhor sucedido.

Thor e os gigantes, M. E. WINGE, C. 1890,
ÓLEO SOBRE TELA

Utgard-Loki dirigiu-se a Thor: que façanha estaria disposto a executar para provar que merecia, realmente, a fama que tinha? Thor respondeu que disputaria uma prova de bebida com qualquer um. Utgard-Loki mandou seu copeiro buscar o grande chifre que seus seguidores eram obrigados a esvaziar quando alguns deles cometiam qualquer falta que implicasse violar os costumes do festim. Tendo o copeiro apresentado o chifre a Thor, Utgard-Loki explicou:

– Quem é bom bebedor, esvazia esse chifre de um só gole, embora a maior parte dos homens o esvazie de duas vezes, e os fracos só o consigam de três.

Thor olhou para o chifre, que não era de tamanho descomunal, embora muito comprido. Como estava sedento, levou-o aos lábios e bebeu durante o maior tempo que pôde, a fim de não ser obrigado a tomar um segundo gole, mas, quando afastou o copo dos lábios e o olhou, percebeu que a bebida mal havia diminuído.

Depois de respirar com força, Thor tentou outra vez, com toda a energia, mas após afastar o chifre da boca teve a impressão de que bebera ainda menos que da vez anterior, conquanto a bebida já não respingasse agora.

– E então, Thor? – exclamou Utgard-Loki. – Não deves te poupar; se queres esgotar o chifre no terceiro gole, precisas beber muita coisa, e devo dizer que não serás considerado aqui um homem tão forte quanto és em tua terra, se não executares outras façanhas melhor do que estás executando esta.

Furioso, Thor levou novamente o chifre aos lábios, e fez o possível para esvaziá-lo; mas, ao olhar a bebida, viu que ela estava apenas um pouco mais baixa. Assim, resolveu não tentar outra vez e devolveu a vasilha ao copeiro.

– Agora estou vendo que não és o que julgávamos que fosses – disse Utgard-Loki. Poderás, no entanto, tentar outra façanha, embora me pareça que não tens condição para conquistar qualquer prêmio.

– Que experiência propões agora? – perguntou Thor.

– Costumamos praticar aqui uma brincadeira da qual participam somente as crianças – respondeu Utgard-Loki. Consiste apenas em levantar meu gato do chão, e eu não me atreveria a propor tal coisa ao grande Thor, se já não tivesse observado que não és, de modo algum, o que esperávamos.

Mal acabara de falar, um grande gato cinzento entrou no salão. Thor segurou-o pela barriga e fez o possível para levantá-lo do chão, mas o gato, recurvando as costas, tornou vãos todos os esforços do deus, que não conseguiu levantar senão uma pata do animal. Vendo isso, Thor desistiu de fazer nova tentativa.

– A experiência deu o resultado que eu esperava – disse Utgard-Loki. O gato é grande, mas Thor é pequeno em comparação com nossos homens.

– Pequeno como sou – retrucou Thor –, deixa-me ver quem de vós, agora que estou enfurecido, estará disposto a lutar comigo.

– Não vejo ninguém – disse Utgard-Loki, olhando para os homens sentados nos bancos – que não se julgasse diminuído lutando contigo. Deixarei, contudo, que alguém vá chamar a velha Elli, minha ama, e Thor lutará com ela se quiser. Ela já lançou ao chão muitos homens como tu, Thor.

Entrou no salão, nesse momento, uma velha desdentada, a quem Utgard-Loki deu ordens de lutar com Thor. Não é preciso dizer que, por mais que Thor se esforçasse, não conseguiu derrubar a velha. Depois de uma violenta luta, Thor começou a ceder terreno, e afinal caiu ajoelhado. Utgard-Loki disse-lhe, então, para desistir, acrescentando que Thor não teria mais oportunidade de lutar com outra pessoa e que já estava ficando tarde; levou Thor e seus companheiros para os aposentos em que eles passaram a noite.

Na manhã seguinte, ao nascer do dia, Thor e seus companheiros vestiram-se e preparam-se para partir. Utgard-Loki mandou servir uma mesa repleta de iguarias e bebidas. Depois do repasto levou os hóspedes até a porta da cidade, e, antes que aqueles partissem, perguntou a Thor o que achava de sua viagem e se havia encontrado algum homem mais forte do que ele próprio. Thor respondeu que não podia negar que se sentia envergonhado.

– E o que mais me aborrece – acrescentou – é que podeis me chamar de uma pessoa de pouco valor.

– Não – disse Utgard-Loki. – Agora que estás fora da cidade, posso dizer-te a verdade: enquanto eu viver e mandar, jamais entrarás aqui de novo. E, palavra de honra, se eu tivesse sabido antes que tinhas tanto vigor e me levarias tão perto do revés, não teria permitido que aqui entrasses desta vez. Fica sabendo, portanto, que te iludi durante todo o tempo, com minhas artimanhas. Primeiro, na floresta, amarrei a mochila com arame para que não pudesses desamarrá-la. Depois, tu me deste três pancadas com teu malho. A primeira, embora a mais fraca, teria terminado com meus dias se me tivesse atingido, mas deslizei para um lado e tuas pancadas atingiram a montanha, onde abriram três fendas, uma das quais de grande profundidade. Lancei mão de recursos semelhantes, nas provas que disputaste com meus homens. Na primeira, Loki, como a própria fome, devorou tudo que tinha diante dele, mas Logi era, na realidade, nada menos que o Fogo e, portanto, consumiu não apenas a carne mas o osso que a sustenta. Hugi, com quem Tialfi disputou a corrida, era o Pensamento, sendo impossível para Tialfi correr na mesma velocidade que ele. Quando tu, por tua vez, tentaste esvaziar o chifre, executaste uma façanha tão maravilhosa que, se eu não a tivesse visto, não teria acreditado. De fato, uma das extremidades daquele chifre ia dar no mar, que tu não conseguiste esgotar, mas, quando chegares à praia, perceberás quanto do mar foi por ti bebido. Realizaste uma façanha não menos maravilhosa com o gato e, para dizer-te a verdade, quando vimos que uma de suas patas estava acima do chão, nós todos ficamos horrorizados, pois o que julgavas ser um gato era, na realidade, a serpente do Midgard, que rodeia a Terra e foi tão distendida por ti que mal conseguiu rodeá-la entre sua cabeça e sua cauda. A luta com Elli não constituiu façanha menos admirável, pois jamais houve um homem ou haverá que, mais cedo ou mais tarde, não acabe sendo vencido pela Velhice, e era isso que Elli era realmente. Agora, porém, que vamos nos separar, deixa-me dizer-te que será preferível para nós que jamais te aproximes de mim novamente, pois, se assim fizeres, defender-me-ei, outra vez, por meios de artimanhas, de modo que desperdiçarás teus esforços e não adquirirás fama lutando comigo.

Ouvindo tais palavras, Thor, enfurecido, levantou o malho e teria desfechado uma pancada, se Utgard-Loki não tivesse desaparecido. Quando voltou à cidade para destruí-la, Thor nada encontrou além de uma verdejante planície.

CAPÍTULO XL

A MORTE DE BALDUR
OS ELFOS
CARACTERES RÚNICOS
OS ESCALDOS – A ISLÂNDIA

A MORTE DE BALDUR

Baldur, o Bom, tendo sido atormentado com horríveis pesadelos que mostravam que sua vida corria perigo, contou-os aos deuses reunidos, que resolveram conjugar o perigo que o ameaçava. Então, Friga, a esposa de Odin, conseguiu que o fogo e a água, o ferro e todos os outros metais, as pedras, as árvores, as feras, as aves, os peixes e os seres que rastejam jurassem que nenhum deles faria mal a Baldur. Odin, não satisfeito com tudo isso e assustado com o destino de seu filho, resolveu consultar a profetisa Angerbode, uma giganta, mãe de Fenris, de Hela e da serpente Midgard. Angerbode morrera, e Odin foi forçado a procurá-la nos domínios de Hela.

Os outros deuses, porém, julgando suficiente o que Friga fizera, divertiram-se, utilizando-se de Baldur como alvo: alguns lhe atiravam dardos; outros lhe atiravam pedras, outros o feriam com suas espadas e suas achas-de-armas, pois, por mais que fizessem, nenhum deles conseguira feri-lo. Isso se tornara o passatempo favorito e era considerado como uma honra dispensada a Baldur. Loki, porém, ao assistir à cena, ficou profundamente irritado vendo que Baldur ficava ileso. Assim, tomando a forma de uma mulher, dirigiu-se a Fesalir, a mansão de Friga. Ao ver a suposta mulher, aquela deusa perguntou-lhe se sabia o que os deuses estavam fazendo em suas reuniões. A mulher

*Hermod e o cavalo Sleipnir,
que tinha oito pernas*

respondeu que estavam lançando dardos e pedras contra Baldur, sem conseguirem feri-lo.

– Ah! – exclamou Friga. – Nem as pedras, nem as lanças, nem qualquer outra coisa conseguirá ferir Baldur, pois obtive um juramento de todas elas.

– Como? – perguntou a mulher. – Todas as coisas juraram que pouparão Baldur?

– Todas as coisas – replicou Friga – com exceção de uma planta que cresce no lado oriental do Valhala, chamada visco e que achei muito jovem e muito fraca para poder jurar.

Logo que ouviu essas palavras, Loki afastou-se e, retomando à sua forma natural, cortou a planta e voltou ao lugar onde os deuses estavam reunidos. Ali encontrou Hodur afastado dos outros, sem compartilhar da diversão, devido à sua cegueira.

– Por que não atiras, também, alguma coisa em Baldur? – perguntou-lhe Loki.

– Porque sou cego e não vejo onde está Baldur e, além disso, nada tenho para atirar – respondeu Hodur.

– Ora! Faze como o resto e concede uma honra a Baldur atirando contra ele este pedaço de madeira – disse Loki. Dirigirei teu braço para o lugar onde ele se encontra.

Hodur pegou, então, a madeira, e, dirigido por Loki, atirou-a em Baldur, que, atravessado por ela, caiu sem vida.

Certamente, jamais se testemunhara, quer entre os deuses quer entre os homens, atrocidade comparável a essa. Quando Baldur caiu, os deuses foram tomados de horror, incapazes de dizer uma palavra, e depois olharam uns para os outros, todos desejosos de pôr as mãos no autor do atentado, mas foram obrigados a adiar a vingança, em respeito ao lugar sagrado onde se achavam reunidos. Deram vazão a seu pesar por altas lamentações. Quando se acalmaram, Friga perguntou-lhes quem dentre eles desejava conquistar todo seu amor e boa vontade.

– Para isso – disse ela – ele terá que ir à morada de Hela e oferecer-lhe um resgate se ela permitir que Baldur volte a Asgard.

Ouvindo isto, Hermod, apelidado o Ágil, filho de Odin, ofereceu-se para fazer a viagem. O cavalo de Odin, Sleipnir, que tinha oito pernas e corria mais que o vento, foi arreado, e, cavalgando-o, Hermod partiu a galope para a sua missão. Durante nove dias e nove noites, galopou através de tão profunda escuridão que não podia distinguir coisa alguma, até que chegou ao Rio Gyoll, onde ele passou por uma ponte revestida de ouro reluzente. A donzela que guardava a ponte perguntou-lhe seu nome e sua linhagem, dizendo-lhe que, na véspera, cinco bandos de mortos haviam galopado pela ponte sem abalá-la tanto quanto a abalara ele sozinho.

– Mas tu não tens o aspecto de morto – acrescentou. Por que galopas a caminho da morada dos mortos?

– Para procurar Baldur – respondeu Hermod. – Viste-o passar?

– Baldur atravessou a ponte sobre o Gyoll e ali fica o caminho que ele seguiu para a morada da morte – respondeu a donzela.

Hermod prosseguiu viagem até chegar às portas da morada dos mortos. Ali apeou, apertou bem a sela e, montando de novo, cravou ambas as esporas no cavalo, que atravessou a porta sem tocá-la, dando um enorme salto. Hermod, então, galopou para o palácio, onde encontrou seu irmão Baldur ocupando o lugar mais destacado do salão, e passou a noite em sua companhia. Na manhã seguinte, pediu a Hela que permitisse que Baldur regressasse com ele, afirmando-lhe que, entre os deuses, todos lamentavam a sua morte. Hela respondeu que se verificaria agora, realmente, se Baldur era tão amado quanto dizia.

– Se, portanto – acrescentou –, todas as coisas do mundo, tanto vivas como sem vida, o pranteiam, ele voltará à vida. Se, porém, alguma coisa falar contra ele, ou se recusar a chorá-lo, ele ficará aqui.

Hermod voltou então a Asgard e relatou tudo que vira e ouvira.

Os deuses enviaram, então, mensageiros ao mundo inteiro, a fim de pedir a todas as coisas que chorassem, para que Baldur pudesse sair da mansão dos mortos. Todas as coisas atenderam de boa vontade ao pedido, tanto os homens e os outros seres vivos como a terra, as pedras, as árvores e os metais, da mesma maneira que vemos estas coisas chorar, quando são levadas de algum lugar quente para um lugar frio. Quando regressavam, os mensageiros encontraram uma velha chamada Thaukt, sentada numa caverna, e pediram-lhe que chorasse, para tirar Baldur da morada dos mortos. Ela, porém, respondeu:

Com os olhos bem enxutos
A velha vai chorar
A morte de Baldur.
Deixai Hela o guardar.

Houve sérias desconfianças que a velha não era outra senão o próprio Loki, que jamais cessou de fazer o mal entre os deuses e os homens. Assim, Baldur foi impedido de voltar a Asgard.

OS FUNERAIS DE BALDUR

Os deuses levaram o corpo do morto para a costa onde estava o navio de Baldur, "Hringham", que passava por ser o maior do mundo. O cadáver foi colocado na pira funerária, a bordo do navio, e a dor de sua esposa Nanna foi tão grande que ela morreu e seu corpo foi cremado na pira, junto com o do marido. Assistiram aos funerais de Baldur Odin, acompanhado de Friga, das Valquírias e seus corvos; Frei em seu carro puxado pelo javali Guillibursti; Heindall montando seu cavalo Gulltopp, e Freia em seu carro puxado por gatos, além de muitos gigantes do Gelo e gigantes da Montanha. O cavalo de Baldur foi colocado na pira, inteiramente arreado, e consumido pelas mesmas chamas que consumiram o corpo de seu dono.

Loki amarrado na rocha enquanto o veneno da serpente cai sobre ele, D. PENROSE, C. 1870

Loki, porém, não escapou ao merecido castigo. Quando ele viu o quanto estavam indignados os deuses, fugiu para a montanha e construiu, para morar, uma cabana com quatro portas, de modo que pudesse vigiar, por todos os lados, qualquer perigo. Inventou uma rede para apanhar peixes, que todos os pescadores usaram desde então. Odin, porém, descobriu-o em seu esconderijo, e os deuses se reuniram para prendê-lo. Loki então transformou-se num salmão e escondeu-se entre as pedras do regato. Os deuses, contudo, vasculharam o regato com sua rede e pegaram Loki, que tudo fez para escapar entre as malhas da rede. Thor agarrou-o pela cauda, apertando-a, e é por isso que os salmões têm, até hoje, a cauda muito fina. Os deuses, então, acorrentaram Loki e suspenderam sobre sua cabeça uma serpente, cujo veneno cai constantemente sobre seu rosto, gota a gota. Sua esposa Siguna, sentada a seu lado, apanha as gotas em uma taça, à medida que caem, mas, quando vai esvaziar a taça, o veneno cai em cima de Loki, fazendo-o contorcer-se de horror, com tal violência, que a terra inteira treme, produzindo o que os homens chamam de terremoto.

OS ELFOS

Os "Edas" mencionam outra classe de seres, inferiores aos deuses, mas que, ainda assim, possuíam grande poder: eram chamados Elfos. Os espíritos brancos, ou Elfos da

Luz, eram dotados de grande beleza, mais brilhantes que o sol e traziam vestes delicadas e transparentes; amavam a luz, eram benevolentes para com a humanidade e, em geral, tinham o aspecto de crianças louras e belas. Seu país chamava-se Alfheim e era domínio de Frei, o deus do sol, sob cuja luz os elfos estavam sempre brincando.

Os elfos negros, ou Elfos da Noite, eram criaturas diferentes: anões feios, narigudos, de uma cor escura e suja, que apareciam somente à noite, pois evitavam o sol como o inimigo mais mortal, uma vez que, se os raios solares caíssem sobre eles, os transformavam imediatamente em pedras. Sua linguagem era o eco das solidões, e suas moradas, as cavernas e covas subterrâneas. Supunha-se que eles tinham surgido como larvas, produzidas pela carne em decomposição do cadáver de Ymir, e receberam depois, dos deuses, uma forma humana e grande inteligência. Distinguiam-se, particularmente, pelo conhecimento dos poderes misteriosos da natureza e pelos caracteres, que gravavam e explicavam. Eram habilíssimos artífices e trabalhavam em metal e madeira. Entre suas obras mais notáveis estavam o machado de Thor e o navio "Skiddaladnir", que ofereceram a Freyr e que era tão grande que nele cabiam todas as divindades com suas armas e utensílios domésticos, mas construído com tal habilidade que, quando dobrado, podia caber em um bolso.

RAGNAROK
O CREPÚSCULO DOS DEUSES

Os nórdicos acreditavam firmemente que chegariam a um tempo em que seriam destruídos, com toda a criação visível, os deuses do Valhala e de Niffleheim, os habitantes de Jotunheim, Alfheim e Midgard, juntamente com suas moradas. O pavoroso dia da destruição não viria, porém, inesperadamente. Para anunciá-lo surgiria, primeiro, um inverno tríplice, durante o qual a neve cairia dos quatro cantos do céu, o congelamento seria rigoroso, o vento cortante, o tempo tempestuoso e o sol não traria alegria. Suceder-se-iam três invernos sem serem temperados por um único verão. Três outros invernos seguir-se-iam, durante os quais a guerra e a discórdia se espalhariam pelo universo. A própria Terra ficaria amedrontada e começaria a tremer, o mar sairia de seu leito, o céu se abriria e os homens morreriam em grande número, enquanto as águias do ar se regozijariam sobre seus corpos trêmulos. O lobo Fenris arrebentará a corrente que o prende, a serpente de Midgard levantar-se-á de seu leito no mar e Loki, libertado de suas cadeias, juntar-se-á aos inimigos dos deuses. No meio da devastação geral, os filhos de Musplheim acorrerão, sob a chefia de Surtur, adiante e atrás do qual irromperão, chamas devastadoras. Os assaltantes avançariam pela ponte do arco-íris, Bifrost, que se quebraria sob os cascos dos cavalos. Sem se incomodar com a queda, porém, eles se dirigiriam ao campo de batalha chamado Vigrid, onde também apareceriam o

330 § THOMAS BULFINCH

lobo Fenris, a serpente de Midgard, Loki com todos os seguidores de Hela e os gigantes do Gelo.

Heindall levantar-se-ia e soaria a trombeta Giallar, para chamar à luta todos os deuses e heróis. Os deuses avançam, chefiados por Odin, que ataca o lobo Fenris, mas cai vítima do monstro, que, por sua vez, é morto pelo filho de Odin, Vidar. Thor destaca-se, matando a serpente de Midgard, mas cai morto, sufocado pelo veneno que o monstro moribundo vomita sobre ele. Loki e Heindall enfrentam-se e ambos são mortos. Tendo caído na batalha, os deuses e seus inimigos, Surtur, que matou Frei, incendeia o universo, que é inteiramente consumido pelo fogo. O sol se apaga, a terra se afunda no oceano, as estrelas caem do céu e deixa de haver o tempo.

Depois disso, Alfadur (o Todo-Poderoso) fará com que surjam do mar um novo céu e uma nova terra. A nova terra contará com abundantes recursos, que produzirão espontaneamente os seus frutos, sem necessidade de trabalho ou preocupação. A maldade e a miséria não serão mais conhecidas, e os deuses e os homens viverão felizes para sempre.

caracteres rúnicos

Não se pode viajar extensamente pela Dinamarca, Noruega ou Suécia sem se encontrar grandes pedras de formatos diferentes que têm gravados os caracteres chamados rúnicos, à primeira vista diferentes de todos os outros que conhecemos. As letras consistem, quase invariavelmente, em varinhas retas, dispostas isoladamente ou juntas umas com as outras.

Essas varinhas eram usadas, nos tempos primitivos, pelos povos nórdicos, para predizer os acontecimentos futuros. Sacudiam-se e, pelas figuras que formavam, faziam-se as adivinhações.

Os caracteres rúnicos são de vários tipos, sendo usados principalmente para finalidades mágicas. Os malignos, ou runas *amargos*, como eram chamados, eram empregados para causar aos inimigos várias espécies de mal, e os caracteres benignos para evitar o infortúnio. Alguns tinham finalidades medicinais, outros eram empregados para a conquista do amor etc. Em épocas posteriores passaram a ser empregados, com freqüência, em inscrições, mais de mil das quais foram descobertas. A língua é um dialeto do godo, chamado norreno, ainda usado na Islândia. As inscrições podem, portanto, ser lidas, mas, até agora, foram encontradas pouquíssimas capazes de trazer qualquer esclarecimento sobre fatos históricos. Em sua maior parte, são epitáfios gravados em túmulos.

os escaldos

Os escaldos eram os bardos e poetas da nação, classe de homens muito importante em todas as comunidades ainda no estágio primitivo da civilização. Eram os depositarios de todas as narrativas históricas, e sua função consistia em misturar algo de deleite intelectual com os rudes festins dos guerreiros, relembrando, através das obras de poesia e música, que estavam a seu alcance executar as façanhas dos heróis vivos ou mortos. As composições dos escaldos eram chamadas Sagas, e muitas delas chegaram até nós contendo valiosas contribuições para a história e uma descrição fiel do estado da sociedade na época a que se refere.

A ISLÂNDIA

Os "Edas" e as sagas vieram-nos da Islândia. O seguinte trecho da obra de Carlyle, *Heróis e Culto do Heroísmo*, apresenta uma viva descrição do país onde tiveram sua origem as estranhas histórias que acabamos de ler. O leitor notará o contraste com a Grécia, pátria da mitologia clássica:

"Naquela estranha ilha, a Islândia – empurrada, segundo dizem os geólogos, pelo fogo do fundo do mar, uma terra selvagem de desolação e lava, engolida durante muitos meses de cada ano por negras tempestades, embora dotada no verão de uma beleza selvagem e brilhante, erguendo-se imponente e sombria no Oceano Nórdico com suas *yokuls* (montanhas de neve), gêiseres (fontes de água quente) borbulhantes, lagoas de enxofre e hórridas fendas vulcânicas, semelhante a um desolado e caótico campo de batalha do Gelo e do Fogo, onde, entre todos os lugares, menos poderíamos esperar uma literatura ou memórias escritas –, foi escrito o registro dessas coisas. Na costa dessa terra selvagem fica uma faixa de verdura, onde o gado pode subsistir, e o homem, por meio dele e do que o mar lhe fornece; e parece que eram muito poéticos esses homens, homens que tinham em si pensamentos profundos e exprimiam musicalmente seus pensamentos. Muito se teria perdido se a Islândia não tivesse irrompido do mar, nem tivesse sido descoberta pelos nórdicos."

CAPÍTULO XLI

OS DRUIDAS

IONA

OS DRUIDAS

Os druidas eram os sacerdotes entre as antigas nações célticas da Gália, Bretanha e Germânia. O que sabemos a respeito deles é tirado dos escritores gregos e romanos, comparado com o que ainda resta da poesia gaélica.

Os druidas combinavam suas funções de sacerdotes com as de magistrados, sábios e médicos. Colocavam-se, em relação ao povo das tribos célticas, de maneira bem semelhante à que os brâmanes da Índia, os magos da Pérsia e os sacerdotes do Egito se colocavam diante de seus respectivos povos.

Os druidas ensinavam a existência de um deus, a quem davam o nome de "Be'al", que, segundo os entendidos, significa "a vida de tudo" ou "a fonte de todos os seres" e que parece ter afinidade com o Baal dos fenícios. O que torna essa afinidade mais notável é o fato de os druidas, do mesmo modo que os fenícios, identificarem aquela sua divindade suprema com o sol. O fogo era considerado como símbolo da divindade. Os escritores latinos afirmam que os druidas também cultuavam numerosos deuses inferiores.

Não usavam imagens para representar o objeto de seu culto, não se reuniam em templo ou construções de qualquer espécie para a realização de seus rituais sagrados. Seus santuários consistiam em um círculo de pedras (cada uma das quais, em geral, de tamanho muito grande), cercando uma área de vinte pés a trinta jardas de diâmetro.[1] O mais célebre deles é o de Stoneheng, na planície de Salisbury, Inglaterra.

---

[1] De 6,50 a 30 metros, aproximadamente. (N. do T.)

Os druidas trazendo o azevinho, G. Henry E. ᴬHorned, 1890, óleo sobre tela

Esses círculos sagrados ficavam, em geral, perto de um rio, ou à sombra de um bosque ou de um frondoso carvalho. No centro do círculo, havia o *Cronlech*, ou altar, que era uma grande pedra colocada à maneira de uma mesa, sobre outras pedras. Os druidas tinham, também, seus santuários em lugares elevados, com grandes pedras ou montões de pedras no alto dos morros. Eram chamados *Cairns* e usados para cultuar a divindade simbolizada pelo sol.

Não pode haver dúvida de que os druidas ofereciam sacrifícios à sua divindade. Há, contudo, certa dúvida a respeito da espécie de sacrifício que ofereciam, e quase nada sabemos sobre as cerimônias relacionadas com seus serviços religiosos. Os escritores clássicos (romanos) afirmam que eles ofereciam sacrifícios humanos nas grandes ocasiões, como, por exemplo, para obterem a vitória na guerra ou livrarem-se de moléstias perigosas. César descreve minuciosamente a maneira como isso era feito: "Têm imagens imensas, cujos membros são feitos de madeira trançada e se enchem com pessoas vivas. Essas imagens são queimadas e os que dentro dela se encontram vitimados pelas chamas." Muitas tentativas têm sido feitas pelos escritores simpáticos aos celtas para desmentir o testemunho dos historiadores romanos a esse respeito, mas sem sucesso.

Os druidas realizavam dois festivais por ano. O primeiro tinha lugar no princípio de maio e era chamado *Beltane* ou "fogo de Deus". Nessa ocasião, acendia-se uma grande fogueira em algum lugar elevado, em honra ao sol, cujo benéfico regresso era saudado, depois da sombria desolação do inverno. Reminiscência desse costume perdura até hoje em algumas partes da Escócia, sob o nome de *Whitsunday*.

O outro grande festival dos druidas era chamado *Samh'in*, ou "fogo da paz", e se realizava no princípio de novembro, costume que ainda permanece na região montanhosa da Escócia, sob o nome de *Hallow-eve*. Por essa ocasião, os druidas reuniam-se em assembléia solene, na parte mais central da região, para desempenhar as funções judiciais de sua classe. Todas as questões, fossem públicas ou privadas, e todos os crimes contra pessoas ou propriedade eram-lhes, então, apresentados, para apreciação e julgamento. Esses atos judiciais estavam ligados a certas práticas supersticiosas, especialmente o ato de acender o fogo sagrado, o qual serviria, por sua vez, para acender todos os fogos da região, que tinham sido, antes, escrupulosamente apagados. Esse uso de acender fogueiras no dia primeiro de novembro foi conservado nas Ilhas Britânicas, até muito depois do advento do cristianismo.

Além dessas duas grandes festividades anuais, os druidas tinham o hábito de comemorar a lua cheia e, especialmente, o sexto dia da lua. Nesse dia procuravam o visco que crescia em seus carvalhos favoritos e ao qual, assim como ao próprio carvalho, atribuíam peculiar virtude e santidade. Sua descoberta era uma ocasião de regozijo e culto solene. "Eles o chamam – diz Plínio – por uma palavra que, em sua língua, significa "cura-tudo" e, tendo feito solenes preparativos para as festividades e sacrifício embaixo da árvore, para ali levam dois touros inteiramente brancos, cujos chifres são, então, amarrados pela primeira vez. O sacerdote, vestido de branco, sobe à árvore e corta, com uma foice de ouro, o visco, que é recolhido em um pano branco, depois do que se processa a matança das vítimas. Ao mesmo tempo, dirigem preces a Deus, para que lhes conceda prosperidade." Era bebida a água em que o visco fora colocado, tida como remédio para todas as enfermidades. O visco é uma planta parasita e, como não é freqüentemente encontrada nos carvalhos, o seu encontro se tornava mais precioso.

Os druidas eram mestres de moralidade como de religião. Um valioso exemplo de seus ensinamentos éticos foi conservado nas Tríades dos bardos gaélicos, e dele podemos deduzir que a idéia que faziam da inteira moral era justa em seu conjunto, e que eles adotavam e ensinavam muitas regras de conduta nobres e valiosas. Também eram os cientistas e sábios da sua época e de seu povo. É discutível se estavam ou não familiarizados com o alfabeto, embora haja grande probabilidade de que estivessem, de certo modo. É certo, contudo, que não passaram para a escrita coisa alguma de suas doutrinas, de sua história ou de sua poesia. Seus ensinamentos eram orais e sua literatura (se a expressão pode ser usada em tal caso) preservada apenas pela tradição. Os escritores romanos, todavia, admitem que "eles prestavam muita atenção à ordem e às leis da natureza, e investigavam e ensinavam aos jovens entregues aos seus cuidados muitas coisas referentes às estrelas e seus movimentos, ao tamanho do mundo e das terras e concernente à força e ao poder dos deuses imortais".

Sua história consistia em narrativas tradicionais, em que eram celebrados os feitos heróicos de seus antepassados. Segundo parece, essas narrativas eram em versos e constituíam, pois, parte da poesia, assim como da história dos druidas. Nos poemas de Ossian, temos, senão verdadeiras produções dos tempos dos druidas, pelo menos o que se pode considerar como fiel representação das canções dos bardos.[2]

Os bardos constituíam parte essencial da hierarquia druídica. A propósito, observa um

TEMPLO DOS DRUIDAS

---

[2] Os poemas atribuídos ao bardo Ossian, que, na realidade, nunca existiu, eram da autoria do poeta escocês Mac-Pherson.

autor, Pennant: "Supunha-se que os bardos eram dotados de poder igual à inspiração. Eram os historiadores orais de todos os acontecimentos passados, públicos e particulares. Também eram perfeitos genealogistas" etc.

Pennant apresenta uma descrição minuciosa dos *Eisteddfods*, ou reuniões de bardos e menestréis, que se realizavam no País de Gales durante muitos séculos, muito depois de já terem desaparecido todos os outros setores do sacerdócio druídico. Nessas reuniões somente os bardos de valor podiam apresentar suas peças e somente podiam executá-las os menestréis realmente à altura. Eram nomeados juízes para decidir o valor dos concorrentes e conferir-lhes os graus adequados. Primitivamente os juízes eram nomeados pelos príncipes de Gales e, depois da conquista do país, por designação dos reis da Inglaterra. Conta a tradição, porém, que Eduardo I, em represália à influência exercida pelos bardos para estimular a resistência do povo ao seu jugo, perseguiu-os, com grande crueldade. Essa tradição ofereceu ao poeta Gray o assunto para a sua conhecida ode, "O Bardo".

Ainda se realizam, ocasionalmente, reuniões dos amantes da poesia e da música gaélicas, conservando essas reuniões o seu antigo nome.

O sistema druídico estava em seu apogeu por ocasião da invasão romana comandada por Júlio César. Aqueles conquistadores do mundo dirigiram toda a sua fúria contra os druidas, considerando-os seus principais inimigos. Os druidas, perseguidos em toda parte do continente, refugiaram-se em Anglesey e Iona, onde encontraram abrigo e continuaram a prática de seus ritos, agora proibidos.

Mantiveram seu predomínio em Iona, no litoral e nas ilhas adjacentes, até que foram suplantados e suas superstições vencidas pela chegada de São Columbano, apóstolo da Escócia que converteu os habitantes ao cristianismo.

Iona

Iona, uma das menores das Ilhas Britânicas, situada perto de uma costa inóspita e acidentada, rodeada por mares perigosos e não dispondo de fontes de riqueza, conseguiu, não obstante, um lugar imperecível na história, como centro de civilização e religião, em uma época em que as trevas do paganismo dominavam quase todo o norte da Europa. Iona ou Icolnkill está situada na extremidade da Ilha de Mull, da qual se acha separada por um estreito de meia milha de largura, sendo de trinta e seis milhas a distância que a separa da Escócia.[3]

Columbano era natural da Irlanda e parente dos príncipes do país. A Irlanda era, naquele tempo, uma terra iluminada pelo Evangelho, ao passo que o oeste e o norte da Escócia ainda estavam mergulhados nas trevas do paganismo. Columbano, com doze

---

[3] A milha inglesa tem 1.609 metros, e a marítima, 1.852 metros. (N. do T.)

amigos, desembarcou na Ilha de Iona no ano de 563, depois de ter feito a travessia em um frágil barco revestido de couro. Os druidas que ocupavam a ilha tentaram impedi-lo de ali se fixar, e os povos selvagens da costa próxima perseguiram-no com sua hostilidade, e, por diversas ocasiões, puseram sua vida em perigo. Graças, contudo, à sua perseverança e zelo, ele venceu todas as dificuldades, obteve do rei que a ilha lhe fosse doada e ali estabeleceu um convento, do qual se tornou abade. Era incansável em seus esforços para disseminar o conhecimento das Escrituras no interior da Escócia e nas ilhas adjacentes, e isso lhe assegurou tal prestígio que, embora não fosse bispo, mas um simples presbítero e monge, toda a província, com os seus bispos, ficou sujeita a ele e a seus sucessores. O monarca dos Pictos ficou tão impressionado com sua sabedoria e dignidade que lhe concedeu as maiores honrarias, e os chefes e príncipes vizinhos procuravam seu conselho e entregavam-lhe a solução de suas disputas.

Quando Columbano desembarcou em Iona, estava acompanhado por doze companheiros com os quais formou um corpo religioso de que se tornou chefe. Mais tarde, chegaram outros, de maneira que o número original fosse conservado sempre. Sua instituição foi chamada de mosteiro, e o superior, de abade, mas o sistema tinha pouca coisa em comum com as instituições monásticas das idades posteriores. O nome pelo qual os monges foram submetidos à regra era o de *culdees*, provavelmente derivado do latim *cultores Dei*, adoradores de Deus. Eles constituíam um corpo de religiosos associados para assistirem uns aos outros no trabalho comum de pregação do Evangelho e instrução da mocidade, assim como para conservarem em si mesmos o fervor da devoção, através do exercício comum do culto. Ao entrar na ordem, seus membros tinham de prestar certos votos, mas que não eram os votos habitualmente impostos pelas ordens monásticas, que são três: celibato, pobreza e obediência. Os *culdees* só estavam presos ao terceiro desses votos. Não se obrigavam à pobreza; ao contrário, trabalhavam diligentemente para assegurar as comodidades materiais a si mesmos e aos seus. Também tinham permissão de contrair matrimônio e parece que, em sua maior parte, se casaram. Na verdade, suas mulheres não tinham permissão de viver em sua companhia no convento, tendo-lhes sido destinada uma residência em localidade próxima. Existe, perto de Iona, uma ilha que ainda se chama *Eilen nam ban*, Ilha das Mulheres, onde, segundo parece, os maridos residiam com suas respectivas esposas, exceto quando suas obrigações exigiam sua presença na escola ou no santuário.

Sob este e outros aspectos, os *culdees* afastavam-se das regras estabelecidas pela Igreja Romana e, em conseqüência, foram considerados heréticos. O resultado foi que, à medida que aumentava o poder daquela igreja, o dos *culdees* diminuía. Somente no século XIII, contudo, suas comunidades foram extintas e seus membros dispersados. Eles ainda continuaram a trabalhar individualmente e resistiram à intromissão papal, tanto quanto puderam, até que a luz da Reforma iluminou o mundo.

Iona, pela sua posição nos mares ocidentais, estava exposta aos assaltos dos piratas noruegueses e dinamarqueses que infestavam aqueles mares e foi, repetidamente, saqueada por eles, suas casas incendiadas, seus pacíficos habitantes passados a fio de espada. Essas circunstâncias desfavoráveis, juntamente com a dispersão dos *culdees* por toda a Escócia, acarretou, pouco a pouco, sua decadência. Durante o domínio do papismo, a ilha tornou-se sede de um convento de monjas, cujas ruínas ainda podem ser vistas. Com a Reforma, as freiras tiveram permissão de lá permanecer, vivendo em comunidade, quando o convento foi extinto.

Hoje, Iona é visitada principalmente devido aos numerosos remanescentes de monumentos eclesiásticos e sepulturas que ali se encontram, sendo as principais a Catedral, ou Igreja Abacial, e a capela do convento de freiras. Além destes remanescentes eclesiásticos, existem alguns da época anterior, que relembram a existência na ilha de formas de culto e crença diferentes do cristianismo. São os *Cairns* que se encontram em várias partes e que têm sua origem nos druidas. Foi com referência a todos esses remanescentes da antiga religião que Johnson observou que "é pouco digno de inveja o homem cujo patriotismo não se pôde fortalecer nas planícies de Maratona, ou cuja piedade não se torne mais calorosa nas ruínas de Iona".

No poema "Senhor das Ilhas", Scott contrasta, de maneira feliz, a igreja de Iona com a caverna de Staffa, que lhe fica em frente:

A própria natureza parecia
Um templo haver erguido ao Criador!
Para finalidade mais humilde
Levantar não iria tais colunas
Nem sustentar abóbadas tão belas.

Nem é menos solene a harmonia
Que das ondas o eterno movimento
Provoca reboando na caverna
E que de um órgão a música recorda.
Em sua frente se ergue o velho templo
De longa, e de natura a voz potente
Parece lhe dizer: "Muito fizeste,
Frágil filho da argila! Teu humilde
Poder, este imponente santuário
Ao levantar, foi grande. Mas compara
Com meu poder todo esse esforço ingente!

CAPÍTULO XLII

BEOWULF

Embora o manuscrito que contém o poema épico de Beowulf tenha sido escrito, aproximadamente, no ano 1000 de nossa era, o próprio poema já era conhecido há séculos, tendo sido composto pelos menestréis que recitavam os feitos heróicos do filho de Ecgtheow e sobrinho de Hygelac, rei dos Geats, cujo reino ficava na atual Suécia meridional.

Em sua infância, Beowulf deu provas de grande força e coragem, que o levaram, depois de adulto, a libertar Hrothgar, rei da Dinamarca, do monstro Grendel e, mais tarde, seu próprio reino do feroz dragão que lhe infligiu um ferimento mortal.

Beowulf conquistou fama vencendo muitos monstros marinhos, quando nadou durante sete dias e sete noites, antes de chegar ao país dos fineses. Ajudando a defender a terra de Hetware, matou muitos inimigos e, mais uma vez, mostrou suas qualidades de nadador, levando ao seu navio as armaduras de trinta de seus perseguidores, que matara. Tendo-lhe sido oferecida a coroa de seu país natal, Beowulf, então muito jovem, recusou-a, em favor de Heardred, filho da rainha, ainda criança, de quem se tornou guardião e conselheiro, até que ele pudesse governar sozinho.

Durante 12 anos, Hrothgar, rei da Dinamarca, sofreu as conseqüências das devastações praticadas em seu país por um monstro cruel, Grendel, que era encantado, não podendo morrer por qualquer arma construída pelo ho-

A heróica luta de Beowulf

Beowulf contempla a mão peluda que pertencia a Grendel.
ALAN LEE, 1984, ILUSTRAÇÃO

mem, morava nas terras desertas e que, certa noite, saiu para atacar o palácio de Hrothgar, aprisionando e matando muitos de seus convivas.

Sabendo, pelos marinheiros, das sanguinolentas expedições de Grendel, Beowulf partiu, com quatorze companheiros decididos, para prestar ao rei sua valiosa ajuda. Ao desembarcar na costa dinamarquesa, foi tomado por espião, mas conseguiu convencer os guardas que o deixassem passar e foi acolhido prazerosamente por Hrothgar. Quando o rei e sua corte foram dormir, à noite, Beowulf e seus companheiros ficaram sozinhos no palácio. Todos, com exceção de Beowulf, adormeceram. Grendel entrou e matou um dos companheiros de Beowulf adormecido, mas o jovem, embora desarmado, lutou com o monstro e, graças à sua força prodigiosa, conseguiu arrancar-lhe o braço. Mortalmente ferido, Grendel retirou-se, deixando um rastro sangrento, desde o palácio até o seu covil.

Tendo perdido o temor de outro ataque por parte de Grendel, os dinamarqueses voltaram ao palácio, e Beowulf e seus companheiros foram abrigados em outro lugar. A mãe de Grendel foi-se vingar do ferimento fatal sofrido por seu filho e levou consigo um nobre dinamarquês e a pata do monstro que ficara no palácio. Seguindo o rastro sangrento, Beowulf foi liquidar a mãe do monstro e, armado com sua espada Hrunting, chegou à beira d'água, mergulhou e nadou até um aposento no fundo do mar. Ali enfrentou a mãe de Grendel, matando-a com uma velha espada que encontrou na caverna marítima. Perto estava o corpo de Grendel. Beowulf cortou-lhe a cabeça e levou-a como troféu ao Rei Hrothgar. Grande foi o regozijo no palácio e maior foi a acolhida a Beowulf, quando regressou à sua terra, onde lhe foram concedidos muitos bens e altas honrarias.

Pouco depois, o rei menino Heardred foi morto na guerra com os suecos, e Beowulf sucedeu-lhe no trono.

Durante cinqüenta anos, ele reinou em paz. Depois, um dragão, furioso porque lhe fora roubado seu tesouro, colocado em um túmulo, começou a devastar o reino de Beowulf. Como Grendel, esse monstro saía de seu covil à noite para pilhar e devastar.

Beowulf, agora um idoso monarca, resolveu lutar sozinho contra o dragão. Aproximou-se de seu covil, de onde saía um vapor fervente. Sem se intimidar, avançou, gritando um desafio. O dragão saiu, lançando fogo pela boca, e investiu contra Beowulf, furioso, quase o esmagando nesse primeiro ataque. Tão terrível foi a luta que todos os homens que acompanhavam o rei, com exceção de um só, abandonaram-no e fugiram para salvar a pele. Wiglaf permaneceu ao lado do velho rei, cuja espada foi despedaçada por nova investida do monstro, que cravou as garras no pescoço de Beowulf. Correndo para participar da luta, Wiglaf ajudou o herói já moribundo a matar o dragão.

Antes de morrer, Beowulf nomeou Wiglaf seu sucessor no trono e ordenou que suas próprias cinzas fossem colocadas em um santuário, no alto de um rochedo, junto ao mar. Seu corpo foi queimado em uma grande pira funerária, enquanto doze homens rodeavam o túmulo cantando, para manifestar seu pesar e lembrar as proezas do bom e grande homem, Beowulf.

índice onomástico

B

D

E

Érebo – 16, 66, 95, 155, 185, 263, 268

Erifila – 181

Erínias – 19, 227

Éris – 207

Erisíchton – 168, 170, 171, 177

Eros – 16, 18

Esão – 133, 137, 138

Escaldos – 330, 331

Escopas – 198

Esculápio – 131, 156, 174, 179, 212, 285

Esfinge – 127, 128, 129, 291

Estações – 15, 18

Estrófius – 227

Etéocles – 180, 181

Etes – 133, 134, 135, 140

Etra – 153

Eumênides – 20, 197, 227

Eumeu – 245, 247

Eunápio – 202, 203

Eurátion – 131

Euríalo – 272, 273, 274

Eurídice – 183, 184, 185, 186, 188, 193

Euríloco – 233

Eurínome – 16

Euristeus – 147, 148, 150

Eurítion – 148

Europa – 99, 11, 115, 133, 148, 308, 336

Euterpe – 19

Eva – 16, 27, 168, 175, 287

Evadne – 181

Evandro – 269, 270, 271, 275

F

Faetonte – 49, 50, 52, 53, 54, 55

Fantasos – 80

Faonte – 198

Fauno – 20, 167, 205, 267

Feácios – 239, 240, 241, 243, 244

Febo – 17, 32, 44, 47, 50, 51, 75, 76, 80, 99, 169, 214

Fedra – 155, 156

Fênix – 295, 296

Fenris – 314, 315, 325, 329, 330

Fídias – 290, 291

Filêmon – 59, 60, 61

Filoctetes – 150, 222, 223

Fineu – 250

Flora – 20, 175

Forbas – 254

Frei – 314, 317, 328, 329, 330

Freia – 314, 315, 316, 317, 328

Friga – 325, 326, 328

Frineu – 125, 126, 134

Frixo – 133

Fúrias (as) – 19, 143, 184, 195, 196, 227, 257, 258, 260

G

Galatéia – 193, 205, 206

Ganimedes – 151, 152

H

I

J

K

L

M

N

O

P

V

Z

W

Y

outros títulos da coleção

O Livro de Ouro dos Sonhos, de Gayle Delaney

O Livro de Ouro das Ciências Ocultas, de Friedrich W. Doucet

O Livro de Ouro da História da Música, de Otto Maria Carpeaux

O Livro de Ouro dos Mistérios da Antigüidade, de Peter James e Nick Thorpe

O Livro de Ouro do Universo, de Ronaldo Rogério de Freitas Mourão

O Livro de Ouro das Profecias de Nostradamus, de Francis X. King

O Livro de Ouro dos Deuses e Deusas, de Elizabeth Hallam, Tessa Clark e Cecília Walters

O Livro de Ouro das Profecias, de Tony Allan

Este livro foi composto em Utopia e Filosofia
e impresso pela Edigráfica sobre papel offset 70g
para a Ediouro Publicações em 2012.